# Cysgod y Cryman

Ar gyfer oedolion sy'n dysgu Cymraeg

ISLWYN FFOWC ELIS
(Talfyriad gan Basil Davies)

Gwasg Gomer
1987

*Argraffiad Cyntaf - Rhagfyr 1987*
*Ail Argraffiad - Tachwedd 1991*
*Trydydd Argraffiad - Mehefin 1996*

IBSN 0 86383 399 3

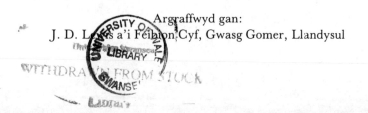
Argraffwyd gan:
J. D. Lewis a'i Feibion Cyf, Gwasg Gomer, Llandysul

# RHAGAIR

Dyma'r drydedd nofel yn y gyfres CAM AT Y CEWRI, cyfres sy'n ceisio cyflwyno gwaith nofelwyr Cymraeg i ddysgwyr. Rwy'n ddiolchgar iawn i ddysgwyr ac adolygwyr am eu croeso brwd i'r ddwy nofel gyntaf yn y gyfres, sef O LAW I LAW a WILLIAM JONES gan T. Rowland Hughes.

Talfyrrwyd (*talfyrru—to abridge*) y nofel wreiddiol yn sylweddol, ond eto rhaid i mi bwysleisio taw iaith y nofel wreiddiol sydd yma. Yma a thraw, bu'n rhaid i mi gysylltu rhannau o'r nofel â'm geiriau fy hun a gosodais y rheiny mewn cromfachau, e.e. ''. . . yr oedd newydd fod yn swyddfa Coleman & Smith yn (Henberth yn) trefnu'n derfynol ar gyfer y gwerthu . . .''

Pwrpas y nodiadau yw esbonio'r eirfa ac ambell gystrawen ddieithr mewn ymgais syml i helpu'r darllenydd i ddeall y nofel. O ddeall y nofel gobeithio y byddwch yn ei mwynhau, a'i mwynhau gymaint fel y byddwch yn benderfynol o ddarllen y nofel wreiddiol. Felly, tamaid i aros pryd yw'r fersiwn hwn, a dim arall.

BASIL DAVIES

# ISLWYN FFOWC ELIS (1924—)

Gŵr o Wrecsam yw awdur y nofel hon yn wreiddiol, ond fe gafodd ei fagu yn Nyffryn Ceiriog, Clwyd, heb fod ymhell o Langollen.

Ar ôl gadael Coleg y Brifysgol, Bangor, bu'n weinidog am gyfnod cyn ymuno â'r B.B.C. ym 1956 fel awdur a chynhyrchydd. Rhwng 1963 a 1975 bu'n ddarlithydd yng Ngholeg y Drindod, Caerfyrddin; yn olygydd a chyfieithydd gyda'r Cyngor Llyfrau Cymraeg; yn awdur amser llawn. Ers 1975 bu'n Ddarlithydd yn y Gymraeg yng Ngholeg Prifysgol Dewi Sant, Llanbedr Pont Steffan.

Ysgrifennodd gyfrolau o ysgrifau, a storïau byrion ac un ddrama ond rydyn ni'n meddwl amdano'n bennaf (*chiefly*) fel nofelydd ac ysgrifennodd naw nofel rhwng 1953 a 1972. CYSGOD Y CRYMAN oedd ei nofel gyntaf (1953), ac yn y blynyddoedd dilynol cyhoeddwyd nofelau adnabyddus eraill ganddo, fel YN ÔL I LEIFIOR (1956), ac WYTHNOS YNG NGHYMRU FYDD (1957).

Darllenwch amdano yn Y CYDYMAITH.

# CYDNABOD

Diolch i'm cyfaill Cennard Davies am nifer o awgrymiadau gwerthfawr; i Hazel Evans, dysgwraig o Waelod y Garth a ddarllenodd y talfyriad; i'r awdur, Islwyn Ffowc Elis, am ei ganiatâd caredig i dalfyrru'i nofel wreiddiol; i gyfarwyddwyr a staff Gwasg Gomer am fod mor barod i gyhoeddi'r talfyriad o'r nofel boblogaidd ac am eu gofal wrth argraffu.

# BYRFODDAU

cf.     —cymharer, *compare*
h.y.    —hynny yw, *that is*
(G.C.)—ffurf a ddefnyddir yng Ngogledd Cymru
(D.C.)—ffurf a ddefnyddir yn Ne Cymru
(Pen.) —ffurf a ddefnyddir yn yr hen Sir Benfro

# Y BENNOD GYNTAF

## I

Heddiw, yr oedd Edward Vaughan wedi lladd ei wair. Yr oedd chwech o dri chan cyfair Lleifior yn gorwedd dan y machlud. Cerddodd yn dalsyth tua'r tŷ, yn cario'i bum-mlwydd-a-thrigain yn ysgafn iawn. Yr oedd y gegin yn hyfryd oer wedi'r gwres y tu allan. Aeth ar hyd y neuadd ac i mewn i'r parlwr mawr. Ym mhen pellaf y stafell hir honno, mewn cadair freichiau o flaen tân coed eisteddai'i briod.

"Wel, wel, Margaret, tân nos o Dachwedd ar nos o Fehefin."

"Fe fydd yn debycach i nos o Dachwedd, Edward, pan ddaw dau o'r gloch y bore, a Henri a chithe'n sgwrsio fan yma."

"Dim o'r fath beth," meddai Edward Vaughan. "Rhaid inni fod yn y cae gyda chodi'r gwlith bore fory. A chodi cynnar, gwely cynnar."

"Mi glywais i'r stori yna o'r blaen. Ganwaith. Bob diwedd term pan ddaw Henri adre, rydech chi'n bygwth troi i mewn cyn deg. A byth yn troi i mewn cyn dau."

Trodd Edward Vaughan lygad cellweirus arni.

"Dim ond 'mod i'n fwy onest na chi, Margaret. Yr ydech chi cyn falched â finne o'i weled o, ond eich bod chi'n gallu cuddio. Mynd yn gyfrwys i'ch gwely, ac yn ysu am aros ar eich traed."

"Dim o'ch seicoloji chi, Edward," meddai Margaret Vaughan, gan weu'n gyflymach.

"Faint sydd er pan aeth Greta?"

"Dros awr," meddai Mrs. Vaughan.

"Fe ddyle fod yn ôl erbyn hyn, os nad ydi'r trên yn hwyr."

---

gwair: *hay*
tri chan cyfair: 300 erw/*acre*
yn dalsyth: yn dal ac yn syth
priod: h.y. gwraig/gŵr
gyda chodi'r gwlith: fel mae'r
   gwlith/*dew* yn sychu

cellweirus: *jocular*
cyn falched â: *as proud as*
cyfrwys: *cunning*
ysu am: *itching to*

## II

Yr oedd y trên yn arafu. Estynnodd Harri'i fagiau i lawr.
Rhoddodd ei ben drwy'r ffenest; oedd, yr oedd Greta'n ei
ddisgwyl. Llamodd Harri i'r platfform a llusgo'i fagiau ar ei ôl a
thaflu'i freichiau amdani.

"A sut mae fy chwaer fach i? Wel, diawc, rwyt ti 'mron
cymaint â fi!"

"Tyrd Harri," meddai, "mae genny syrpreis iti y tu allan."

Ac wedi taro'u tocynnau yn llaw'r gorsaf-feistr fel rhai cynefin
â gweision aeth y ddau drwodd i sgwâr hynafol Henberth.
Safodd Harri yng ngolwg y car hir du.

"Car newydd, ar fy llw! Ffarmio'n talu'n well nag erioed.
Soniaist ti'r un gair yn dy lythyre."

"Fel y dywedais i—syrpreis," meddai Greta.

Fe'i plannodd Harri'i hun wrth yr olwyn fawr, ac wedi'i
danio, suodd y cerbyd yn fawreddog drwy heol fawr Henberth,
a llygaid ambell un tlotach na phlant Lleifior yn syllu'n
eiddigeddus ar ei ôl.

## III

Yr oedd llygaid Harri'n chwilio am Leifior ymhell cyn ei
gyrraedd. A phan ddaeth i'r golwg arafodd y cerbyd i'w weld yn
well ac i'w weld yn hwy.

Yr oedd Lleifior bob amser yn olygus o'r ffordd, ond byth mor
olygus i Harri â phan oedd wedi bod ddeuddeng wythnos o'i
olwg yn Mangor. Am yr olwg hon arno y byddai'n meddwl
uwchben ei bapurau arholiad, ac nid oedd hi byth yn ei siomi.

---

llamodd: neidiodd, (llamu)
taro: h.y. gosod
cynefin â: yn gyfarwydd â
gweision: *servants*
hynafol: hen/*ancient*
ar fy llw!: *by jove!*
soniaist ti'r un gair: wnest ti ddim
   sôn/*mention*

tanio: h.y. dechrau
suodd y cerbyd: *the car sighed,* (suo)
yn fawreddog: *majestically*
eiddigeddus: jealous
yn hwy: am fwy o amser
o'i olwg: *out of its sight*/golwg

Tynnodd Harri ffroenaid o awyr i'w ysgyfaint. Nid oedd arni flas mwg na blas heli, dim ond blas awyr. Nid oedd hi i'w chael yn unman ond gartref. Llywiodd y cerbyd mawr drwy'r llidiardau gwynion ac i fyny'r dreif at y tŷ.

Agorodd y drws, a safai Edward Vaughan yn y portico gwyn. Aeth Harri i gefn y car a thynnu ei fagiau allan, i ohirio'r ysgwyd llaw. Byddai bob amser ychydig yn anghysurus wrth ysgwyd llaw â'i dad, a byddai'n meddwl bod ei dad yn anghysurus hefyd.

Ysgwyd llaw oedd rhaid.

"Sut rwyt ti, Henri, 'machgen i?"

"Sut rydech chi, 'Nhad? Ble mae Mam?"

Heb ddisgwyl am ateb, aeth Harri drwy'r neuadd i'r stafell ginio. Yno'r oedd ei fam. Heb air, yr oeddynt ym mreichiau'i gilydd.

"Cer i fyny'r staer rŵan i olchi dy ddwylo ar ôl trafeilio," ebe Mrs. Vaughan, gan gychwyn i'r gegin i lenwi'r tebot rhimyn aur.

I fyny'r grisiau derw llydan, digarped, yn gweld ei lun ynddynt wrth fynd. Sefyll i syllu ar lun arall o arfbais y Fychaniaid yn y ffenest wydr lliw yn y tro, ac yna i fyny tua'r ymolchfa. Ymolchodd Harri yn y dŵr meddal a ddôi o'r gronfa yn y mynydd, ac wedi ymolchi, yfed ohono. Nid oedd dŵr yn y byd fel hwn.

Wedi'i dwtio'i hun, a dod i edrych yn debycach i etifedd Lleifior nag i stiwdant o Fangor, aeth Harri i lawr, ddwy ris ar y tro, ond ni chyfrifodd mo'r polish arnynt. Llithrodd yn swnllyd a glanio ar ei gefn yn y gwaelod. Goleuodd ei dad y trydan a'i weld yno. Ni ddywedodd Edward Vaughan air, ond fe wyddai Harri nad oedd yr ystum hwn wrth ei fodd. Nid ar ei gefn ar lawr oedd lle etifedd Lleifior.

---

ffroenaid: *a nostril full*
ysgyfaint: *lungs*
heli: dŵr hallt/*salt water*
llywiodd: *he steered*, (llywio)
llidiardau: gatiau
safai E.V.: roedd E.V. yn sefyll
gohirio: *to postpone*
anghysurus: anghyfforddus
trafeilio: teithio, *to travel*

rhimyn: ymyl
derw: *oak*
arfbais: *coat of arms*
y Fychaniaid: h.y. *the Vaughan family*
ymolchfa: ystafell ymolchi
a ddôi: a oedd yn dod
etifedd: *heir*
fe wyddai H.: roedd H. yn gwybod
ystum: *posture*

Yr un oedd patrwm y sgwrs bob tro y dôi Harri adref. Uwchben swper, cyfnewid newyddion; wrth dân y parlwr mawr, trafod problemau.

Wedi gorffen y cig oen a'r llysiau yr oedd Edward Vaughan wedi gollwng y cwestiwn a fu'n gwingo ynddo er pan welodd Harri gyntaf yn y drws.

"Wel, Henri, sut y gwnest ti yn yr arholiad?"

"Symol," ebe Harri, gyda winc ar Greta, "symol iawn. Cha i mo 'ngradd eleni."

Sythodd ei dad a rhythu arno.

"Sut felly?"

"Roeddwn i'n canolbwyntio y term yma ar fywyd cymdeithasol!"

"Bywyd cymdeithasol."

"Ie. Nofio, a chwarae tennis, a dringo Eryri—"

"Gwarchod pawb! Wyt ti'n meddwl mai i hynny y telais i arian mawr i'th gadw di ym Mangor?"

"Welsoch chi mo'u colli nhw, 'Nhad, rwyn siŵr," meddai Harri, yn llygadu'i dad trwy'i fysedd.

"Nid dyna'r pwynt." Anesmwythodd ei dad ar ei gadair a chrafu'i wddw. "Y pwynt yw ein bod ni dair blynedd yn ôl wedi taro bargen. Doeddet ti ddim am aros gartre i ffarmio. Roedd hynny'n gryn ergyd i mi, gan nad oes genny'r un mab arall i ffarmio Lleifior ar f'ôl i. Eto i gyd, mi fodlonais iti fynd, ar yr amod dy fod ti'n dwyn clod i dy deulu mewn rhyw faes arall."

"Edward!" meddai Margaret Vaughan. "Rydech chi'n siarad fel geiriadur. Ac am a wyddoch chi, yn siarad llawer o

---

y dôi H.: y byddai H. yn dod
cyfnewid: *to exchange*
gwingo: *to writhe*
er: *since*
Symol: gweddol
gradd: *degree*
sythodd: (E.V.) *straightened*, (sythu)
rhythu: *to stare*
canolbwyntio: *to concentrate*
Gwarchod pawb!: h.y. *my goodness!*

llygadu: edrych ar
anesmwythodd ei dad: *his father became restless*, (anesmwytho)
am aros: eisiau aros
yn gryn ergyd: *a considerable blow*
mi fodlonais iti: *I allowed you to go*
amod: *condition*
dwyn clod: *to bring credit*
maes: *field (of study)*
am a wyddoch chi: *for what you know*

nonsens. Arhoswch nes daw risylt yr arholiad, da chi. Hwyrach y bydd y bachgen wedi gwneud yn well nag y mae'n feddwl.''

Rhoddodd Harri'r winc nesaf ar ei fam. Fodd bynnag, caniataodd Edward Vaughan i'r swper fynd rhagddo a mynd heibio heb ddweud gair ymhellach am gyfrifoldeb academaidd Harri. Ciliodd Harri ac yntau i'r parlwr mawr ac aeth y merched i olchi'r llestri.

Rywbryd tua hanner nos aeth Greta a'i mam i'r gwely. Agorodd Harri un o'r ffenestri'n llydan a gollwng i'r ystafell lwyth o arogleuon nos o Fehefin. Rhosynnau a gwair a gwyddfid. Safodd yn hir yn syllu i'r tywyllwch.

''Ers pa bryd yr yden ni'r Vaughaniaid yma, 'Nhad?'' gofynnodd o'r diwedd.

Daeth ei dad ato i'r ffenest, ac edrychodd yntau allan i'r tywyllwch. Wedi synfyfyrio am funud neu ddau, dywedodd,

''Mi glywais 'y nhad yn dweud bod dros ddau gant o flynydd-oedd er pan brynwyd Lleifior gan un o'r Vaughaniaid. Hwnnw gododd y tŷ'r yden ni'n sefyll ynddo rŵan. Mae'n rhaid ei fod o'n ddyn go gefnog yn ei oes.''

''Ac mae'r Vaughaniaid wedi dod yn fwy cefnog gyda phob Vaughan newydd ddaeth i'r byd,'' ebe Harri.

''Rhyw gymaint yn fwy, mae'n siŵr. Pam?''

''Dim ond meddwl. Faint mwy o Vaughaniaid gaiff fyw yma, tybed?''

Trodd Edward Vaughan i'r ffenest.

''Mae hynny'n dibynnu arnat ti, Henri. Ti ydi'r olaf o'r teulu bellach i gario'r enw.''

''Ydech chi'n meddwl bod enw'n bwysig, 'Nhad?''

''Mae wedi bod yn bwysig hyd yma.''

''Mae arna i ofn fod pethe'n newid.''

''Newid?''

---

da chi: *for goodness sake*
hwyrach (G.C.): efallai
caniataodd E.V.: *(E.V.) allowed*, (caniatáu)
mynd rhagddo: mynd yn ei flaen, *to proceed*
cyfrifoldeb: *responsibility*
ciliodd H.: *H. retreated*, (cilio)

llwyth: *load*
arogleuon: *scents*
gwyddfid: *honeysuckle*
synfyfyrio: to meditate
go gefnog: eithaf cyfoethog
gaiff fyw: *will be allowed to live*, (cael byw)

"Methu peidio â theimlo'r ydw i, ym mêr fy esgyrn yn rhywle, nad ydi'r pethe fu'n cyfri—enw, safle, cyfoeth—nad yden nhw ddim yn mynd i gyfri llawer byth eto."

Eisteddodd ei dad yn araf mewn cadair freichiau a thaflu coedyn arall ar y tân.

"Dwyt ti ddim yn siarad synnwyr heno, Henri." meddai. "Mae lleoedd fel Lleifior yn anninistriol. Maen nhw'n rhoi rhyw ddiogelwch i'r bobol sy'n byw o'u cwmpas nhw. Mae'r bobl yn disgwyl inni bara, yn credu y byddwn ni'n para. Ac fe wnawn, os ydi'r un metel yn y meibion ag oedd yn y tadau."

Methodd Harri ag edrych yn llygad ei dad. Trodd i gau'r ffenest ar y nos aroglus ac yna daeth yntau i eistedd wrth y tân. Fe fu'n hir yn ceisio rhoi rheswm am yr anobaith a oedd ynddo.

Pan gytunodd y cloc bach ar y silff-ben-tân a'r cloc mawr yn y neuadd ei bod hi'n ddau o'r gloch y bore, cododd y ddau a mynd yn ddistaw i fyny'r grisiau derw i'w gwelyau.

---

ym mêr fy esgyrn: h.y. *in my very being*
cyfri: cyfrif, *count*
safle: *status*
anninistriol: *indestructible*

para: *to last*
fe wnawn: *we shall (last)*
aroglus: *scented*
anobaith: *hopelessness*
derw: *oak*

14

# YR AIL BENNOD

## I

Pan ddeffrodd (Harri), yr oedd yr haul yn uchel. A thrwy'r ffenest agored dôi sawr gwair newydd ei dorri. Taflodd yr unig gynfas oedd ar ei wely a llamu i'r llofft ac i'r ffenest. Oddi tano yr oedd Dyffryn Aerwen yn wyrdd ac yn llydan. Ym mhobman yr oedd clebar peiriannau lladd gwair. Cerddodd llygad Harri o ffarm i ffarm ar hyd y dyffryn, a'u henwi un ac un. Castell Aram, Y Trawscoed, Y Garnedd, Lluest y Wennol, a Lleifior. A'r mwyaf o'r rhai hyn oedd Lleifior.

Yn y Weirglodd Wen yr oedd tri yn trin y gwair, un ohonynt ar dractor yn tynnu trowr. Ar hanner isa'r cae yr oedd dau arall, un ar dractor a'r llall o'i ôl ar beiriant lladd gwair.

Gwthiodd Harri'i ddwylo drwy'i wallt. Fflam! Yr oedd yntau wedi ymdynghedu i fod yn y maes ar fore cynta'i wyliau gyda chodi'r gwlith. Mae'n amlwg fod ei fam wedi rhoi gorchymyn, fel arfer, nad oedd neb i'w ddeffro. Yn yr ymolchfa ymolchodd yn nŵr y mynydd. Nid eilliodd. Yr oedd am edrych yn wladaidd.

I lawr yn y gegin llyncodd Harri'r cig moch ar ddau wy a'r marmaled a'r coffi fel petai ar ddal trên. Cododd a rhedeg drwy'r drws.

"Henri!"

Yr oedd ei fam yn cerdded yn urddasol drwy'r gegin.

"Aros am funud, ac fe gei fynd â chwpaned i'r dynion yn y cae."

---

dôi sawr: roedd gwynt (gwair) yn dod, (dod)
cynfas: *canvas*
oddi tano: *beneath him*
clebar: *tattle*
trin: *to treat, to handle*
trowr: *hayraker*
Fflam!: *Heck!*
ymdynghedu: *to vow*

gyda chodi'r gwlith: yn gynnar iawn, (gwlith—*dew*)
amlwg: *obvious*
gorchymyn: *order*
Nid eilliodd: *He didn't shave*, (eillio)
am: eisiau
gwladaidd: fel person o'r wlad
urddasol: *graceful*
fe gei fynd: *you can take*

15

Eisteddodd (Harri) ar y setl dderw a thanio sigaret. Cydiodd yn *Y Cymro*.

"Pa bryd yr wyt ti'n cyfarfod Lisabeth?" gofynnodd Greta.

"Lisabeth? O . . . heno, mae'n debyg."

"Dwyt ti ddim yn dangos llawer o frwdfrydedd."

"Pam? Ddylwn i?"

"Harri! A thithe'n priodi mewn blwyddyn."

"Pwy ddwedodd 'mod i'n priodi mewn blwyddyn?"

"Ond rwyt ti'n *engaged*."

"Mae arnat ti eisie imi briodi Lisabeth, on'd oes?"

"Wrth gwrs. Allwn i ddim meddwl am neisach chwaer-yng-nghyfraith."

"Ho!" A bwriodd Harri'i ben drachefn i'w bapur. Merched!

Ym mhen deng munud yr oedd yn camu dros y caeau ac yn chwibanu, basged ar un fraich a thun llawn o de chwilboeth yn y llall, a'r awyr las, lydan uwch ei ben.


## II


Cyn gynted ag y gwelodd ei dad ef yn dod drwy'r llidiart, amneidiodd ar y lleill a mynd tua'r gwrych lle'r oedd y cysgod hwyaf; eistedd, a thynnu'i het wellt dros ei lygaid. Safodd y ddau dractor a disgynnodd y dynion yn chwim gan danio bob un ei sigaret wrth bowlio tua'r fasged.

Y cyntaf i gyrraedd oedd Wil James. Dim ond chwe mis y bu ef yn was yn Lleifior, ond yr oedd yn uwch ei gloch na'r un.

"Wel, Harri," meddai. "Holides eto? Rydech chi'r stiwdents yn cael byd reit ulw braf."

"Mae gwaith pen yn gofyn mwy o orffwys na gwaith cefn, William," meddai llais Edward Vaughan o'r cysgod dan yr het wellt.

---

brwdfrydedd: *enthusiasm*
chwibanu: *to whistle*
chwilboeth: yn boeth/dwym iawn
llidiart: gât, clwyd
amneidiodd: *he nodded*, (amneidio)
gwrych: clawdd
hwyaf: hiraf

yn chwim: yn gyflym
tanio: cynnau
gwas: *servant*
yn uwch ei gloch: h.y. yn fwy swnllyd
reit ulw braf: h.y. braf iawn

16

Yn nesaf, daeth Terence, mab Siôn Mari, Cefn Canol. Yr oedd ef yn was yn Lleifior ers dwy flynedd, ond yn flynyddoedd yn iau (na Wil James).

"Sut ydech chi, Terence?"

"Sdechi, Mr. Vaughan?"

Yr oedd athroniaeth Wil a Terence beth yn wahanol. Yr oedd Wil yn argoeddedig fod dyddiau'r 'meistred' drosodd. Ni buasai ef yn gweithio i'r un ohonynt petai ganddo ddigon o 'gapitol', chwedl yntau, i ffarmio'i hun. Yr oedd Terence yn cytuno ond fod lle o hyd i ychydig fonedd fel Edward Vaughan. Yr oedd felly'n eitha bodlon dangos parch tuag atynt, ac un dull ganddo o wneud hynny oedd galw Harri, fel ei dad, yn 'Misdyr Vaughan'.

Y trydydd i gyrraedd oedd Ifan Roberts. Hen ŵr addfwyn dros ei ddeg-a-thrigain, y byddai Edward Vaughan yn ei ddisgrifio yn ei lyfrau fel *casual labour*. Fe fu Ifan yn was yn Lleifior yn ei breim, dan Edward Vaughan a'i dad o'i flaen (ac) yr oedd Ifan yn ymlwybro eto tua Lleifior pan oedd hi'n ddiwrnod braf, a phan nad oedd ei grydcymalau'n cnoi.

"Wel, Henri bach," meddai llais, meddal Ifan Roberts. "Sut ydech chi, 'machgen i?"

Yn rhinwedd ei henaint yr oedd yr hawl ganddo i alw Harri'n Henri, ond "Chi" yr oedd wedi'i ddweud wrth blant Lleifior erioed.

"Yn dda iawn, Ifan Roberts, diolch," meddai Harri, "ac yn falch o'ch gweld chi."

Yr oedd un arall o'r dynion heb gyrraedd. Yr oedd yn dod, yn dal ac yn osgeiddig, dros y cae, a'i wallt melyn fel gwenith yn yr haul. Yn araf y dôi. Iddo ef, yr oedd cywain y cnwd yn llawer

---

yn iau: yn ifancach
athroniaeth: *philosophy*
peth: ychydig
argoeddedig: argyhoeddedig,
    *convinced*
'meistred': *bosses*
chwedl yntau: fel mae e'n dweud
bonedd: *nobility*
parch: *respect*
dull: ffordd

addfwyn: *gentle*
ymlwybro: *to make one's way*
crydcymalau (G.C.): *rheumatism*
cnoi: h.y. yn achosi poen
yn rhinwedd: *by virtue of*
gosgeiddig: golygus
y dôi: yr oedd e'n dod
cywain: casglu
cnwd: *crop*

17

pwysicach nag yfed te. Pan ddaeth yn ddigon agos, sythodd Harri ac edrych i'w wyneb golau a'i lygaid glas.

"*Guten Morgen*, Herr Weissmann."

"*Guten Morgen*, Herr Vaughan."

Nid na allai Karl Weissmann siarad Saesneg. Fe allai'n dda, a Chymraeg, hefyd, erbyn hyn. Ond mewn Almaeneg y byddai Harri'n ei gyfarch bob amser. Credai fod hynny'n help i'r Almaenwr unig deimlo'n fwy cartrefol.

Fe ddaethai Karl i weithio yn Lleifior pan oedd yn garcharor rhyfel. Bu yno am ddwy flynedd, a dod cystal ag un o'r teulu. Yr oedd deigryn yn ei lygad pan ddaeth yn amser iddo fynd adref i Dortmund. Ond pan aeth i Dortmund, nid oedd ei gartref ar gael. Yr oedd yn garnedd, a'i dad a'i fam a'i frawd bach Jurgen wedi'u lladd gan fomiau'r R.A.F. Nid oedd gan Karl ond un lle yn y byd i fynd. Daeth yn ôl i Leifior.

"Croeso adref," meddai wrth Harri yn Gymraeg. Nid oedd pawb yn siarad Cymraeg ag ef. Tybiai rhai mai Saesneg oedd yr iaith i'w siarad ag Almaenwr.

"Diolch, Karl," meddai Harri, wrth dywallt y te melyn o'r tun i'r cwpanau.

"I chi, Karl," meddai, gan estyn y gwpan i'r Almaenwr.

"Don't drink it too quick, Jerry," ebe Wil James, "there might be poison in it." Yr oedd Wil James yn un o'r rhai a siaradai Saesneg â Karl.

Gwenodd Terence wên gam. Ond pan welodd nad oedd Harri na'i dad yn gwerthfawrogi clyfreb Wil diflannodd ei wên mor sydyn ag y daeth. Yn wir, nid oedd ef yn cael yn yr Almaenwr ddim bai. Ond fe fyddai'n ei chael yn anodd deall parch y Vaughaniaid at estron o'i fath.

Am ychydig, yfodd pob un ei de a bwyta'i frechdan heb siarad. Karl yn unig oedd ar ei draed. Ni byddai ef byth yn eistedd heb ei wahodd. Hyd yn oed ar gae gwair.

---

sythodd H: *H. straightened*, (sythu)
gallai: roedd yn gallu
cyfarch: *to greet*
credai: roedd yn credu
fe ddaethai: roedd wedi dod
carcharor: *prisoner*
deigryn: *a tear*
yn garnedd: yn bentwr o gerrig

Tybiai rhai: *some thought*, (tybio)
tywallt (G.C.): arllwys
gwerthfawrogi: *to appreciate*
clyfreb: *witticism*
parch: *respect*
estron: *a stranger*
heb ei wahodd: heb i rywun ofyn
   iddo

Yr oedd Edward Vaughan yn syllu ar gaeau'i gymdogion.

"Mae hi'n gynhaea rhagorol, fechgyn."

"Fel y bydde hi 'stalwm," meddai Ifan Roberts.

"Cynhaea cythgam o boeth," meddai Wil James.

"Tywydd iawn i nofio," meddai Harri.

"Rhagorol, Mr. Vaughan," meddai Karl.

Terence yn unig a fethodd gael gair.

"O'r gore, fechgyn," meddai Edward Vaughan. A gwyddai pawb ddyfod yr eiliad i godi. Karl oedd y cyntaf at ei waith. Wil James oedd yr olaf.


### III


Fe allasai'r machlud y noson honno fod wedi'i beintio gan Turner. Suddai'r haul fel oren fawr yn is ac yn is rhwng y ddau fynydd. Ar hyd y ffordd fynydd gul yr oedd Harri'n gyrru car newydd Lleifior.

Wrth y gamfa stopiodd Harri'r car. Yr oedd merch yn sefyll yno, yn dal ac yn dywyll mewn ffrog las, a chardigan angora ar ei braich.

Gwthiodd Harri'i ben drwy ffenest agored y car.

"Hylo, Lisabeth."

"Hylo, Harri. Rwyt ti'n hwyr."

"Y cynhaea, wyddost. Roedd yn rhaid imi siafio ar ôl gorffen."

Llithrodd drwy'r drws a suddo i'r sedd yn ei ymyl.

"Fe fuase gŵr bonheddig yn dod allan i ddal y drws imi," meddai.

---

syllu: yn edrych yn ofalus

cynhaea: *harvest*

rhagorol: *excellent*

'stalwm: ers talwm, yn yr hen amser

cythgam: h.y. ofnadwy

gwyddai pawb: roedd pawb yn gwybod

dyfod yr eiliad: i'r eiliad (*second*) ddod

fe allasai'r machlud: *the setting of the sun could*, (gallu)

suddai'r haul: roedd yr haul yn suddo (*to sink*)

yn is: *lower*

camfa: *stile*

gwyddost: rwyt ti'n gwybod

siafio: *to shave*

fe fuase: fe fyddai

gŵr bonheddig: *gentleman*

"Mae dyn wedi bod yn y gwair drwy'r dydd wedi blino gormod i fod yn ŵr bonheddig."

"Mae genn'ti ateb i bopeth. Wyt ti ddim am roi cusan imi?"

Estynnodd Harri'i fraich am yr ysgwyddau lluniaidd a thynnu'r ferch ato. Cusanodd hi, ond rywfodd, nid mor angerddol ag y buasai'n dymuno. Yr oedd yn meddwl ei bod hi wedi sylwi hefyd, ond os sylwodd ni ddywedodd ddim.

"Sgrifennaist ti ddim ata i ers tair wythnos."

"Oes cymaint â hynny?" ebe Harri. "O, wel, rhaid iti gofio bod arholiadau—"

"Os oeddet ti'n 'y ngharu i, fe ddyl'set wneud amser i sgrifennu."

"Ac os oeddet ti'n 'y ngharu i, fe ddyl'set tithe garu fy lles i ddigon i beidio â disgwyl—"

"Ydi'n rhaid iti ffraeo, Harri? Y noson gynta wedi iti ddod adre?"

Gollyngodd Harri anadl hir.

"Nac ydi, Lisabeth."

Trodd yr allwedd o'i flaen, pwysodd y botwm, a dechreuodd y peiriant esmwyth ganu grwndi fel cath.

"Ble'r awn ni, Harri?"

"Ble caret ti fynd?"

"I ymyl Llyn Dwsen, lle buon ni gynta 'rioed efo'n gilydd."

"Llyn Dwsen amdani, 'te."

A symudodd y car drachefn. Rhedodd Harri râs â'r haul. Yr oedd am ei ddal wrth Lyn y Dywysen cyn iddo fynd o'r golwg am y nos.

Ond pan safodd y car wrth y llyn yr oedd yr haul wedi mynd, ac yr oedd gwynt bach gwyllt wedi codi.

"Awn ni allan?"

"Mae'n rhy oer rwan," a thynnodd Lisabeth ei chot weu angora amdani. "Mae'n well genny aros yn y car."

---

genn'ti: gennyt ti/gent ti/'da ti
am roi: yn bwriadu rhoi
lluniaidd: *shapely*
rhywfodd: rhyw ffordd, *somehow*
angerddol: yn llawn cariad
buasai: byddai

fe ddyl'set: fe ddylet
tithe: ti (hefyd)
lles: *good*
canu grwndi: *to purr*
drachefn: eto
am ei ddal: eisiau ei ddal

"Fel y mynnot ti."

Yna bu saib, nes gofynnodd Lisabeth,

"Beth sy'n bod, Harri?"

"Oes rhywbeth yn bod?"

"Dwyt ti ddim yr un fath ag arfer."

"Rwy'n teimlo'r un fath ag arfer."

"Rwyt ti'n fwy distaw."

Gwingodd Harri yn ei sedd. Yr oedd Lisabeth yn rhoi geiriau i'r peth a oedd yn wir yng ngwaelod ei feddwl. Gwnaeth ymdrech. Edrychodd arni'n llawn.

Yr oedd hi mor hardd ag erioed. Yr oedd hi'n ddwy-ar-hugain, flwyddyn yn iau nag ef. Yr oedd ei chorff yn berffaith, ei hwyneb yn berffaith. Y llygaid mawr lliw cnau; y croen glân, tywyll, a'r gwefusau llawn; y gwallt hir yn ymylu ar fod yn ddu. Yr oedd Lisabeth yn addurn ardal, yn wobr ynddi'i hun heb sôn am arian y Trawscoed.

Rwyt ti'n ffŵl, Harri, meddai Harri wrtho'i hun. Yr oedd ganddi bopeth a allai fod i ferch. A chydag ysbail Lleifior a rhan o ysbail y Trawscoed ynghŷd, nid oedd dim yn aros Harri ond bod yn ŵr bonheddig weddill ei oes. Ac wrth eistedd yno, yn syllu i'r llygaid lliw cnau, yr oedd yn methu dirnad pam na allai garu hon â holl rym ei reswm. Fe allod unwaith.

Rhaid imi, meddai. Ac estynnodd ei freichiau a'i thynnu ato. Rhoddodd hithau'i phen ar ei ysgwydd a hanner cau'i llygaid.

"Rwy'n dy garu di, Lisabeth," meddai.

Ond yr oedd y geiriau heb ddyfnder.

Ac ni ddywedodd Lisabeth mo'r geiriau'n ôl, er bod Harri'n gwybod eu bod yn ei meddwl.

Caeodd Harri'r ffenest a thanio'r peiriant. Trodd y car yn ôl ym mhen pellaf y llyn a gyrru tuag adref yn gynt nag y daeth.

---

fel y mynnot ti: h.y. fel rwyt ti
  eisiau, (mynnu—*to insist*)
saib: *pause*
gwingodd H.: *H. writhed*, (gwingo)
ymdrech: *effort*
yn iau: yn ifancach
cnau: *nuts*
yn ymylu ar fod: bron â bod
addurn: *adornment*

heb sôn am: *without mentioning*
a chydag: h.y. a gyda
ysbail: *spoils*
ynghŷd: gyda'i gilydd
gweddill ei oes: *for the rest of his life*
dirnad: deall
grym: *might*
rheswm: *reason*
dyfnder: *depth*

21

Safodd y car yng ngwaelod Wtra'r Trawscoed. Aeth Lisabeth allan cyn i Harri gael cyfle i fynd i agor y drws iddi.

"Mi ddo i dy hebrwng di at y tŷ, Lisabeth."

"Does dim eisie iti, Harri. Mi alla i fynd fy hun."

"Pa bryd y gwela i di eto?"

"Does dim rhaid iti 'ngweld i eto."

Ac aeth Lisabeth yn gyflym i fyny'r ffordd fach. Gwyliodd Harri'r gardigan angora wen yn toddi i'r gwyll dan y coed.

---

hebrwng: *to accompany*  gwyll: tywyllwch
toddi: *to melt*

# Y DRYDEDD BENNOD

## I

Yr oedd wedi glawio drwy'r dydd. Neithiwr, aethai'r awyr yn fwll. Ac fel y dawnsiai'r llwyth olaf o wair y Weirglodd Wen i'r ydlan, saethodd mellten biws drwy'r cymylau, a chraciodd y daran yn y plwm uwchben. Daeth y diferion cyntaf, yn lympiau swnllyd, araf; ac o'r diwedd ymollwng yn genlli gwastad i'r ddaear fyglyd.

Heddiw, yr oedd y gwaith wedi sefyll yn Lleifior. Ond ni chwynodd neb. Yr oedd holl wair y Weirglodd Wen dan do, ac nid oedd dim ar lawr i dderbyn y glaw.

Yr oedd Edward Vaughan wedi mynd i'r Cyngor Sir i gynrychioli ffermwyr Dyffryn Aerwen. Wil James a Terence yn y certws yn hogi'r cyllyll ac yn smocio; Ifan Roberts gartref, a Karl a Harri yng nghwmni'r gwair newydd dan do swnllyd yr helm.

"Y peth sy'n 'y mhoeni i," meddai Harri, "ydi fod gwaith wedi mynd allan o esgyrn dynion. Dyna ydi delfryd pawb heddiw: a bywyd heb boeni, bwyd heb chwysu, cyflog heb waith."

Nodiodd Karl ei ben. "Ia," meddai'n araf. "Gwareiddiad wedi blino. Mae Ewrop wedi gweithio gormod, gorff a meddwl. Mae'r Gorllewin wedi blino."

"Rydech chi'n besimist, Karl."

---

glawio: bwrw glaw
yn fwll: yn glós, *sultry*
ydlan: lle mae'r ffermwr yn cadw'r
  gwair neu'r ŷd
mellten: *thunderbolt*
plwm: *lead*
diferion: *drops*
ymollwng: *to let go*
cenlli: *torrent*
myglyd: *close, sultry*

holl wair: y gwair i gyd
athrylith: *genius*
difeth: perffaith
cynrychioli: *to represent*
certws: adeilad yn cadw offer ar
  fferm, *cart-house*
hogi: *to sharpen*
helm: *stack*
delfryd: *ideal*
gwareiddiad: *civilization*

23

"Ydw. Chi'n gweld, yr wyf wedi edrych ar olion dynion. Adeiladau mawr—y Reichstag, os mynnwch—wedi'u codi gan addoliad dyn iddo'i hunan, ac wedi'u chwalu. Y mae'n gwareiddiad ni wedi cyrraedd mor bell ag a all. Nid oes dim mwy o gynnydd yn bosibl tan y gwareiddiad nesaf."

Taniodd Harri sigaret. Dyma waith meddwl. Yr oedd yn dysgu mwy gyda'r Almaenwr hwn na chyda'i lyfrau.

"Felly," meddai, "mae'n rhaid i bawb fyw'n baraseit."

"Rhaid. Ar y bobl dduon, a melynion, a chochion. Ar y cyfoeth sydd eto heb ei ddinistrio. Ar y gorffennol."

"Ond yr ydech chi'n gweithio, Karl. Does dim owns o ddiogi ynoch chi."

"Ydw. Yr wyf yn gweithio. I anghofio. Nid oes i mi ddim arall. Pan wyf yn sefyll, i feddwl, i gofio, y mae fy Nhad, a Mam a Jurgen, yn dod i sefyll gyda fi—i siarad â fi ac i ddweud wrthyf i nad ydyn nhw ddim yn bod."

I lawr, yn y buarth, yr oedd Greta'n chwythu'r chwiban de. Peidiodd sŵn hogi'r cyllyll yn y certws. Cododd Harri ar ei draed. Yr oedd Karl yn dal i syllu ar adfeilion y Reichstag yn y sypyn gwellt gwlyb wrth ei draed.

"Dod am de, Karl?"

Daeth Karl yn ôl i Leifior. Cododd yn araf a dechrau pigo'r gwellt o'i wallt melyn. Cribodd ei wallt, a daeth yn felynach wrth ei gribo. Taflodd y ddau sachau dros eu pennau a rhedeg drwy'r glaw at ddrws y tŷ.

Pan ddaethant i'r gegin yr oedd Wil James a Terence eisoes wrth y bwrdd. Y ddau'n bwyta fel petaent heb fwyta briwsionyn ers amser brecwast. Eisteddodd Karl a Harri gyferbyn â hwy a rhoddodd Karl ei ben i lawr i ofyn bendith ddistaw ar ei fwyd, yn ôl ei arfer.

---

olion dynion: *the remains of man*
os mynnwch: *if you wish,* (mynnu—
  *to insist*)
addoliad: *worship*
chwalu: *to shatter*
ag a all: ag y mae'n gallu
cynnydd: *progress*
diogi: *lazyness*
nid oes i mi . . .: does dim byd arall
  'da fi/gen i

buarth: iard y fferm
peidiodd: stopiodd
adfeilion: *ruins*
sypyn gwellt: *heap of straw*
eisoes: yn barod
briwsionyn: *a crumb*
rhoddodd: rhoiodd, (rhoddi/rhoi)
gofyn bendith: *to say grace*

24

"'I weles Lisabeth y Trawscoed heddiw," ebe Wil James, wrth roi haen drom o jam eirin ar ei frechdan. Nid atebodd neb mohono. "Roedd hi'n edrych yn ddigalon gythgam." A gwthiodd y frechdan i'w geg.

Er mwyn i rywun ddweud rhywbeth, fe ddwedodd Greta, a oedd yn torri bara-menyn ym mhen y bwrdd,

"Pam yr oedd hi'n ddigalon, meddech chi, Wil?"

"Wn i ddim. Os nad oes rhywun wedi'i jiltio hi."

Torrodd cyllell Greta'n arafach. Yr oedd hi wedi bod yn disgwyl y newydd hwn. Ni bu Lisabeth yn Lleifior er pan ddaethai Harri adref. Yr oedd hynny'n beth dieithr, ac felly'n beth drwg. Yr oedd Lisabeth a hithau'n ffrindiau.

Yn y distawrwydd a ddilynodd sylwodd Harri ar ddau beth. Yr oedd Wil James, wrth gnoi, yn syllu'n slei ar Greta. Nid ar ei hwyneb, ond ar ei mynwes. Am eiliad, ffieiddiodd Harri ef. Yr oedd Wil James yn briod, a chanddo blant. Y peth arall y sylwodd arno oedd Greta'n estyn y plât teisennau i Karl. Yr oedd wedi troi'r plât nes bod y deisen ddelaf, flasusaf, yn nesaf ato ef.

Pan gododd y dynion oddi wrth de yr oedd y glaw wedi peidio. Yr oedd y cymylau'n symud yn wastad i'r gorllewin, a'r glas uwchben yn lledu.

Pan aeth Harri i'r buarth yr oedd Wil James yn codi'i lais wrth Karl.

"So you're going to do the milking, Jerry, so that Terence and I can go home? Very nice. And you'll have overtime for it, I s'pose. And you'll go up the boss's sleeve. Very comfortable."

Nid oedd yr Almaenwr yn dweud dim. Yr oedd yn syllu ar y Cymro, yn methu deall. Dyma gynnig cymwynas, a chael ei thaflu'n ôl yn eich wyneb. Fe'i gwnaeth Harri'i hun mor dal ag y medrai.

"Helo, Wil, beth sy'n bod?"

Edrychodd Wil arno, cystal â dweud 'Pwy wyt ti'n feddwl wyt ti, bos bach?' Ond dywedodd, "Dim, Harri, dim byd."

---

haen: *layer*
yn ddigalon gythgam: yn ofnadwy o
  anhapus
daethai H.: roedd H. wedi dod
cnoi: *to chew*
mynwes: *bosom*

ffieiddiodd H.: *H. despised,*
  (ffieiddio)
delaf: pertaf
peidio: stopio
lledu: *to spread*
cymwynas: *favour*

25

A phowliodd i fyny'r buarth a'i ddwylo'n ddwfn yn ei bocedi. Aeth Terence ac yntau adref, wedi'r cwbl, heb ddweud gair wrth neb.


## II


Wrth fynd i lawr drwy Goed Argain i Lanaerwen, ni welodd Wil James mo ddagrau'r haul ar y deri a'r ynn. Ni welodd mo'r wiwer yn fellten goch rhwng y brigau. Ni chlywodd mo'r fwyalchen uwch ei ben. Ni chlywodd ac ni welodd ddim ond llygaid gleision Karl Weissmann a mynwes Greta Vaughan.

Yr oedd yn byw yn un o'r ddau dŷ ar fin y ffordd a godwyd i weithwyr amaethyddol.

Yn cwrdd ag ef yn y drws yr oedd cymylau o stêm a bref baban wythmis o bram urddasol wrth y tân.

"Diawl!" meddai Wil James.

Daeth Sali'i wraig o'r gegin a mynd at y pram a rhoi dymi yng ngheg y baban.

"Ei ddannedd o sy'n poeni," meddai hi.

"Mi'u tynna i nhw bob un os gweiddith y llymbar lawer rhagor," ebe Wil, gan daflu'i got law ar gadair.

"Wil!" ebe'i wraig. "Rhag dy gywilydd di! Ddost ti ag wye?"

"Naddo."

"Llaeth?"

"Naddo."

"Dwyt ti ddim yn trio. A thithe'n gweithio ar ffarm. Mi wyddost mor ddrud ydi'r pethe i'w prynu."

"Gwrando'r slwt! Os wyt ti'n meddwl 'mod i'n mynd i fegio llaeth ac wye rwyt ti'n gwneud mistec. Ac os wyt ti'n meddwl eu

---

powliodd: *he rolled*, (powlio)
dagrau: *tears*
deri: *oak-trees*
ynn: *ash-trees*
gwiwer: *squirrel*
brigau: *twigs*
mwyalchen: *blackbird*
gleision: h.y. glas
ar fin: ar ochr

amaethyddol: *agricultural*
urddasol: *noble*
diawl!: *hell!*
llymbar: h.y. *nuisance*
rhag dy gywilydd di!: *for shame (you)!*
ddost ti: h.y. ddest ti
slwt: *slut*
begio: *to beg*

26

bod nhw'n hawdd eu begio, mae dy fistêc di'n fwy. Mae dyrne'r
ffarmwrs 'ma heddiw fel feis. A rŵan, cau dy geg. Mae genny
waith i'w wneud.''

Aeth Wil at y seidbord a thynnu amlen o'r drôr. Agorodd hi,
a thaenu'r pŵls-pêl-droed ar y bwrdd. Taniodd Wdbein a tharo
pin yn yr inc a gwyrodd dros ei 'waith'. Rhoddodd Wil groes
yma, un arall acw, ymgynghorodd â dau neu dri o bapurau wrth
ei benlin, a chrafu rhagor o groesau ar y papur bach sgwarog.

I lawr y grisiau o'r llofft daeth John, yr hynaf o'r ddau
blentyn. Prin deirblwydd oed, a'i fochau'n gymysgedd amryliw
o laid a jam. Yn ei ddwylo yr oedd llestr blodau gorau'r tŷ.

Trodd ei fam a'i weld.

''John!'' gwaeddodd. ''Beth wyt ti'n wneud â hwnna? Rho fo
imi mewn munud.''

Wrth weld wyneb ei fam, aeth y llawenydd o lygaid John, a
chyn i'w fam ei gyrraedd yr oedd y llestr blodau'n ddeg darn ar
y. llawr. Gwyrodd John yntau i'r llawr, yn swp o ubain tor-
calonnus. Safodd ei fam uwch ei ben yn dwrdio. Rywsut, yn y
styrbans, cwympodd y dymi o geg y babi ac ymunodd hwnnw yn
y cyngerdd.

Taflodd Wil ei bin sgrifennu ar y bwrdd a chodi.

''Uffern gynddaredd!'' taranodd. ''Ac mae cartref yn
nefoedd, ydi o? Dyma fi ar ôl diwrnod caled yn y c'naea, ac yr
ydech chi mor sbeitlyd ohono i chaiff 'y meddwl i ddim gweithio
am bum munud mewn heddwch!''

''Taw, Wil,'' meddai Sali.

---

dyrne: h.y. dyrnau, *fists*
feis: *vice*
amlen: *envelope*
taenu: *to spread*
taro: dodi, *to place*
gwyrodd: plygodd
ymgynghorodd: *he consulted*,
   (ymgynghori)
penelin: *elbow*
crafu: *to scratch*
prin: *hardly*
teirblwydd: tair blwydd
cymysgedd: *a mixture*

amryliw: *o bob lliw*
llaid: baw
llawenydd: *joy*
yn swp o ubain: *a bundle of howling*
torcalonnus: *heartbreaking*
dwrdio: *to scold*
styrbans: h.y. *disturbance*
Uffern gynddaredd!: *B . . . y hell!*
c'naea: cynhaeaf
chaiff 'y meddwl i . . . : *my mind is*
   *not allowed to work*, (cael)
heddwch: *peace*
taw: bydd yn dawel, (tewi)

27

"Tewi! Wyt ti'n dweud wrtha i am dewi, a thithe mor swnllyd â'r plant bob tamed?"

"Os oes arnat ti eisie gwybod, mae'r plant 'ma mor anfoddog am nad oes ganddyn nhw ddigon o fwyd yn eu bolie. A chân nhw byth, tra byddi di'n gwario pres eu bwyd bach nhw ar dy sigarets a dy bapure ffwtbol. Ac mae'n debyg yr ei di i'r *Crown* rŵan a gwario chweugien yn fan'no cyn y dôi di adre."

"Diolch iti am roi'r syniad yn 'y mhen i," meddai wrthi.

Ac wedi gwthio'r papurau'n frysiog i'r amlen, a gwthio'r amlen yn frysiog i'r drôr, trawodd ei gap parch ar ochor ei ben ac aeth allan i'r *Crown,* a'r tŷ'n crynu dan glep y drws o'i ôl. Eisteddodd Sali i lawr i wylo gyda'i phlant.

### III

Fe ddaeth Sheila. Fe ddaeth i fyny'r ffordd o gyfeiriad y tai cownsil, mewn cot law wen, gwta, a'i gwregys yn dynn amdani, a'i gwallt gwelw mewn crafat o reion sgarlad. Yr oedd minlliw'n dew ar ei gwefusau a choch grudd ar ei bochau a gormod o fascara ar flew gwelwon ei llygaid. Ond i Terence yr oedd hi'n dlws.

"Haia, baby?" meddai Terence.

"Haia, kid?" meddai Sheila.

Rhoddodd Terence ei fraich drwy'i braich hi ac aethant dros y bont a chanlyn y ffordd nes dod at geg y llwybr i'r Nant. Yng ngheg y llwybr safodd Terence i danio sigaret. Syllodd Sheila arno'n tanio, yn edmygu'i fedr, yn eiddigeddu wrth y sigaret.

---

| | |
|---|---|
| pob tamed/tamaid: *every bit* | clep: *slam* |
| anfoddog: *discontented* | cwta: byr |
| a chân nhw byth: *and they never shall* | gwregys: *belt* |
| *have/get,* (cael) | minlliw: *lipstick* |
| pres (G.C.): arian | blew: *hairs* |
| chweugien: h.y. chweugain, deg | gwelwon: h.y. gwelw, *pale* |
| swllt, 50 ceiniog | canlyn: dilyn |
| cyn y dôi di: cyn y byddi di'n dod | edmygu: *to admire* |
| trawodd: dododd, (taro) | medr: *skill* |
| dillad parch: h.y. dillad gorau | eiddigeddu: *to envy* |

28

Cerddodd y ddau'n araf, am yr ugeinfed tro, i fyny'r llwybr. Wedi taflu'i sigaret estynnodd Terence ei fraich am ei chanol, a chyflymodd ei galon fymryn.

Yr oedd y coed yn drymach, wrth nesu at y Nant. Yr oedd y nant yn tabyrddu yn y ceunant fel yr oedd eu calonnau'n tabyrddu yn eu cyrff. Er bod y glaswellt yn llaith, gorweddodd y ddau arno.

Yr oedd eu caru ar y cyntaf yn rhamantus. Cyffelybodd Terence hi i Patricia Roc. Cyffelybodd Sheila ef i John Mills. Ond yr oedd y persawr rhad yn ei gwallt hi a'r aroglau baco ar ei anadl ef yn feddwol. Gwasgodd ef hi ato ac aeth eu cusanu'n lleithach. A'i law rydd agorodd ei chot a byseddu'i ffrog denau, dynn . . .

Yr oedd yn tywyllu pan gerddodd y ddau i lawr o'r Nant. Yr oedd awel fain yn dod i fyny o'r pentref ac ar yr awel aroglau tships o siop Leusa. Cyflymodd y ddau eu cerddediad.

---

mymryn: ychydig bach
nesu: agosáu
tabyrddu: *to beat*
ceunant: *ravine*
cyrff: *bodies*
llaith: *damp*

ceffelybodd T. hi: *T. compared her,*
   (cyffelybu)
yn feddwol: *intoxicating*
lleithach: yn fwy gwlyb
awel fain: *a keen breeze*
cerddediad: *walk, steps*

# Y BEDWAREDD BENNOD

## I

Yr oedd disgwyl canlyniadau'r arholiad yn dechrau dweud ar Harri. Ac yn ystod y dyddiau'r disgwyl yr oedd Harri wedi methu ganwaith. Yr oedd wedi methu yn ei gwsg, wedi methu uwchben nofel, wedi methu wrth wrando pregeth yn y capel.

Fe wyddai'i fam. Nid oedd y glas dan ei lygaid na'r gwyn ar ei ruddiau'n dianc rhagddi hi. Fe fyddai'n curo wy mewn llaeth iddo bob bore, ac yn rhoi yn hwnnw joch o win tonig. Ond yr oedd y glas yn dal dan ei lygaid, a'r gwyn ar ei ruddiau.

I Edward Vaughan yr oedd yn rhaid cael newydd da. Nid oedd ef erioed wedi methu yn ei waith. Nid oedd methu yng ngeiriadur Vaughaniaid Lleifior. Ond i Margaret Vaughan yr oedd unpeth mwy na llwyddo. Iechyd oedd hwnnw. Fe gâi Harri fethu pob arholiad o'i rhan hi, dim ond i'r golau aros yn ei lygaid a'r gwrid ar ei foch.

Aeth Harri allan yn gynnar i'r gwair un bore. Yr oedd yn fore llachar. Bore i dynnu undyn o'i wely. Ond yn ei wely y buasai Harri onibai am ei anesmwythyd. Yr hunllef a'i tynnodd allan, nid yr haul. Ac un peth arall.

Y diwrnod hwnnw yr oedd Dr. Rushmere yn dod i Leifior. Fe allai Harri gyd-dynnu'n o lew â phawb. Ond nid â Dr. Rushmere. Nid oedd ond prin ddeng mlynedd yn iau na'r meddyg. Ond fe lwyddai'r meddyg i'w berswadio nad oedd yn ddim amgen na gwladwr bras, anaeddfed. Nad oedd wedi gweld dim ar y byd. Nad oedd yn deall dim ar fywyd.

---

canlyniadau: *results*
fe wyddai'i fam: roedd ei fam yn gwybod
gruddiau: *cheeks*
joch: *tot*
llwyddo: *to succeed*
iechyd: *health*
fe gâi H. fethu: *H. would be allowed to fail*
O'i rhan hi: *as far as she was concerned*
gwrid: lliw

llachar: golau, heulog
anesmwythyd: *restlessness*
hunllef: *nightmare*
cyd-dynnu: *to get on with*
yn o lew: yn eithaf da
prin: *hardly*
perswadio: h.y. *to persuade*
yn ddim amgen: *nothing better/more*
gwladwr: dyn o'r wlad
bras: garw, *rough*
anaeddfed: *immature*

Gwaeth na'r cyfan, yr oedd Dr. Rushmere yn bwriadu priodi Greta. Yr oedd meddwl am fod yn frawd-yng-nghyfraith i'r dyn sidanaidd hwn yn golyn yr andros iddo. Beth oedd bwriad Greta tuag at y doctor ni wyddai Harri. Yr oedd bod dyn felly mewn cariad amlwg â hi yn porthi'i balchder, a hithau'n ddim ond ugain oed. Yr oedd bod yn wraig i ddyn a oedd ar fin ymsefydlu yn Rodney Street yn freuddwyd i oglais unrhyw ferch gwlad.

Ar ei dad yr oedd y bai. Yr oedd meddygon yn hobi gan Edward Vaughan. Bob Hydref fe fyddai tri neu bedwar ohonynt yn Lleifior yn saethu. A phan ddaethai Dr. Maldwyn Edwards o Lerpwl i Leifior yr hydref cynt fe ddaethai â Dr. Rushmere gydag ef. Ac er nad aeth Dr. Rushmere â'r un ffesant o Leifior fe aeth â darlun o Greta.

A heddiw, ar y diwrnod crasboeth hwn, yr oedd Dr. Rushmere yn dod i Leifior i aros am wythnos. Am wythnos hir fe fyddai parlwr mawr Lleifior yn glustiau i gyd i Saesneg fel y dylid siarad Saesneg, ac yn las gan fwg sigâr.

I fyny'r adlodd yr oedd y tractor mawr yn tuthio. Ar ben y llwyth yr oedd Edward Vaughan. Nid oedd neb yn Nyffryn Aerwen yn cofio i lwyth droi erioed a lwythwyd gan Edward Vaughan.

Rhyw ganllath tu ôl i'r tractor mawr a'i lwyth yr oedd y tractor bach, a'i draelor yn llai. Yr oedd darn llwyth ar hwnnw hefyd, a Wil James arno, a Karl islaw yn codi. Gwelodd Harri mai gyda hwnnw yr oedd ei le ef. Croesodd ato.

Pan welodd Harri'n dod, goleuodd wyneb Wil James. Yr oedd yma rywun y gallai bryfocio.

"S'mai, Harri? Wedi codi'n o fore heddiw."

---

sidanaidd: *silky*, h.y. *smooth*
yn golyn yr andros iddo: h.y. yn andros o golyn iddo; yn ofnadwy o boenus; (colyn—*sting*)
ni wyddai H.: doedd H. ddim yn gwybod
amlwg: *obvious*
porthi: bwydo
balchder: *pride*
ar fin ymsefydlu: *on the point of establishing*
goglais· h.y. apelio at

daethai: roedd . . . wedi dod
ffesant: *pheasant*
crasboeth: twym/poeth iawn
fel y dylid: *as one ought to*
adlodd/adladd: ail gnwd (*crop*) o wair
tuthio: symud ymlaen yn araf
llwyth: *load*
a lwythwyd: *which had been loaded*, (llwytho)
pryfocio: *to provoke*

31

"Mor fore â'r gwlith," ebe Harri.

Crychodd Wil James ei drwyn. Barddoniaeth, mae'n debyg.

"'I weles ferch y Trawscoed eto ddoe."

"Do?"

"Ond mi'i clywes hi'n dweud wrth rywun: 'Pw! Â i ddim i ddisgwyl wrth fab Lleifior. Digon o bysgod yn y môr.' Hen biti, Harri, yntê."

Temtiwyd Harri'n gryf i roi'i bicfforch yn yr wyneb uwchben.

"Ewch chi ar y tractor, Harri. Mi godaf i'r gwair," meddai Karl.

Cwynfannodd llais Wil James.

"You leave the young boss do what he likes, Jerry."

"Fe awn ar y tractor bob yn ail," meddai Harri. Ac felly y bu.

Pan gododd Harri gocyn cyfan ar un fforchaid, meddai Wil James,

"Paid ti â chodi gormod o bwyse, Harri. Rydech chi'n mynd yn feddal tua'r Coleg 'na. Mi fuase'n biti gythgam iti dorri asgwrn dy gefn."

Yr oedd Harri wedi cael digon. Cafodd esgus i ddod i godi ar ochor Karl.

"P'run oedd y dramaydd gore, Karl?" meddai. "Schiller ynteu Lessing?"

Plethodd aeliau Wil James. Am be' yr oedd y rhain yn sôn? Doedd bosib fod y ddau'n deall eu sgwrs eu hunain. Gwrandawodd eto. Yr oedd y ddau'n siarad Almaeneg. Pwy oedden nhw'n feddwl oedd ef? Cyntri lymp?

"Why don't you look what you're doing, Jerry? You nearly stuck your old fork in my face."

"I'm very sorry, William. I'll take more care next time."

"Very sorry, William, e? I should think so."

---

crychodd W.J.: *W.J. wrinkled,* (crychu)

â i ddim i ddisgwyl wrth: h.y. *I shall not wait for*

hen biti: h.y. *terrible pity*

temtiwyd H.: *H. was tempted,* (temtio)

picfforch: *pitchfork*

cwynfannodd W.J.: *W.J. lamented,* (cwynfannu)

bob yn ail: *alternately*

cocyn: *bundle*

yn biti gythgam: h.y. yn biti ofnadwy

esgus: *excuse*

dramaydd: *dramatist*

plethodd aeliau W.J.: *W.J.'s brow wrinkled,* (plethu—*to plait*)

sôn: siarad

cyntri lump: h.y. *country bumpkin*

32

"Welais i neb erioed yn handlo fforch yn well na Karl," meddai (Harri).

Diolchodd Karl â'i lygaid. Ond tywyllodd llygaid Wil James.

"Mae Jerri'n rhy gyfarwydd â beionet i fod yn saff efo picwarch."

Yr oedd Wil, a barnu wrth y cryndod ar wefus Karl, wedi taro'n rhy isel. Ciledrychodd Harri, wrth godi fforchaid, i weld a oedd rywfaint o edifeirwch ar wyneb lledr Wil James. Nid oedd dim. Ond fe ddigwyddodd rhywbeth i dorri'r tyndra.

"Be sy ar Wili bach y Post eisie yma?" ebe Wil James, gan bwyso ar ei fforch. Yr oedd bachgen bach melyngoes yn croesi'r cae. Fe allai fod yn cario siec iddo ef o Swyddfa Littlewood. Ond at Harri y daeth y bachgen.

"I chi, Mr. Vaughan."

Trodd Harri, ac yn llaw Wili bach yr oedd telegram melyn. Daeth cryndod arno. Yr oedd yr hunllef wedi dod yn wir.

"I chi, Mr. Vaughan," meddai'r bachgen eto.

Cymerodd Harri'r telegram o'i law.

"Diolch, Wili. Dyma iti swllt. Cer at y tŷ a dwed wrth Mam pam y daethost ti yma. Fe gei lasied o laeth ganddi."

"Diolch yn fawr, Mr. Vaughan."

Rhwygodd Harri'r amlen.

"A . . . Wili."

"Ie, Mr. Vaughan?"

"Dwed wrthi 'mod i—wedi pasio."

Gan anghofio'i gwrteisi cymerodd Karl y telegram o fysedd Harri a'i ddarllen. *Honours First Class Congratulations.* Cymerodd ddwy law Harri yn ei ddwy law ei hun, ac yr oedd ei lygaid yn gwbwl loyw.

Ni longyfarchodd Wil James mo Harri. Y cyfan a ddywedodd o ben y llwyth oedd,

---

fforch: *fork*
picwarch: picfforch, *pitchfork*
barnu wrth: *to judge by*
cryndod: *quivering*
ciledrychodd H.: edrychodd H.
   trwy gornel ei lygaid
edifeirwch: *repentance*
lledr: *leather*

tyndra: *tension*
hunllef: *nightmare*
swllt: *shilling*, h.y. 5c
rhwygodd H.: *H. tore*, (rhwygo)
gloyw: *shining*
Ni longyfarchodd W.J.: *W.J. did not*
   *congratulate*, (llongyfarch)

"Come on, Jerry, don't stand there fiddling. Let's finish this load."

A chydag ysgytiad, symudodd y llwyth yn ei flaen.


## II

Trodd Paul Rushmere drwyn hir ei fodur i'r briffordd o'r Amwythig i Henberth. Ar hyd y ffordd o Lerpwl bu Paul Rushmere yn tynnu'i feddwl o fyrdd o boteli ac oddi ar daclau cromiwm y theatr feddygol ac oddi ar rhesi o welyau gwynion ac o goridoriau. Teimlai'r awel yn blingo'r arogleuon ysbyty oddi ar ei wallt a'i ddillad.

Yr oedd y *Gloria*'n isel ar y ffordd ac yr oedd ef yn ddyn newydd. Pwysodd Paul Rushmere ei droed ar y sbardun a llithrodd bys y cloc milltir drosodd i saith deg. Draw ymddangosodd smotyn gwyn llachar yn y gwrych. Daeth y smotyn gwyn i gwrdd â'r *Gloria,* saith deg milltir yr awr, a thyfu wrth ddod. Nid arafodd y *Gloria* wrth ei basio, ond yr oedd Paul Rushmere yn ddigon cyflym i ddarllen arno'r ddeuair:

C Y M R U

W A L E S

Ac yr ydym yn dod i Gymru, meddai wrtho'i hun. Pwy oedd am wybod? Onid oedd Cymru'n ddigon gwahanol ym mhob ffordd heb ei hysbysebu ar ei ffiniau? Pobl od oedd y Cymry, anodd eu deall ac anos eu caru. Pobl esgud am arian, a swydd, a safle; pobl a chanddynt ddawn i drysori geriach. Yr oedd ganddynt eu hiaith eu hunain. Gwnaethant ffetish ohoni, a sibrydent bethau ynddi y naill wrth y llall rhag i'r estron ddeall.

---

| | |
|---|---|
| ysgytiad: *jolt* | ffiniau: *borders* |
| Amwythig: *Shrewsbury* | anos: yn fwy anodd |
| myrdd: llawer, *myriad* | esgud: cyflym |
| taclau: offer | dawn: *talent* |
| blingo: *to skin* | trysori: *to treasure* |
| sbardun: *accelarator* | ceriach: *trifles* |
| smotyn: *spot* | sibrydent: bydden nhw'n sibrwd/*to* |
| llachar: disglair iawn | *whisper* |
| gwrych: clawdd, *hedge* | y naill wrth y llall: *one to the other* |
| deuair: dau air | estron: *strangers* |
| Onid oedd Cymru?: *Wasn't Wales?* | |

Yr oedd ganddynt ddiwylliant; nid diwylliant fel ei ddiwylliant ef a'i frodyr, ond cwlt gwerin wedi'i ail-fragu a'i gostrelu i feddwi arno fel ar win. Yr oedd llyfrau'r Cymru'n llawn o feddwi, a thwyllo, a phlant siawns.

Yr oedd yn sicir ei fod yn iawn, ond nid oedd mor sicir fod pob un o'r Cymry cynddrwg. Wedi'r cyfan, yr oedd ar ei ffordd i weld Cymraes. Yr oedd, am y tro cyntaf yn ei fywyd, mewn cariad.

Yr oedd wyth mis wedi mynd er pan syllodd gyntaf ar Greta Vaughan. Y tro cyntaf fe aeth â'i llun gydag ef yn ôl i Lerpwl. Credai mai darfod a wnâi'r hud y tro hwn fel pob tro arall. Ond ni ddarfu. Yn hytrach, yn yr absenoldeb fe aeddfedodd. Pan ddaeth y Nadolig, fe wnaeth esgus i fynd i'w chartref i'w gweld. Aeth yn ôl i'r ysbyty a'i hiraeth yn fwy.

Pan soniodd am Greta wrth ei dad, saethodd aeliau hwnnw i fyny bron i'w wallt. "A *Welsh* girl? Good heavens, what's come over you, my boy?" Clywodd yn y fan a'r lle fel y bu i Gymro unwaith dwyllo'i dad o rai ugeiniau o bunnau. Yr oedd hynny'n ddigon i ddamnio'r genedl gyfan am byth. Daeth cwestiwn arall o enau'r hen ŵr, a oedd yn swyddog iechyd yn un o siroedd y Canoldir Seisnig: "Has she any medical experience?" Nacaol oedd yr ateb. Damniwyd y genedl yn ddwbwl. Fodd bynnag, pan ddywedodd Paul fod ei theulu'n graig o arian, fe ddaeth aeliau'i dad yn ôl i'w priod le. Ac yr oedd yn credu, pe cawsai'i dad gwrdd â Greta unwaith, byddai i'w dad ei gweled trwy'i lygaid ef.

---

diwylliant: *culture*
cwlt: h.y. *cult*
ail-fragu: *brewed for the second time*
costrelu: *to bottle*
twyllo: *to deceive*
plant siawns: *illegitimate children*
syllodd: *he stared,* (syllu)
darfod: gorffen
gwnâi'r hud: byddai'r
    hud/*enchantment* yn ei wneud
ni ddarfu: orffennodd e ddim,
    (darfod)
yn hytrach: *rather*

absenoldeb: *absence*
fe aeddfedodd: *it ripened,* (aeddfedu)
esgus: *excuse*
aeliau: *brow*
yn y fan a'r lle: *there and then*
cenedl: *nation*
siroedd: *counties*
nacaol: *negative*
damniwyd y genedl: *the nation was
    damned,* (damnio)
priod le: *proper place*
pe cawsai'i dad: petai ei dad yn cael

35

Nid oedd popeth yn ddelfrydol o ochor Greta chwaith. A fyddai Greta mor berffaith fel gwraig spesialydd yn Rodney Street ag ydoedd fel merch ffarm fawr yng Nghymru? Yr oedd Paul yn credu y byddai. Wedi cael ysgol yn Nolgellau yr oedd ei moesau a'i Saesneg yn ddigon da. Yr oedd yn gwisgo'n chwaethus, yn cerdded yn fonheddig. At ei rhinweddau hi ei hun yr oedd ei harian.

Am ei theulu nid oedd Paul mor siŵr. Yr oedd Edward a Margaret Vaughan yn hen foneddigion urddasol. Yr oedd eu hach yn hen o'r ddeutu, ac yr oedd Lleifior yn fansiwn na fuasai Sais o waed yn troi trwyn arno. Eto i gyd, nid oedd y lawntiau'n ddigon melfedaidd, na'r gro ar y dreif yn ddigon glân. Ac wedi mynd i mewn i'r tŷ, yr oedd yn amau fod rhywbeth tebyg i aroglau llwydni yn y parlyrau. Yr oedd chwaeth Mrs. Vaughan mewn dodrefn a llenni hefyd wedi sefyll ddeugain mlynedd yn ôl.

Yr oedd Mrs. Vaughan hithau yn ei hamser wedi cael ysgol breifat. Ond yr oedd ei Saesneg, er ei fod yn dal yn rhwydd, wedi casglu mwy nag ychydig o rwd yn ystod y blynyddoedd, a'r acen Gymreig yn tynnu mwy o sylw nag a wnaethai mewn merch ifanc. Felly Edward Vaughan. Nid oedd ef yn trafferthu i wneud i'w Saesneg swnio fel Saesneg, er gwaethaf gorfod siarad llawer arni yn y Cyngor Sir ac ar lu o bwyllgorau.

Yna, yr oedd Henri. Ni wyddai Paul yn iawn beth i'w wneud o Henri. Yr oedd yn amlwg yn llawn o allu. Yr oedd ei deulu, i bob golwg, yn disgwyl pethau mawr oddi wrtho. Gallai siarad ar lawer pwnc, ond pan gyffyrddai Paul ag arlunio, neu gerdd-

---

delfrydol: *ideal*
moesau: *manners*
chwaethus: *in good taste*
bonheddig: *graceful*
at ei rhinweddau: *in addition to her virtues*
boneddigion: *nobility*
urddasol: *dignified*
ach: *family tree*
o'r ddeutu: h.y. *on both sides*
mansiwn: *mansion*
gro: *gravel*
amau: *to doubt*
aroglau: *smell*

llwydni: *mildew*
parlyrau: *parlours*
chwaeth: *taste*
rhwd: *rust*
nag a wnaethai: nag oedd yn ei wneud
trafferthu: *to bother*
llu: llawer
pwyllgorau: *committees*
amlwg: *obvious*
pwnc: *subject*
cyffyrddai P.: *P. would touch,* (cyffwrdd)
arlunio: *painting*

oriaeth fawr, neu lenyddiaethau'r Cyfandir, fe welai fod Henri allan o'i ddyfnder. Dyna, meddai Paul wrtho'i hun, fesur diwylliant y Cymry; dyna addysg colegau'r Cymry. Ar ben hyn, yr oedd diffyg arall yn Henri. Fe fu Henri'n wrthwynebydd cydwybodol adeg y rhyfel. Beth a ddigwyddai i Loegr petai pawb fel (Harri)?

Nid oedd eu bod yn cadw Almaenwr yn was yn Lleifior yn tawelu dim ar ei feddwl, a hwnnw'n gyn-swyddog ym myddin Romel, y fyddin a wynebodd ef, Paul, am fisoedd eirias ar dywod Affrica.

Fodd bynnag, yr oedd Paul heddiw, yn barod i faddau llawer i Leifior am ei fod yn gartref i Greta.

---

llenyddiaethau: *literatures*
fe welai: *he would see,* (gweld)
dyfnder: *depth*
mesur: *measure*
diffyg: *bai*

gwrthwynebydd: *objector*
cydwybodol: *conscientious*
byddin: *army*
eirias: twym iawn
maddau: *to forgive*

# Y BUMED BENNOD

## I

Yr oedd yn bnawn Iau a'r siopau wedi cau yn Henberth. Disgynnodd Sheila o'r bws ger tai cyngor Llanaerwen a mynd yn ysgafn tua'r tŷ. Wrth fynd sylwodd fod Marged, drws nesaf, yn rhoi dillad ar y lein i sychu.

"Golchi ar Ddydd Iau, Marged?"

Edrychodd Marged dros ei hysgwydd. Yr oedd hi'n hŷn na Sheila, ac yn aeddfetach ym mhob ffordd.

"Wel," ebe Marged, "mi wyddost fel mae hi. 'Nhad yn sâl ac wedi chwysu chwartie yn ei wely."

"Ydi o'n well?"

"Mewn ffordd y mae o. Ac eto, mi ddwedodd y doctor na châi o ddim gweithio am fis."

"Dydi hynna ddim yn swnio'n dda."

"Nac ydi. Dyma'r trydydd twtsh iddo o fewn blwyddyn."

"O, wel," meddai Sheila, "mi ddaw'n well. Elli di mo'i adael o?"

Syllodd Marged arni.

"Ei adael o? Pam?"

"Wel—roeddwn i'n rhyw feddwl y liciet ti ddod i'r Dre y pnawn 'ma am sgawt. Mi fuase'n newid iti."

Ysgydwodd Marged ei phen.

"Na. Fedra i mo'i adael o."

"Roedden ni'n cael lot o hwyl ers talwm, yn jolihoetian tua'r Dre. Wyt ti'n cofio'r bechgyn hynny—?"

"Dwyt ti 'rioed yn sôn am jolihoetian rŵan?" meddai Marged, heb droi'i phen, "a thithe'n seriws efo Terence?"

---

ger: yn agos i
yn hŷn na: yn henach na
aeddfetach: *more mature*
chwartie: *quarts*
na châi o: *that he would not be allowed,* (cael)

twtsh: h.y. *touch, bout*
y liciet ti: y byddet ti'n licio/hoffi
sgawt: *jaunt*
ers talwm: yn yr hen amser
jolihoetian: yn cael amser da

38

"Wn i ddim pa mor seriws ydw i," (atebodd Sheila).

Plannodd Marged y peg olaf ar y lein, cododd y fasged wag a daeth at y gwrych prifet ifanc.

"Wrth gwrs dy fod ti'n seriws," meddai. "Chlywais i monot ti'n siarad lol fel hyn ers talwm."

"Rwyt ti wedi mynd yn hen ferch, Marged," meddai Sheila, "wrth aros gartre fel hyn i dendio dy dad. Mi ddyl'set tithe fod wedi cael lle mewn siop yr un fath â fi."

Ysgydwodd Marged ei phen yn araf a dweud, "Does dim eisie gweithio mewn siop i weld pethe, Sheila fach."

"Y peth ydw i'n ei feddwl," ebe Sheila, "ydi hyn. Rwyt ti'n cyfarfod cymaint o fechgyn. Mi ddaeth 'na fachgen i mewn y bore 'ma. Rêl smashar, os bu un erioed. Mi edrychodd arna i am funud, ac mi winciodd. Rwy'n siŵr 'mod i wedi syrthio mewn cariad efo fo."

"A beth am Terrence?"

"Wn i ddim," meddai'n bwyllog. "Mae eisie i ferch wneud yn well iddi'i hun y dyddie yma, os gall hi. Wedi'r cwbwl, dydi priodi gwas ffarm—."

"Sheila, dwyt ti 'rioed yn mynd yn snob?"

"Petae manijar mewn siop Woolworth yn gofyn imi'i briodi, fuaset ti'n disgwyl imi wrthod?"

"Mm . . . na fuaswn, mae'n debyg. Ac eto . . ."

"Pwy fuaset ti'n licio'i briodi?"

Deffrodd Marged.

"Y fi? Does gen i neb—"

"Ond pe caet ti gynnig . . ."

Chwarddodd Marged chwerthiniad cwta.

"Rhywun fel . . . Harri Vaughan, Lleifior."

Ffrwydrodd bochau Sheila.

"Dyna ti. Yn fwy o snob na fi mewn munud. Harri Vaughan, Lleifior! A thithe'n byw mewn tŷ cownsil, a dy dad yn gweithio ar y ffordd."

---

hen ferch: *spinster*
tendio: h.y. *to tend*
os bu un erioed: *if ever there was one*
yn bwyllog: yn araf
os gall hi: *if she can*, (gallu)

mae'n debyg: h.y. *it seems*
pe caet ti: petaet ti'n cael
chwerthiniad: *a laugh*
cwta: byr

"Ti ofynnodd, dyna'r cwbwl. Mi fydd yn rhaid imi chwilio am rywun yn 'y nghlas fy hun. Ac mi fydd yn rhaid i tithe."

"Sheila!"

"Mae Mam yn galw," meddai Sheila. "Mae 'nghinio i'n barod."

"Rwyt ti'n lwcus fod gen'ti fam i wneud dy ginio iti," meddai (Marged yn) ddwys.

Gwyliodd Marged ei chyfeilles yn mynd drwy'r drws paent gwyrdd. Bychan a wyddai (Sheila) am freuddwyd (Marged) am Harri Vaughan.


## II

Yr oedd Harri'n gwrando'n astud. Mewn dwy gadair freichiau isel ym mhen pellaf y parlwr mawr, a bwrdd bach crwn rhyngddynt, eisteddai Karl a Dr. Rushmere yn chwarae gwyddbwyll.

Ni allai Harri chwarae gwyddbwyll. Yr oedd Karl wedi ceisio'i ddysgu droeon, ond yn ofer. Ac yr oedd Karl yn bencampwr.

Yr oedd Dr. Rushmere hefyd yn gallu chwarae gwyddbwyll. Fe ddywedodd, pan ofynnodd Karl iddo, ei fod yn chwaraewr pur dda. Ond cyn i'r chwarae gerdded ddeg cam yr oedd yn amlwg fod yr Almaenwr yn fwy o feistr nag oedd ef.

Wrth drafod rhyw symud a wnaethai Karl ar y clawr, fe ddwedodd Paul na allasai Rommel wneud dim yn well. Gwenodd Karl, a chyn pen dau funud yr oeddynt yn cymharu Rommel a Montgomery fel cadfridogion. Aethant yn ôl, ill dau, i Ogledd Affrica 1941. Yr oeddynt unwaith eto'n wynebu'i gilydd ar draws yr un tywod, eu crwyn yn crasu yn yr un haul.

---

'y nghlas: h.y. *my class*
yn ddwys: yn ddifrifol
cyfeilles: ffrind (merch)
bychan a wyddai: ychydig roedd hi'n ei wybod
yn astud: yn ofalus
crwn: *round*
gwyddbwyll: *chess*
droeon: nifer o weithiau
yn ofer: heb lwyddiant

pencampwr: *champion*
a wnaethai K.: yr (*that*) oedd K. wedi'i wneud
na allasai R.: na (*that*) fyddai R. yn gallu
cymharu: *to compare*
cadfridogion: *generals*
ill dau: y ddau ohonyn nhw
crwyn: *skins*
crasu: *to bake*

Aeth y darnau gwyddbwyll yn angof ar y bwrdd. Yr oedd y ddau'n syllu ym myw llygaid ei gilydd, ac yn y llygaid yn gweled palmwydd a thanciau a gynnau'n cymysgu'u mwg â'r cymylau tywod . . .

Tawodd Paul ar ganol gair, ac edrych o'i gwmpas. Yr oedd Harri a Greta ac Edward a Margaret Vaughan wedi bod yn gwrando ers meitin. Yr oeddynt yn dystion o'r gymrodoriaeth sydyn a oedd wedi troi meddyg o Sais a gwas ffarm o Almaenwr yn ddim ond dau filwr yn yr un uffern.

Yr oedd rhywun yn curo ar y drws, allan. Cododd Greta, ac aeth i'w ateb. Adnabu Harri'r lleisiau yn y neuadd. Nid oedd yn disgwyl hyn. Daeth Greta drwy'r drws a'r ymwelwyr wrth ei chwt. Cyhoeddodd fel bwtler:

"Mrs. Pugh y Trawscoed a Lisabeth."

Hwyliodd Mrs. Pugh i'r ystafell yn ddisglair mewn taffeta glas.

· "Wel, sut ydech chi i gyd? Rwy'n siŵr nad oeddech chi ddim yn disgwyl inni alw fel hyn? Ond fedren ni ddim peidio heno, a—Oh, Dr. Rushmere! I didn't recognise you. I'm sorry I've been speaking Welsh."

Moesymgrymodd y meddyg. Aeth yn howdidw o'r naill i'r llall, a'r dynion yn cynnig cadeiriau i'r merched. Eisteddodd y merched yn y cadeiriau esmwyth. Eisteddodd y dynion ar y cadeiriau cefnau caled.

Yr oedd Lisabeth wedi'i gwisgo'n dawelach na'i mam. Ffrog lwyd a chlwstwr o ddail arian ar ei bron, ac un rhes o berlau'n unig am ei gwddw. Yr oedd hi'n gwrido ychydig, yn llygadu Harri ac yn ceisio'i gorau beidio. Yr oedd hi'n hardd.

Mrs. Pugh oedd wedi clywed y diwrnod hwnnw am lwyddiant Harri. *First Class Honours!* Nid oedd wedi clywed am y fath beth

---

angof: *forgotten*
ym myw llygaid ei gilydd: h.y.
   *straight into each other's eye*
palmwydd: *palm trees*
tawodd P.: gorffennodd P. siarad,
   (tewi)
ers meitin: ers amser
tystion: *witnesses*

cymrodoriaeth: *fellowship*
adnabu H.: *H. recognized,* (adnabod)
wrth ei chwt: tu ôl iddi hi
moesymgrymodd y meddyg: *the*
   *doctor bowed,* (moesymgrymu)
clwstwr: *cluster*
gwrido: *to blush*
llygadu: *to eye*

er pan enillodd ei chefnder John. yr un anrhydedd yn Aberystwyth flynyddoedd yn ôl. Wrth gwrs, yr oedd ef yn ddarlithydd yn Llundain bellach. Fe fyddai Harri'n ddarlithydd hefyd ryw ddydd, yr oedd hi'n siŵr. Yr oedd dyfodol disglair i Harri ac yr oedd yn bryd i'w ardal gymryd sylw.

Yr oedd Lisabeth eisoes yn cymryd sylw. Ei phenbleth hi oedd gadael i Harri wybod hynny heb feddwl ei bod hi'n rhedeg ar ei ôl. Bai eu mam oedd eu bod wedi dod i Leifior heno. Fe fuasai Lisabeth wedi caru llongyfarch Harri mewn ffordd dipyn mwy cynnil. Rhyw lythyr bach, hwyrach. Yr oeddynt yn ddiarth ill dau ers pythefnos. Y pythefnos hwyaf a aethai dros ei phen hi erioed, ond yr oedd hi'n rhy falch ac yn rhy gall i roi ar wybod iddo. Ar ôl y noson fflat ger Llyn y Dywysen fe benderfynodd na wnâi hi'r un oed ag ef, na ddôi hi ddim i'w olwg, na sgrifennai hi'r un gair ato. Fe ddôi (ef) i chwilio amdani. Ond ni ddaeth.

"Now." Yr oedd gan Mrs. Pugh dwang gwneud wrth siarad Saesneg. "Now, I want you three to come to Trawscoed to dinner tomorrow night—Dr. Rushmere and Miss Greta and Henry. You'll be sure to come?"

Diolchodd Dr. Rushmere gyda'r mesur priodol o frwdfrydedd. Diolchodd Greta â mwy o frwdfrydedd. Yr oedd hi'n ffrind i Lisabeth. Ni wnaeth Harri unrhyw osgo at ddiolch nes iddo weld ei fam yn gwgu arno. Diolchodd yntau, yn afrwydd.

Yr unig un yr oedd y sefyllfa'n ddolur iddo yn hytrach na diflastod, oedd Karl. Edrychodd ef yn hir ar Greta, ac yr oedd ei

---

| | |
|---|---|
| anrhydedd: *honour* | oed: *date* |
| bellach: erbyn hyn | na ddôi hi ddim: na (*that*) fyddai |
| eisoes: yn barod |   hi'n dod |
| penbleth: problem | i'w olwg: *to set eyes upon him* |
| llongyfarch: *to congratulate* | twang gwneud: *a put-on twang* |
| cynnil: *subtle* | mesur: *measure* |
| hwyrach (G.C.): efallai | priodol: *appropriate* |
| diarth: h.y. dieithr, *strange* | brwdfrydedd: *enthusiasm* |
| ill dau: y ddau ohonyn nhw | osgo: *gesture* |
| hwyaf: hiraf | gwgu: *to frown* |
| a aethai: a (*which*) oedd wedi mynd | yn afrwydd: *clumsily* |
| balch: *proud* | dolur: yn llawn poen |
| na wnâi hi: na (*that*) fyddai hi'n | yn hytrach na: *rather than* |
|   gwneud | diflastod: teimlad drwg |

chlywed yn derbyn y gwahoddiad i'r Trawscoed mor frwd yn ei frifo. Yr oedd hi'n mynd yno'n agored fel cariad Dr. Rushmere. Gwnaeth ymgais wrol i'w berswadio'i hun ei fod yn ffŵl, a thynnodd ei lygaid oddi ar Greta.

Gwrthododd Mrs. Pugh aros i swper. Cododd gydag amnaid ar Lisabeth, a hwyliodd drwy'r drws a thrwy'r neuadd ac allan at y car mawr lliw hufen.

---

brwd: *enthusiastic*
yn ei frifo (G.C.): yn rhoi poen
   iddo, yn gwneud dolur iddo
   (D.C.)

ymgais: *attempt*
gwrol: *brave*
amnaid: *nod*

# Y CHWECHED BENNOD

## I

Safodd y car rhwng y rhododendron a'r tŷ. Trodd Harri ac edrych ar Paul a Greta yn isel yn y sedd ôl yn pwyso'n ddioglyd ar ei gilydd.

"We're there," meddai.

Boddodd Mrs. Pugh y tri yn y car â chroeso. Yr oedd mor egnïol i'w gwneud yn gartrefol nes iddi fethu. Yr oedd Paul mor stiff â choedyn. Harri bron yn surbwch. Greta'n unig oedd yn ymroi i ddangos llawenydd, a hynny o hanner cywilydd dros ei brawd a'i darpar.

Yn nhu mewn y tŷ fe welodd Harri newid. Yr oedd yno lawer o ddodrefn newydd a hwnnw'n methu cytuno â'r stafelloedd cedyrn, sgwâr, wedi'u haeddfedu gan ganrifoedd. Yr oedd yr hen leoedd tân wedi'u tynnu, ac yn eu lle yr oedd gratiau teils melyn newydd sbon. Gwgodd Harri.

Aeth swper, neu'n hytrach y *dinner,* heibio heb ormod galanas. Gadawodd Mrs. Pugh i Lisabeth arllwys te ar ben y bwrdd. Yr oedd hynny'n amlwg yn bolisi, gan ei bod wedi gosod Harri i eistedd yn y pen arall gyferbyn â hi, fel na allai'n hawdd beidio â syllu arni. Ac ar ei lw, yr oedd hi'n harddach nag ydoedd hyd yn oed neithiwr. Yr oedd Mrs. Pugh yn cymryd diddordeb cwbwl abnormal mewn ysbytai ac afiechydon; (gan) ollwng allan ambell air fel "trombonsis" a "scidnoffrensi", nes bod Lisabeth yn chwysu. Daeth eisiau chwerthin annioddefol ar Harri, cymaint nes i lwnc o de a gymerodd ffrwydro drwy'i ffroenau a glawio ar y lliain.

---

yn ddioglyd: *lazily*
egnïol: *energetic*
yn surbwch: *sourly*
ymroi: *to apply oneself*
cywilydd: *shame*
darpar: h.y. darpar-ŵr, *future husband*

cedyrn: h.y. cadarn, *solid*
aeddfedu: *to mature*
gwgodd H.: *H. frowned,* (gwgu)
galanas: h.y. *mess*
ar ei lw: *upon his oath*
annioddefol: *unbearable*
ffroenau: *nostrils*

44

Yr oedd Robert Pugh bob amser yn sgut am bryfocio. Yr un math ar bryfoc bob amser ar bawb. Fe wnâi'r un math ar dynnu coes i was ffarm ag i ferch hynod o neis y noson cyn ei phriodas. Yn annoeth iawn trodd ei bryfocio ar Greta a'r doctor. Yr oedd yn benderfynol o wneud i'r ddau chwerthin ac i Greta gochi, a pharatodd ei *magnum opus.*

Dywedodd iddo glywed bod y meddyg yn bartïol iawn i sigars. (Os felly), meddai, rhaid i Greta beidio â synnu'n ormodol os genid ei chyntafanedig yn sugno sigar—

Taflodd Mrs. Pugh ei ddwylo i'r awyr ac agorodd ei dau lygad fel soseri a llefodd,

"Husband!"

Yr oedd hyn yn ormod i Harri, a gorfu arno wthio'i hances poced i'w geg. Fodd bynnag, aeth y *dinner* heibio, a chytunodd y pedwar ifanc rhyngddynt â hwy'u hunain fynd allan am dro.

Y tu allan, yr oedd yn hwyro'n dawel. Ymwahanodd y ddau gwpwl. Sleifiodd Paul a Greta fel dau gysgod rhwng y rhododendron yng ngwaelod yr ardd. Aeth Harri a Lisabeth drwy'r llidiart gefn i'r buarth.

Cymerodd y meddyg arddwrn Greta rhwng ei fys a'i fawd a rhythu ar ei wats-arddwrn yn y gwyll.

"What on earth are you doing, Paul?"

"Feeling your pulse, my dear. You'll be pleased to know that you're quite normal, unlike those crazy people in there."

A thaflodd ei ben i gyfeiriad y tŷ.

Brochodd Greta.

"They're not crazy. They're my friends."

"A thousand pities. You were born in the wrong society."

Dyma'r arwydd i Greta bwdu. A phwdodd.

Tasg nesaf ei chariad oedd ei chael allan o'i phwd.

"You're cross with me now."

---

yn sgut am: h.y. yn ofnadwy am
pryfocio: h.y. *to provoke*
yn annoeth: *unwisely*
cochi: *to blush*
yn bartïol: h.y. yn eithaf hoff o
yn ormodol: gormod
os genid ei chyntafanedig: petai ei
    phlentyn cyntaf yn cael ei eni

gorfu arno: bu'n rhaid iddo
yn hwyro: yn mynd yn hwyr
garddwrn: *wrist*
rhythu: *to stare*
gwyll: hanner tywyllwch
brochodd Greta: collodd Greta ei
    thymer/*temper,* (brochi)
pwdu: *to pout*

Dim ateb.

"I like you when you're cross. It gives your face the most adorable tan. In fact, when you frown you're quite ugly."

Dim. Methodd calon Paul un curiad. Yr oedd llygaid Greta'n ddisglair yn y gwyll, ac yr oedd hynny'n beth dieithr. Yr oedd ef bob amser wedi gallu meistroli merch. Yr oedd merched yn hoffi meistr. Hwyrach fod eisiau techneg wahanol gyda merched Cymru.

"Darling."

Cyffyrddodd â'i llaw, ond tynnodd hi'i llaw i ffwrdd. Daeth dwy ael Paul at ei gilydd mewn problem. Pan oeddech yn siŵr o'ch benyw, pan oedd hi'n eich caru, fe allech gerdded i ffwrdd a'i gadael a gwybod y dôi hi ar eich ôl dan grio. Ond nid oedd yn siŵr o Greta. Nid oedd yn siŵr.

"Gret darling, I'm sorry I said what I did just now."

Yr oedd hi'n toddi, ond gresyn ei fod wedi gorfod ildio.

"You . . . you know what I meant, don't you?" gofynnodd iddi.

"I do not."

"Then I'll explain. I . . . I only meant that you were born for something better. Life on a Welsh farm is all very well for . . . well, for those who have neither the beauty nor the intelligence for a higher station in life. But you, you're mysteriously different. Will you marry me, Gret?"

Syllodd Greta ar furiau'r Trawscoed yn araf dywyllu, ac meddai,

"I don't know."

"Look, this is the second time I've asked you and this is the second time you've said you don't know. When will you know?"

"Perhaps . . . never."

"Oh, for God's sake—!"

Tawodd Paul. Nid fel yna chwaith yr oedd ei ddarbwyllo. Ac yr

---

curiad: *a beat*
meistroli: *to master*
hwyrach (G.C.): efallai
cyffyrddodd: *he touched,* (cyffwrdd)
ael: *brow*
y dôi hi: y byddai hi'n dod

toddi: *to melt*
gresyn: trueni
tawodd P.: gorffennodd P. siarad
   (tewi)
darbwyllo: *to convince, to persuade*

oedd yn rhaid ei darbwyllo. Ni byddai bywyd hebddi ond rhes o ddyddiau deillion, dwl.

Yr oedd hi'n symud ei thraed yn anesmwyth ac yr oedd gwybed mân yn dechrau pigo Paul ym môn ei wallt. Trawodd ei war â'i law a'i frifo'i hun. Dechreuodd Greta chwerthin. Am eiliad, berwodd wyneb Paul gan dymer, ond wrth weld rhes wen ei dannedd yn y gwyll a'i mynwes yn siglo gan y chwerthin, clodd ei ddwy fraich yn dynn amdani. Yn gwbwl sicir o'i buddugoliaeth, ildiodd Greta'i gwefusau iddo.

## II

Yr oedd Harri a Lisabeth wedi cyrraedd drws y beudy newydd ac yr oedd llawr eu beudy'n ddigon glân i undyn fwyta oddi arno. Am fod ei ffenestri'n llydain yr oedd modd gweld y powlenni yfed a'r corau metel er ei bod yn nosi. Cymerodd Harri ddiddordeb mawr ynddynt am na wyddai sut i agor y sgwrs.

Lisabeth a'i hagorodd.

"Rwy'n falch dy fod ti wedi pasio, Harri."

"Diolch, Lisabeth."

"Beth wnei di rŵan?"

"Mynd i weithio ar y ffordd."

"Harri!"

Trodd Harri i rythu arni.

"Fuaset ti'n 'y mhriodi i, Lisabeth, pe bawn i'n gweithio ar y ffordd?"

"Paid â bod yn wirion. Does dim rhaid iti—"

"Ateb 'y nghwestiwn i. Fuaset ti?"

"Wn i ddim . . ."

"Roeddwn i'n meddwl. Gwaith ach-y-fi ydi gweithio ar y ffordd. Mae dyn sy'n gweithio ar y ffordd yn fath is-raddol o ddyn. Dim ots faint sy'n ei ben o, dim ots faint mae'n ei ddarllen,

---

deillion: h.y. tywyll  
gwybed: *gnats*  
bôn: *base*  
gwar: *nape of the neck*  
clodd: *he locked,* (cloi)  
buddugoliaeth: *victory*  
ildiodd Greta: *Greta yielded,* (ildio)

beudy: *cowshed*  
corau: *stalls*  
am na wyddai: gan nad oedd yn gwybod  
gwirion: *silly*  
is-raddol: *inferior*

ac fe all fod yn darllen mwy o lyfrau mewn blwyddyn nag a ddarllenaist ti drwy dy oes. Ond ta waeth, mae'n cyffwrdd haearn ac mae baw ar ei ddillad o, ac yn ffit i briodi neb ond ei siort.''

"Wn i ar wyneb y ddaear, Harri, am beth rwyt ti'n sôn.''

"Na wyddost, mi wn. Yr ydw i'n sôn amdanat ti, ac amdana i, ac am y cariad y mae pobol yn credu sy rhyngon ni. Ond fe wyddost beth ydi cariad, Lisabeth? Y peth hwnnw sy'n gwneud i ddyn roi'i alwedigaeth heibio er mwyn ei wraig, ac yn gwneud i ferch fynd efo'i gŵr i unrhyw le—i Ganada neu i Fryniau Lwshai neu . . . i dŷ cownsil.''

Yr oedd dagrau yn llygaid Lisabeth ac ni wyddai hi pam. Ac er bod Harri'n disgwyl ateb oddiwrthi, ni ddaeth. Yr oedd ei gwddw wedi cau. Edrychodd Harri arni, a sylweddoli ei fod wedi traddodi pregeth a oedd yn golygu llawer iddo ef, a dim iddi hi. Dyna'r pwynt. Doedd Lisabeth yn deall dim ond y normal, a'r neis, a'r naif.

Edrychodd arni eilwaith. A oedd yn rhaid i harddwch fod yn dwp? Yr oedd Lisabeth mewn coch, cragen fach goch ym môn pob clust, minlliw o'r un coch ar y ddwy wefus berffaith. Yn ei fywyd ni welsai Harri ddim mor ddeniadol. Nid oedd yn cofio i Lisabeth ecsploetio'i harddwch fel hyn erioed o'r blaen. Yr oedd wedi dibynnu hyd yma ar ei safle fel merch y Trawscoed. Ond fel petai wedi gweld (na) allai ddal Harri mwyach, yr oedd wedi penderfynu apelio at ei wrywdod. Fe ddysgodd y wers mai'r peth cryfaf ym mhob dyn yw'r dyn.

Yr oedd aroglau rhyw bersawr drud yn ffroenau Harri, yn ei dynnu er ei waethaf at y ferch dal, dywyll mewn coch, yn pwyso ar ddôr y beudy. Ac wrth ei gwasgu ato'n dynn, fe'i perswadiodd ei hun ei bod yn bosibl, yn ddigon posibl, y byddai cyn bo hir yn ŵr i Lisabeth.

---

ta waeth: beth bynnag
wn i ar wyneb y ddaear: h.y. does dim syniad gen i
galwedigaeth: *career*
ni wyddai hi: doedd hi ddim yn gwybod
traddodi: *to deliver* (a sermon, etc.)
pregeth: *a sermon*

golygu: *to mean*
naif: *naïve*
minlliw: *lipstick*
safle: *status*
mwyach: *any more*
gwrywdod: *masculinity*
er ei waethaf: *despite himself*
dôr: drws

48

# Y SEITHFED BENNOD

## I

Marchnad Henberth, a'r hen dref wedi deffro drwyddi. Byddai'n deffro bob dydd Mercher, y palmentydd yn gwegian bron dan bwysau pobol. Saesneg fyddai iaith Henberth drwy'r wythnos, ond ar ddydd Mercher fe ddôi'r wlad Gymraeg i mewn â'i Bowyseg fain. Ar hyd pob palmant safai'r amaethwyr a'u gwragedd yn trin y tir a'r tywydd a phris yr wyau. Mae'n boeth neu'n oer, mae eisiau glaw neu hin sych, mae'r heffrod yn ddrud neu'n rhad, ac mae rhywun wedi marw neu wedi priodi.

Llywiodd Edward Vaughan ei gar rhwng dau fodur â'u trwynau ar y palmant. Nid oedd ond prin wedi dod allan a chloi'r drws pan glywodd lais o'r tu ôl iddo.

"Bore da, Edward Vaughan."

Yr oedd yn nabod y llais, ac meddai, heb droi,

"Bore da, Robert Pugh."

"Rydech chi'n cyrraedd yn o hwyr heddiw."

"Roedd yn rhaid rhoi'r dynion acw ar waith cyn cychwyn. Fe allan gael y gwair i mewn yfory dim ond ei gael o'n barod heddiw."

Croesodd y ddau ar y palmant. Tynnodd Robert Pugh ei oriawr o'i wasgod.

"Mae hi bron yn hanner dydd. Mi fyddan yn agor gyda hyn. Dim diben eich gwadd chi am ddrinc, Edward Vaughan?"

"Dal yn ddirwestwr o hyd, Robert Pugh. A dirwestwr fydda i bellach, tan ddiwedd f'oes."

"Meddwl cael rhyw sgwrs oeddwn i, Edward Vaughan, ynghylch y bobol ifanc acw."

---

gwegian: *giving way*
fe ddôi'r wlad: fe fyddai'r wlad
  (*countryside*) yn dod
Powyseg: iaith pobl o Bowys
amaethwyr: ffermwyr
trin: trafod, *to discuss*
hin: tywydd

heffrod: *heifers*
llywiodd E.V.: *E.V. steered*, (llywio)
oriawr: watsh
diben: pwrpas
gwadd: gwahodd, *to invite*
dirwestwr: *teetotaller*

"O, ie. Beth am y *Corner?* Mi gawn baned o goffi yno os ydi hi'n rhy gynnar gennoch chi am ginio."

"Fel y mynnoch chi."

A hwyliodd y ddau i mewn i'r *Corner Cafe.* Cawsant fwrdd gwag wrth y ffenest. Tywalltodd Edward Vaughan goffi i'r ddau o'r pot arian y byddid bob amser yn ei roi o'i flaen ef yn y bwyty hwnnw. Taniodd Robert Pugh ei getyn.

"Rydw i'n meddwl y bydd hi'n fatsh dda, Edward Vaughan."

"Pa fatsh Robert Pugh?"

"Harri acw a Lisabeth ni."

"Os na newidian nhw'u meddwl."

"Wnân nhw ddim. Mi ofalwch chi a fi am hynny."

"Wnawn ni?" ebe Edward Vaughan. "Fy marn i, Robert Pugh, ydi mai'r bobol ifanc ŵyr eu busnes ore."

Teimlodd Robert Pugh fod yna gerydd. Gallai Edward Vaughan bob amser wneud iddo deimlo fel plentyn. A meddwl eu bod wedi chwarae gyda'i gilydd yn yr ysgol yn blant, wedi dwyn afalau oddi ar yr un goeden, wedi gwlychu'u dillad yn yr un nant, yr oedd y ddau wedi tyfu'n dra gwahanol. Yr oedd y "ti" a'r "tithe" wedi hen ddiflannu, a'r syrnâm wedi tyfu wrth gwt yr enw bedydd. Rhoddodd gynnig arall arni.

"Syniad da fydde ichi roi Tyddyn Argain yn waddol i Harri pan briodith o."

Gwelodd Edward Vaughan olau coch. Yr oedd Tyddyn Argain yn nyddiau'r tadau yn perthyn i'r Trawscoed. A phan ddaeth dyddiau duon ar yr hen Richard Pugh, tad Robert, fe brynwyd y Tyddyn gan Thomas Vaughan, tad Edward. Daeth y meibion i etifeddiaeth eu tadau, ac wedi i'r ddau ryfel osod Robert Pugh yn solet ar ei draed, fe geisiodd brynu'r Tyddyn yn ôl. Gwrthododd Edward Vaughan.

---

tywalltodd (G.C.): arllwysodd (D.C.)

cetyn (G.C.): pibell, pib (D.C.)

matsh: h.y. *match,* h.y. priodas

Wnawn ni?: *Will we?*

ŵyr eu busnes: sy'n gwybod eu busnes

cerydd: *reprimand*

yn dra gwahanol: yn wahanol iawn

syrnâm: *surname*

enw bedydd: enw cyntaf (e.e. Edward)

gwaddol: *dowry*

etifeddiaeth: *inheritance*

solet: h.y. *solid*

Ar borfa felys Tyddyn Argain y gwnaeth Edward Vaughan amryw o'i filoedd. Yr oedd gwybod hynny'n swmbwl yng nghnawd Robert Pugh. Perthyn i'r Trawscoed yr oedd Tyddyn Argain. Gwir fod Edward Vaughan wedi hulio'r tir â gwrtaith ac wedi diweddaru'r tŷ ac wedi rhoi Ifan Roberts a'i wraig ynddo i'w gadw'n glyd.

Fodd bynnag, os byddai Lisabeth yn wraig i Harri, fe fyddai ganddo ran yn y Tyddyn, o leiaf. Ac os byddai plant, fe fyddai'r Tyddyn yn nwylo un o'i wyrion ef. Ond dywedodd Edward Vaughan yn gwta,

"Nid ffarmio y bydd Harri, yn ôl pob golwg."

Yr oedd Robert Pugh yn barod am hynny.

"Does neb yn dweud. Proffesor fydd Harri, wrth gwrs. Ond fe all rhywun arall ffarmio (Tyddyn Argain) drosto."

"Un o feibion y Trawscoed, er enghraifft?"

Chwarddodd Robert Pugh.

## II

Yr oedd Harri'n dod trwy'r adwy uchaf i'r cae ar y tractor bach yn tynnu'r gribin olwyn a Karl yn eistedd arni. Ymhen rai munudau ar eu hôl, daeth Dr. Rushmere a Greta, yn cerdded yn barchus, fel dau newydd nabod ei gilydd.

Wrth i'r ddau basio, aeth bys Ifan Roberts yn ddefosiynol at gantal ei het. Yr oedd yn cyffwrdd ei het lawn cymaint i Dr. Rushmere ag i Greta. Aeth meddwl Wil James drwy bwl o resymu cyflym. Ni buasai'n codi'i gap i Greta, am ei fod yn ei chofio hi'n bwten fach mewn cap-clustiau-tedi-ber pan oedd ef eisoes yn llanc. Ac ni buasai'n codi'i gap i ferch un o'r

---

amryw: llawer (o'i arian)
swmbwl: *goad*
cnawd: *flesh*
hulio: *to spread over*
gwrtaith: *manure*
diweddaru: *moderneiddio*
clyd: *cosy*
yn gwta: *curtly*
yn ôl pob golwg: fel mae pethau'n
    edrych

adwy: bwlch, *gap*
cribin olwyn: *hay-raker*
yn ddefosiynol: h.y. *devotionally*
cantal: *rim*
pwl o: *a bout of*
yn bwten fach: *a little stump (of a girl)*
eisoes: yn barod

51

meistradoedd. Er hynny, yr oedd yn ddigon parod i godi'i gap i Dr. Rushmere, am ei fod yn feddyg, hynny yw, un yn gwasanaethu dynoliaeth. Hefyd, am ei fod o'r ochor arall draw i Glawdd Offa. Fodd bynnag, fe fu'n rhy hir yn penderfynu a cheryddodd Dr. Rushmere ef â'i lygaid. Gwelodd Wil James y cerydd, ymatebodd fel y byddai bob amser yn ymateb i gerydd, a phenderfynodd beidio â chodi'i gap wedi'r cwbwl.

Yr oedd cwmwl du yn llusgo i fyny'r awyr. Gan ofni glaw, neidiodd Harri a Karl oddi ar y tractor a'r gribin olwyn a chymryd picffyrch ac ymuno yn y mydylu. Wrth fynd heibio iddynt, crwydrodd llygaid Greta at freichiau melyn Karl. Am eiliad euog, teimlodd y breichiau cryfion hynny'n cydio ynddi ac yn ei chodi i berfedd yr awyr las. Synhwyrodd Karl ei lygaid arno, a chafodd yntau'i eiliad euog fel y cyfarfu'i lygaid â'i llygaid hi. Gwelodd Dr. Rushmere gyfarfod y llygaid, a theimlodd fel petai rhywun wedi'i daro'n ysgafn yn ei wynt.

Yr oeddynt wedi mynd heibio i'r mydylwyr. Yr oedd Greta'n cerdded yn ei ymyl, gam am gam ag ef, ac yn edrych tua'r gorwel fel pe na bai dim wedi bod yn ei meddwl. Gollyngodd Paul y llwyth anadl a oedd wedi cronni ynddo.

Ef oedd biau Greta, nid oedd gan yr Almaenwr siawns. Na neb arall. I fod yn siŵr, ymbalfalodd ei law am ei llaw, a chaeodd ei bysedd hi am ei fysedd ef.

---

meistradoedd: meistri
dynoliaeth: *mankind*
Clawdd Offa: *Offa's Dyke*
ceryddodd Dr. R.: *Dr. R.*
   *reprimanded,* (ceryddu)
y cerydd: *the reprimand*
y mydylu: *the stacking*
euog: *guilty*
perfedd: canol

synhwyrodd K.: *K. sensed,*
   (synhwyro)
fel y cyfarfu: fel y cwrddodd,
   (cyfarfod)
mydylwyr: *the stackers*
fel pe na bai dim: fel petai dim
gollyngodd P.: *P. released,* (gollwng)
cronni: casglu
ymbalfalodd: *he groped,* (ymbalfalu)

# YR WYTHFED BENNOD

## I

Heddiw yr oedd (Marged) i gychwyn ar ei gwyliau. Wythnos gyda Sheila ar lan y môr. Yr oedd wedi edrych ymlaen ers wythnosau. Noswaith ar ôl noswaith cyn mynd i gysgu yr oedd wedi mynd yn ei meddwl ôl a blaen hyd bromenâd y Rhyl, heibio i'r pafiliwn, heibio i'r stondin Pwnsh-a-Jiwdi, wedi eistedd mewn caffi, wedi ymdrochi yn y môr. Ond fe aeth pethau o chwith. Wedi wythnosau o waeledd, ail-ddechreuodd ei thad ar ei waith. Yn y glaw a'r gwres, daliodd i geisio dilyn y stemrolar a'r taenwr tar. Ond fel cynt, gogleisiodd y llwch ei ysgyfaint a deffro'i beswch, ildiodd ei gorff i wres awyr laith Cymru a gwres ffyrnig y tar.

Yr oedd ei wyneb yn wyn ar y gobennydd a'i fynwes yn gweithio'n galed i gael ocsigen o'r awyr glos. Trodd Marged oddi wrtho ac aeth yn ddistaw i lawr y grisiau i'r gegin. Yn y gegin gallai wylio'r modurwyr haf yn mynd heibio, ugeiniau ohonynt yn gyrru drwy Lanaerwen i fyny'r dyffryn tua'r mynyddoedd. I'w gweld yn well taflodd ei mac am ei sgwyddau a mynd i lawr y llwybyr at y llidiart drwy'r glaw mân.

Llwyddodd i gael rhyw gysur o wylio'r modurwyr yn mynd. Y cwbwl yn mynd am eu gwyliau, fel yr oedd Sheila wedi mynd. A hithau'n gorfod aros.

Clywodd sŵn siarad uchel a chwerthin, a throdd ei phen. Gwelodd haid o feicwyr yn olwyno tuag ati. Wrth ei phasio troesant bob un ei ben, agor eu llygaid yn fawr, a chwibanu'r hen chwiban: "Whiw-whiw!" Am eiliad, teimlodd Marged yn ddig wrthynt. Ond am eiliad yn unig. Petai hi'n hen ac yn hyll, ni

---

ymdrochi: *to bathe*
o chwith: o'i le, *wrong*
gwaeledd: iechyd gwael
gogleisiodd y llwch: *the dust tickled,*
   (gogleisio)
(y)sgyfaint: *chest*

ildiodd ei gorff: *his body yielded,*
   (ildio)
llidiart: gât
cysur: *comfort, consolation*
haid: *crowd*
yn ddig: yn grac

roesent mo'r chwiban honno. Yr oedd y ''Whiw-whiw'' yn gompliment, wedi'r cyfan, i ferch. Hwyrach ei bod hi'n bictiwr. Yr oedd yn rhaid ei bod yn bictiwr, iddi dynnu cryn ddeuddeg pâr o lygaid gwrywaidd arni heb wneud un ymdrech i'w tynnu.

Yr oedd car arall yn dod i lawr y ffordd. Syllodd Marged arno'n dod. Yr oedd hwn yn gyfarwydd iddi, er na chofiodd ar y funud pwy a'i piau. Car mawr du, na fu yn yr ardal yn hir. Yn sydyn, fe gofiodd. Car Lleifior. Fel y daeth yn nes, gwelodd Harri Vaughan yn eistedd wrth y llyw. A'r car yn mynd heibio mor ddistaw, mor esmwyth, trodd Harri Vaughan ei ben a'i gweld. Cyflymodd pyls Marged, a chododd ei llaw, a cheisiodd ei gwefusau wenu. Crymodd Harri Vaughan ei ben i gydnabod y cyfarch, ond dyna i gyd.

Buasai Marged wedi'i chicio'i hun. Yr oedd hi'n siŵr iddi godi'i llaw'n beiriannol, yn wirion, a gwenu hen wên hurt. Pwy oedd hi i dynnu sylw etifedd Lleifior, llanc a gradd wrth ei enw, yn troi ymysg y mawrion, a ffortiwn yn ei ddisgwyl ar farw'i dad? Hithau fel y dwedodd Sheila, yn byw mewn tŷ cyngor, a'i thad yn labrwr ffordd ac yn nychu gan y darfodedigaeth.

Yna, fe drodd ei llid oddi arni'i hun ar Harri Vaughan. Ni buasai gwên yn costio dim iddo yntau. Doedd bosib nad oedd yn ei nabod hi, a hithau'n byw yn Llanaerwen bron cyhyd ag y bu ef yn Lleifior. Mae'n wir na fuont yn gymdeithion ysgol. Fe gafodd Harri'i ysgol gynradd mewn ysgol breifat yn Henberth, a'i ysgol uwchradd yn Nolgellau. Ond yr oedd wedi'i gweld hi ganwaith ar un stryd Llanaerwen. Pe gwyddai ef pa mor amal y bu yn ei feddwl, pa sawl noson y bu'n breuddwydio amdano . . . Yr oedd wedi rhoi'i chalon iddo er pan welodd ef yn dod adref o Ddolgellau a'i dad yn ei gyfarfod oddi ar y trên, pan oedd y trên bach yn rhedeg o Henberth i Lanaerwen.

---

ni roesent: fasen nhw ddim yn rhoi
hwyrach (G.C.): efallai
cryn: o gwmpas, tua
gwrywaidd: *masculine*
llyw: *steering wheel*
crymodd: plygodd, (crymu)
cydnabod: *to acknowledge*
y cyfarch: *the greeting*
yn wirion: yn dwp

hurt: *silly*
etifedd: *heir*
y mawrion: y bobl fawr/bwysig
nychu: marw
darfodedigaeth: *consumption*
llid: tymer
cyhyd: cymaint o amser
cymdeithion: *companions*
pe gwyddai ef: petai e'n gwybod

54

Aeth y chwerwedd ohoni. I ble'r oedd Harri Vaughan yn mynd? Yn mynd heb Lisabeth y Trawscoed, heb neb yn y sedd yn ei ymyl, yn mynd, heb wenu, o'r golwg rownd y tro yn y ffordd.

## II

Yr oedd Harri'n mynd i'r Eisteddfod Genedlaethol. Dyna'i arfer bob dechrau Awst. Nid am ei fod yn eisteddfodwr blysig. Ond i Harri, fel i lawer eraill, yr oedd yn y Genedlaethol swyn sy'n fwy na swyn eisteddfod. Y swyn sy'n tynnu Saeson ifanc i Lundain a Ffrancod ifanc i Baris, am mai yno y mae calon eu cenedl yn curo gryfaf.

Yr oedd wedi gofyn i Lisabeth fynd gydag ef. Ddôi hi ddim. Doedd ganddi ddim i'w ddweud wrth yr Eisteddfod fawr anghysbell. Yr oedd yn well ganddi hi rali ffermwyr ifanc a sioe amaethyddol ac ymryson cŵn defaid lle'r oedd mwy o'r wynebau'n gyfarwydd a blas gwlad ar yr hiwmor.

Gyrrodd Harri drwy Henberth, a llywio'r car i'r llif moduron a oedd yn llenwi'r briffordd tua'r môr. Yr oedd Llun Gŵyl y Banc yn ddiwrnod llethol i foduro.

Buasai'n well, wedi'r cyfan, petai wedi mynd ddiwedd yr wythnos gynt, fel y ceisiodd Gwdig ei ddarbwyllo. Fe ddaethai Gwdig John i fyny o sir Benfro i Leifior ddydd Mercher. Er bod Harri'n cyd-letya ag ef drwy'r flwyddyn ym Mangor, yr oedd bob amser yn falch o'i weld.

"Dere gyda fi, Harri, i ysgol haf Plaid Cymru."

"Pa bryd mae honno?"

"Mae'n dechre ddydd Gwener cyn yr Eisteddfod ac yn para dros y Sul. Wed'ny, ddydd Mawrth, fe awn ni 'mlaen i'r Eisteddfod, dim ond taith hanner awr yn y car."

"Ond dwy ddim yn perthyn i'r Blaid."

---

chwerwedd: *bitterness*  
blysig: brwd iawn  
swyn: *charm*  
cenedl: *nation*  
ddôi hi ddim: *she would not come,* (dod)  
anghysbell: pell i ffwrdd

ymryson: cystadleuaeth  
llethol: ofnadwy  
darbwyllo: *to persuade*  
fe ddaethai G.J.: roedd G.J. wedi dod  
wed'ny: wedi hynny

"Sdim gwahaniaeth. Mae croeso i bawb."

"Ond does genny ddim diddordeb mewn politics."

"Mae gyda ti ddiddordeb yng Nghymru, on'd oes e?"

"Wel, wrth gwrs—"

"Dyna fe, 'te."

(Ond ar ei ben ei hun yr aeth) Gwdig i'r ysgol haf.

Gyrrodd (Harri) ymlaen drwy'r glaw. Yn sydyn, teimlodd Harri'r car yn mynd o'i flaen ac yn crwydro'n ddiamcan i'r chwith ac i'r dde. Tynnodd i'r clawdd, ac aeth y llif moduron heibio.

Daeth allan. Oedd, yr oedd un o'r olwynion blaen mor fflat â chrempog ac aeth i mofyn y jac a'r troellwr o gefn y car. Er dirfawr boen iddo, canfu nad yr un dull oedd i godi'r car hwn â hen gar Lleifior.

Yn sydyn, clywodd gar yn sefyll y tu ôl iddo. Hen Awstin Deg, yn sgleinio gan ofal ac eli-penelin. Agorodd ei ddrws a daeth allan ddyn tenau, cymharol ifanc. Taflodd y dyn got law dros ei sgwyddau a dod at Harri.

"Puncture?" gofynnodd.

"Yes."

"Cymro ydach chi?"

"Ie."

"Mynd i'r Eisteddfod?"

"Ydw."

"Fel finna. Dowch inni weld beth ydi'r helynt."

Gafaelodd yn y jac a'i wthio trwy dwll crwn y tu mewn i ddrws y modur, a chydag ychydig drofeydd cododd ochor y car yn gyfan oddi ar y ffordd. Yna cymerodd y troellwr a thynnu'r olwyn, a chyn pen ychydig funudau yr oedd yr olwyn sbâr yn ei lle. Edrychodd Harri arno fel plentyn yn edrych ar ewythr haelionus, ac meddai,

"Diolch fod yna Samariaid trugarog ar y ffordd o hyd."

Gwenodd y dyn.

---

yn ddiamcan: *aimlessly*
troellwr: *wheelbrace*
dirfawr boen: poen mawr iawn
canfu: *he discovered,* (canfod)
dull: ffordd

cymharol: *comparatively*
helynt: trafferth
trofeydd: *turns*
haelionus: *generous*
trugarog: *merciful,* cf. anrhugarog

56

"Gawn ni ddweud mai'r Samariaid anhrugarog aeth o'r tu arall heibio heddiw, ac mai'r offeiriad arhosodd i gynorthwyo?"

"Offeiriad ydech chi?"

Nodiodd y dyn.

"Er 'mod i'n meddwl mai mecanic y bwriadodd y Brenin Mawr imi fod. Mae'n haws trwsio car nag achub enaid. Mae 'na garej ryw ddwy filltir i lawr y ffordd. Gwell ichi gael trwsio'r olwyn yno na mentro'r holl ffordd heb olwyn sbâr. Pob bendith."

A diflannodd yr offeiriad medrus yn ôl i'w Awstin. Wrth ei wylio'n mynd heibio fe'i cafodd Harri'i hun yn synio'n uwch am wŷr y goler nag y bu ers amser. Yr oedd yn amlwg y gallent wneud rhywbeth heblaw pregethu.'

Wrth siarad ag ef ei hun daeth i olwg pentref. Yma, mae'n debyg, yr oedd y modurdy y soniodd yr offeiriad amdano. O arafu ac edrych o'i gwmpas, fe'i gwelodd Harri ef. Pan arafodd Harri wrth y cwt daeth llanc tua phymtheg oed at un o'r pwmpiau.

"Petrol?"

"Dau alwyn," ebe Harri, "ac mae gen i olwyn fflat eisie'i thrwsio."

Agorodd y llanc ei geg.

"Olwyn fflat?"

"Ie. Ff-l-a-t."

Wrth roi trwyn y bibell betrol rhwng gwefusau'r tanc, crochlefodd y bachgen,

"Styr Thomas!"

"Be mater?" ebe'r dyn (a ddaeth allan o'r cwt).

"Olwyn fflat, Styr Thomas." Rhythodd y dyn ar bedair olwyn y car gan grychu'i drwyn, ac o'r diwedd gofyn,

"Ymh'le?"

"Yn y bŵt," meddai Harri, gan ei lusgo'i hun allan o'r car.

---

offeiriad: *priest*
cynorthwyo: helpu
enaid: *soul*
mentro: *to venture*
synio: meddwl
golwg: *sight*
modurdy: garej

o arafu: wrth arafu
crochlefodd: gweiddodd,
  (crochlefain)
rhythodd y dyn: *the man stared,*
  (rhythu)
crychu: cyrlio

Aeth i gefn y cerbyd ac agor y bŵt, a'r dyn yn llusgo ar ei ôl. Rhythodd y dyn ar yr olwyn fflat. Siglodd y dyn ei ben yn araf.

"Ryden ni'n gythgam o brysur. Banc holide, dech chi'n gweld. Mae 'na thri-hundred-and-ffiffti-tŵ o geir wedi stopio yma am betrol heddiw."

"Ond yr ydw i'n mynd i'r Eisteddfod," ebe Harri. "Mae genny ddeng-milltir-ar-hugain eto i fynd. Fedra i ddim mentro cyn belled â hynny heb olwyn sbâr."

Taniodd y dyn stwmp sigaret ac agor ei geg yn llydan er mwyn i'r mwg fynd i gyd i'w grombil. Meddai wrth Harri,

"Be'di o'r gloch rŵan?"

"Chwarter i bedwar," meddai Harri.

Tynnodd y dyn lond crombil eto o fwg.

"Roeddwn i jest yn cychwyn am 'y nhe rŵan", meddai. "Fedra i mo'i wneud o nes bydda i wedi cael 'y nhe. Os liciwch chi weitied, mi fydd yn barod ichi erbyn whech." A throdd ei lygaid ar Harri, gan obeithio'i fod wedi llwyddo i dorri'i galon.

"Chwech?" meddai Harri. Fe fydda i yn nhre'r Eisteddfod erbyn hynny. Ac eto, mentro deng-milltir-ar-hugain heb olwyn sbâr . . . Penderfynodd weitied tan whech.

(Ac aeth Harri i'r pentre i chwilio am gwpanaid o de ei hunan.)

Yr oedd gobaith y câi drwsio'i olwyn cyn pen dwyawr. Yr arswyd fawr! Dwyawr i drwsio mymryn o dwll mewn olwyn. Fe fuasai Bob Williams ym modurdy Llanaerwen wedi'i drwsio mewn chwinciad. Ond am hwn . . . Fedret ti drwsio olwyn mewn dwyawr, Harri? Ie, ond dario unwaith, nid trwsio olwynion ydi 'ngwaith i. Yr ydw i'n onest yn fy ngwaith, ac o ddifri. Ond mae yna ryw bleser yn dy waith di. Am dy fod di'n ffodus i gael dy eni gydag ymmennydd da, fe gefaist ti ddewis dy waith, a dewis y mwyaf diddorol. Orfodwyd mohonot ti i werthu petrol a thrwsio ceir. Orfodwyd mo'r dyn yn y garej yna chwaith. Mae yna ddigon o with i'w debyg o ar ffermydd ac yn y ffatrioedd ac yn y pyllau glo. Rwyt ti'n snob, Harri. Nac ydw i, ddim yn snob.

---

| | |
|---|---|
| yn gythgam o (G.C.): h.y. yn ofnadwy o | y câi: y byddai'n cael |
| crombil: bol | yr arswyd fawr!: *goodness gracious!* |
| weitied (G.C.): aros, h.y. *wait* | mymryn o dwll: twll bach |
| whech: h.y. chwech | dario unwaith: h.y. *dash it all!* |
| | ymennydd: *brain* |

Mae arna i eisiau gweld pob dyn yn rhoi'i orau yn ei waith, beth bynnag ydyw . . . Ddylai dyn ddim mynd yn fecanic os nad oes elfen mecanic ynddo, fel Bob Williams. Ddylai dyn ddim mynd yn ffarmwr nac yn was ffarm os nad oes ffarmio yn ei waed. A ddylai dyn ddim mynd yn ysgolhaig os nad ydi o'n caru llyfrau. Tad annwyl, mae yna ddigon o ddewis o waith yn yr oes yma.

---

elfen: h.y. *tendency*
ysgolhaig: *scholar, academic*

# Y NAWFED BENNOD

## I

Cododd Harri toc wedi wyth, ac wedi brecwast brysiog, mynd draw tua glan y môr. Tynnodd Harri chwiff o ffresni'r môr i'w ysgyfaint. Yr oedd bywyd yn dda. Pob dydd yn newydd, ac yn wahanol, diolch am hynny, i'r dydd o'i flaen. Beth oedd gan heddiw i'w gynnig? Ei lond o Eisteddfod, wrth reswm. Hwyrach fwy. Beth petai heddiw'n drobwynt yn ei fywyd, rhywbeth yn digwydd i newid Harri Vaughan? Crynodd Harri wrth feddwl am hynny. Yr oedd yn feddwl rhy fawr.

Trodd Harri, a mynd draw tua'r Eisteddfod.

## II

Pan gyrhaeddodd y maes yr oedd eisoes yn llenwi. Un o'r rhai cyntaf a welodd Harri oedd Gwdig.

"Bachan, rwyt ti wedi cyrraedd."

"Ydw. Pa newydd?"

"Dim ond glaw, mor belled. Rwy'n disgwyl tipyn o haul i gael bola heulio."

"Rwyt ti'n lwcus fod genn'ti ddigon o fola i'w heulio."

Cafodd Gwdig ffit ffyrnig o chwerthin. Mynnodd i Harri fynd gydag ef i babell *Y Ddraig Goch.* Yno yr oedd twrr o genedlaetholwyr newydd gyrraedd o'u hysgol haf, yn taenu papurau a phamffledi ar y bwrdd gwerthu. Prynodd Harri gopi o'r *Ddraig Goch* a phamffled neu ddau a drifftio'n ôl i'r dyrfa.

Toc wedi un-ar-ddeg daeth yr haul, (ac) erbyn canol dydd yr oedd yr haul yn danbaid mewn awyr bron yn gwbwl glir.

---

toc: yn fuan
wrth reswm: wrth gwrs
hwyrach (G.C.): efallai
trobwynt: *turning point*
eisoes: yn barod

bola heulio: *to sunbathe*, cf. heulio
twrr: *a crowd*
cenedlaetholwyr: *nationalists*
taenu: *to spread*
tanbaid: twym/poeth iawn

# III

Dod o'r babell fwyd yr oedd (Harri) pan glywodd lais wrth ei benelin,

"Esgusodwch fi. Wnewch chi brynu copi o'r *Cryman,* os gwelwch chi'n dda?"

Syllodd Harri ar y ferch. Yr oedd yn siŵr ei fod wedi'i gweld o'r blaen. Merch fain, wedi'i gwisgo'n syml mewn cotwm gwyn, a'i gwallt a'i llygaid yn dduon. Ni allai ddweud ei bod hi'n dlws, er bod ei llygaid yn dlws, ond yr oedd hi'n cymell dyn i edrych arni. Yr oedd y sefyll hyderus a'r ên benderfynol a'r hanner gwên yn ei gwneud hi'n fwy deniadol na llawer merch dlysach na hi.

"Rwy wedi'ch gweld chi o'r blaen," ebe Harri.

"Rwy'n credu'ch bod chi," meddai hithau, yn gwenu, eto heb fod yn gwenu chwaith.

"Yn Aberystwyth, adeg Eisteddfod y Myfyrwyr y llynedd."

"Cywir," meddai'r ferch. "Ac yrwan, wnewch chi brynu'r *Cryman?*"

Yr oedd yn gas gan Harri gael ei ruthro, yn enwedig gan ferch. Ymhellach, yr oedd y ferch hon yn ddiddorol.

"Pwy sy'n ei gyhoeddi?"

"Nifer o fyfyrwyr."

"Perthyn i ryw sect neu blaid?"

"Comwnyddion."

"Roeddwn i'n meddwl."

"Pam?"

"Mae'r cryman yn un o'ch sumbolau chi, on'd ydi? Ond beth am y sumbol arall? *Y Morthwyl a'r Cryman* ddylai teitl eich cylchgrawn chi fod."

"Fe fyddai'n deitl rhy hir. Peth arall, mae 'na arwyddocâd dwbwl i'r teitl fel y mae. Rhaid medi'r gymdeithas *bourgeois* cyn adeiladu'r gymdeithas ddiddosbarth."

"Rhaid fy medi i felly. *Bourgeois* ydw i."

---

penelin: *elbow*
main: tenau
cymell: *to compel, to persuade*
hyderus: *confident*

adeg: amser
arwyddocâd: *significance*
medi: torri i lawr

"Does dim rhaid. Dowch i berthyn i'r parti. Nid *bourgeois* fyddwch chi wedyn. Ond mae'n rhaid medi'r gymdeithas yr ydych chi'n perthyn iddi."

"Ydech chi'n disgwyl imi gydsynio i roi'r cryman ar wddw 'Nhad a 'Mam a'r holl bobol yr ydw i'n eu nabod ac yn ffrindie â nhw?"

"Dim os gwelan nhw'r goleuni mewn pryd."

"Ymh'le mae'r goleuni i'w gael?"

"Yn *Y Cryman*."

"Drapio chi. Fe'i pryna i o."

"Diolch yn fawr i chi. Harri Vaughan ydach chi, yntê?"

"Y . . . ie."

"Cofiwch mai ffarm gydweithredol fydd Lleifior dan y Sofiet Brydeinig."

"Sut aflwydd y gwyddoch chi gymaint? Beth aflwydd ydi'ch enw chi?"

"Gwylan. Gwylan Thomas. Mi fydda i yma fory eto os byddwch chi am ymuno â'r Parti."

A llithrodd hi'n osgeiddig oddi wrtho i gynnig *Y Cryman* i lanc arall a ddigwyddai fod yn mynd heibio. Brysiodd Harri i'r pafiliwn cyn i'r drysau gau.


## IV

Fe fu'n hir yn cysgu y noson honno. Yr oedd y gwely fel ffwrnais a phob dilledyn fel canpwys ar ei gorff. Taflodd y cwbwl oddi amdano a gorwedd yno'n noeth. Yr oedd yr un geiriau'n dal i dorri i'w feddwl:

"Mae'n rhaid medi'r gymdeithas yr ydach chi'n perthyn iddi . . . Cofiwch mai ffarm gydweithredol fydd Lleifior dan y Sofiet Brydeinig."

Ffarm gydweithredol . . . Sofiet Brydeinig . . . Yr oedd y cyfan yn swnio mor afreal, mor bell oddi wrth bopeth. Ac eto, yr oedd

---

cydsynio: cytuno
drapio chi: *dash it!*
cydweithredol: *co-operative*
sut aflwydd . . .?: sut yn y byd . . .?

y gwyddoch chi: rydych chi'n gwybod
gosgeiddig: *graceful*
afreal: *unreal*

62

comwnyddiaeth mewn grym a chomwnyddion mewn awdurdod dros ran helaeth o'r ddaear. Yr oedd yn bosibl yng Nghymru . . . Ffarm gydweithredol . . . Onid oedd Lleifior yn ffarm gydweithredol fel yr oedd? Yr oedd pawb ynddi yn cydweithredu, dim ond mai cyfalaf ei dad oedd yn gwneud y cydweithredu'n bosibl. Pa fath drefn fyddai arni petai Wil James a Terence Siôn Mari a hyd yn oed Ifan Roberts yn gydberchenogion ynddi?

Tynnodd Harri gordyn y swits uwch ei ben. Estynnodd ei law at y bwrdd bach wrth y gwely a chymryd y copi o'r *Cryman.* Trodd ei ddalennau.

Daliwyd ei lygad gan baragraff o ysgrif:

"Y mae cerdded y weledigaeth sosialaidd o wlad i wlad yn anochel. Fe gwymp y gwledydd ar eu gliniau iddi bob yn un ac fel y cwympodd amryw eisoes. Rwsia, Pwyl, Siecoslofacia, Rwmania, Bwlgaria, Iwgoslafia, Hwngari, Seina, Estonia, Lithwania, Latfia—i gyd bellach yn gomwnyddol. Gymru, fe ddaw dy awr dithau. Byddi dithau'n taflu'r ychydig cefnog oddi ar dy gefn, ac yn ffarwelio dros byth â chanrifoedd dy ddioddefaint. Myn dy ryddid, nid oddi wrth estroniaid ond oddi wrth dy sugnwyr. Gymru, bydd ddewr, bydd rydd!!" Ac o dan yr ysgrif, yr enw, GWYLAN THOMAS.

Yr oedd gwybod ei fod ef ymhlith yr 'ychydig cefnog' yr oedd hi am i Gymru eu taflu oddi ar ei chefn yn brofiad anhyfryd. Ac eto, i beth yr oedd o'n moedro'i ben gyda hunllef sofietaidd am hanner nos wythnos yr Eisteddfod Genedlaethol? Yr oedd yma i eisteddfoda, nid i wleidydda.

Rywbryd yn yr oriau mân fe gysgodd Harri.

---

awdurdod: *authority*
rhan helaeth: *greater/most part*
cydweithredu: *to co-operate*
cyfalaf: *capital*
cydberchenogion: *co-owners*
gweledigaeth: *vision*
anochel: *inevitable*
fe gwymp . . .: fe fydd (y gwledydd) yn cwympo
cefnog: pobl gyfoethog

canrifoedd: *centuries*
dioddefaint: *suffering*
myn: *insist,* (mynnu)
rhyddid: *freedom*
sugnwyr: y bobl sy'n sugno, (*to suck*)
moedro: poeni, *to bewilder*
hunllef: *nightmare*
gwleidydda: *to deal with politics*

63

# V

Erbyn dydd Gwener yr oedd Harri fel petai wedi'i witsio. Nid oedd wedi cysgu fawr ar hyd yr wythnos, ond yr oedd mwy na hynny'n peri bod ei lygaid mor llonydd.

"Bachan," meddai Gwdig wrtho amser cinio, "Rwy'n gwybod beth sy'n bod arnat ti. Mae'r ferch gomwnyddol 'na wedi rhoi pwnad yn dy berfedd di."

"Cau dy geg!"

"Bachan, bachan, does dim eisie iti hwthu tân."

"Mae'n ddrwg genny, Gwdig."

"'Na well. Cer di adre'n ôl i Leifior. Fe gei di dy berspectif yn ôl fan'ny."

Tybed? Yr oedd Harri'n amau a rôi unpeth berspectif iddo eto.

Pan eisteddodd yn ei sedd yn y pafiliwn bnawn Mercher yr oedd Gwylan Thomas yn y sedd nesaf ato. Pan ofynnodd iddi sut y daeth hi yno, y cwbwl a wnaeth hi oedd gwenu.

Ond yr oedd hi yno ddydd Iau hefyd, a mynnodd Harri eglurhad y tro hwn. Yr oedd Gwylan wedi cael allan pwy oedd yn y seddau o boptu i Harri. Llanc nerfus oedd (yn eistedd un ochr), na allai wrthsefyll pwff cryf iawn o wynt, heb sôn am wrthsefyll merch. Prynodd Gwylan docyn wythnos yn y swyddfa. Wedi'i harfogi â'r tocyn hwn, daeth ar warthaf y llanc nerfus a gofyn iddo gyfnewid tocynnau.

"Ddylech chi ddim, Gwylan," ebe Harri.

"Pam? Ydw i'n flinder yn eich ymyl chi?"

"Nac ydech, wrth gwrs, ond—"

"Dyna ben, 'ta. Allwn i ddim gwrthsefyll y demtasiwn o fod yn ymyl comiwnydd posibl."

---

<table>
<tr><td>witsio: bewitched</td><td>mynnodd H.: H. insisted, (mynnu)</td></tr>
<tr><td>peri: achosi</td><td>eglurhad: explanation</td></tr>
<tr><td>pwnad: pwniad, nudge</td><td>o bobtu: bob ochr</td></tr>
<tr><td>perfedd: canol</td><td>gwrthsefyll: to withstand</td></tr>
<tr><td>hwthy: h.y. chwythu</td><td>arfog: to be armed</td></tr>
<tr><td>'na well: h.y. dyna well</td><td>ar warthaf: upon</td></tr>
<tr><td>amau: to doubt</td><td>cyfnewid: to exchange</td></tr>
<tr><td>a rôi unpeth: a fyddai unrhywbeth<br>    yn rhoi</td><td></td></tr>
</table>

"Rydech chi'n dal i gredu y gellwch chi f'argyhoeddi i?"

"Yn hollol siŵr. Fe fydd yn fuddugoliaeth fawr. Pennawd yn y *Daily Worker: Heir Sacrifices fortune to joint Party*—"

"Shhh! Mae 'na rywun isio clwad os nag ydach *chi.*"

A phan ddaeth dydd Gwener yr oedd wedi gwneud oed i'w chyfarfod am ddau o'r gloch. Cyfarfod fel ffrindiau, wrth gwrs. Yr oedd wedi sgrifennu at Lisabeth y bore hwnnw, ac wedi gwneud y llythyr mor gariadus ag y gallai.

Pan welodd Gwylan yn dod tuag ato cyflymodd ei anadl fymryn. Fe sylwodd ei bod hi heddiw wedi gwisgo'n fwy gofalus, ac er bod ei hwyneb a'i breichiau wedi melynu'n bictiwr yn haul yr Eisteddfod, yr oedd hi'n ffres fel Ebrill.

"Beth am y mynydd, Harri?" meddai.

"O'r gore," meddai Harri, a gweodd y ddau drwy'r dyrfa a thrwy'r porth pren ac i'r stryd. Pan ddaethant i ffiniau'r dref a dechrau dringo, dywedodd Harri,

"Wn i'r nesaf peth i ddim amdanoch chi."

"Dyma ichi fywgraffiad, 'ta," meddai hi.

"Ganed mil-naw-dau-chwech, yn sir Gaernarfon, unig ferch ysgolfeistr Brynllechau. Ysgol elfennol dan lywodraeth ddur fy nhad, ysgol eilradd ym Mhenygroes. Ennill tystysgrif uchaf gydag anrhydedd. Eisiau gwneud daearyddiaeth; mynd i goleg Aberystwyth. Ymuno yno â'r Blaid Gomwnyddol, graddio eleni gydag anrhydedd yn yr ail ddosbarth. Methu cyrraedd y dosbarth cyntaf oherwydd gweithio gormod efo politics. Dyfodol: ansicir."

Oddi tanynt yr oedd y dref a chae'r Eisteddfod a'i bobl fach dduon a'i bebyll a'i bafiliwn fel emerald ar ei chwr. Draw o'u hôl yr oedd y wlad, gyda ambell gae ŷd yn melynnu'n gynnar, a llygedyn o ffermdy gwyn yn cydio yn yr haul.

"Ydach chi'n canlyn rhywun?" meddai Gwylan yn sydyn.

---

argyhoeddi: *to convince*
buddugoliaeth: *victory*
gwneud oed: *to make a date*
cariadus: *loving*
mymryn: ychydig bach
ffiniau: ymyl, *outskirts*
nesaf peth: h.y. *next to nothing*

bywgraffiad: *biography*
dur: *steel,* h.y. *strict*
anrhydedd: *honours*
oddi tanynt: *below them*
cwr: ymyl
canlyn (G.C.): h.y. caru (D.C.) *to court*

65

Deffrodd Harri a rhwygo'i lygaid oddi ar y panorama at y ddau lygad du yn ei ymyl.

"Roeddwn i'n meddwl," meddai'n araf, "gan eich bod chi'n gwybod cymaint amdana i, y byddech chi'n gwybod hynny. Rydw i wedi dyweddïo."

"Mae hi'n gyfoethog?" gofynnodd Gwylan.

"Y . . . ydi, yn bur gyfoethog."

"Ond nid mor gyfoethog â chi."

"Mae 'nghyfoeth i'n poeni cryn lawer arnoch chi, Gwylan."

"Mae'n mynd i fod yn rhwystr mawr ichi ryw ddydd."

"I ymuno â'r Parti?"

"Mae'r peth yn anghyfiawn."

"Ond petaech chi, Gwylan, wedi'ch geni'n etifeddes miloedd, fyddech chi'n gweld y peth yn anghyfiawn?"

"Fedrwn ni beidio â meddwl yn bersonol—"

"Fedrwn ni beidio? Y rhai sy wedi'u geni'n dlawd sy'n gweld drwg mewn cyfoeth. Dydi cyfoeth ddim yn ddrwg os oes gan ei berchennog galon dda."

Eisteddodd Harri yn y gwellt byr ar ben y clogwyn. Yr oedd yn rhy dwym i ddadlau.

"Ydech chi ddim yn dechre anobeithio am f'achub i, Gwylan?"

"Ddim o gwbwl."

"Ond mewn difri, hwyrach na welwch chi byth mohono i ar ôl yr wythnos hon. A does gan yr un comiwnydd arall mo chwarter y gobaith i'm hennill i sy gennoch chi."

"Rydach chi'n mynd yn ôl i Fangor, Harri?"

"Ydw."

"Rydw inna'n mynd i Fangor hefyd."

"I Fangor!"

Fe synnodd Harri'i glywed ei hun yn cynhyrfu cymaint.

"I beth y dowch chi i Fangor?"

"Am newid. Yno'r ydw i am wneud fy nghwrs diploma. Mae

---

| | |
|---|---|
| rhwygo: *to tear* | etifeddes: *heiress* |
| rydw i wedi dyweddïo: *I am engaged* | perchennog: *owner* |
| yn bur . . .: yn eithaf . . . | clogwyn: *cliff* |
| cryn lawer: llawer iawn | cynhyrfu: *to excite* |
| anghyfiawn: *unjust* | |

genny amcan arall hefyd. Mae isio deffro tipyn ar y comwn-yddion yno.''

"Rwyn gweld.''

Ond, a bod yn onest, doedd Harri ddim yn gweld. Dim ond perygl. Fe fyddai gadael Lisabeth yn Nyffryn Aerwen a dod i le y gwelai hon bob dydd yn creu problem. Fe fyddai'n rhaid ei gweld cyn lleied ag oedd modd. Fe fyddai'n rhaid cadw cyfeill-garwch yn gyfeillgarwch.

"Rwy'n meddwl bod yn well inni fynd,'' meddai.

Edrychodd Gwylan arno gyda diddordeb, ac ateb,

"Rydw inna'n meddwl hefyd.''

Ar gyrion y dref dywedodd Harri'n sydyn,

"Rwy'n meddwl yr af i adre heno, Gwylan. Fyddwch chi ddim dicach?''

"Pa hawl sy genny i fod?'' meddai Gwylan. "Welwch chi fi'n bowld pe bawn i'n sgrifennu atoch chi, Harri?''

"Sgrifennu?'' meddai Harri. "Wn i ddim . . .''

"Ddim ond llythyr i gyfnewid syniada' . . . dim ond llythyr . . . Comwnyddol.''

Cododd Harri'i olygon a'i gweld hi ar fin gwenu.

"O'r gore,'' meddai, "dim ond llythyr comwnyddol.''

"Ac . . . fe'ch gwela i chi yn yr hydref. Ym Mangor.''

"Ym Mangor,'' ebe Harri. A chyn pen ychydig eiliadau yr oedd wedi'i cholli yn y dyrfa.

---

amcan: pwrpas
gwelai: byddai'n gweld
cyn lleied ag: *as little as*
cyfeillgarwch: *friendship*
ar gyrion: *on the outskirts (of)*

ddim dicach: *any angrier*
Pa hawl . . .? What right . . .?
cyfnewid: *to exchange*
golygon: h.y. llygaid

# Y DDEGFED BENNOD

## I

Deffrodd Edward Vaughan yn sydyn. Tynnodd ei oriawr o boced ei wasgod. Chwarter i bedwar! Ymh'le'r oedd ei briod, tybed? Nid oedd wedi'i chlywed hi'n dod i lawr y grisiau. Rhaid ei bod hi'n dal i orffwys.

Byddai Edward Vaughan yn mynd i bendwmpian am awr bob dydd i'r parlwr bach (a) byddai Margaret Vaughan hithau'n mynd am awr ar y gwely. Heddiw, yr oedd Harri a Greta wedi mynd i'r ymryson cŵn defaid yn Henberth. Pe byddai Greta gartref fe fyddai te ar y bwrdd erbyn hyn. Ac yr oedd Edward Vaughan yn hoffi'i de am hanner awr wedi tri.

Aeth i'r neuadd ac i fyny'r grisiau derw gan alw ''Margaret!'' bob yn ail ris. Aeth ar hyd y landing llydan ac agor drws ei llofft.

''Margaret, mae'n chwarter i bedwar.''

Sobrodd. Yr oedd ei briod yn ei gwely, yn ddigon effro, yn aflonydd, a'i hwyneb cyn wynned â'i gobennydd. Yr oedd hi'n griddfan. Brysiodd Edward at ei gwely.

'''Nghariad i, beth sy'n bod? Ydech chi'n sâl?''

''Dydw i ddim yn dda, Edward.''

''Beth sy'n bod?''

''Un o'r hen bylie 'ma eto. Mi eith drosodd toc.''

''Drosodd, yn-y-wir. Mi ffonia i am Doctor Owen.''

''Na wnewch, Edward. Wnewch chi mo hynny. Dim ond yr hen boen yma . . . mi wyddoch amdano . . .''

Gwyddai. Er na fyddent byth yn trafod peth mor bersonol, fe wyddai Edward Vaughan nad oedd ei wraig yn cael yr iechyd ddylai byth ar ôl geni Greta. Fe fu'n ceisio cael ganddi weld meddyg droeon ond gwrthod y byddai bob tro. A phob tro fe

---

pendwmpian: *to doze*
ymryson: cystadleuaeth
derw: *oak*
llofft (G.C.): ystafell wely (D.C.)
aflonydd: *restless*

gobennydd: clustog, *pillow*
griddfan: *to groan*
pylie: pyliau, *bouts, attacks*
gwyddai: roedd e/hi'n gwybod
droeon: nifer o weithiau

68

fyddai'r boen yn mynd heibio. Ugain mlynedd o ddioddef, a hynny heb achos. A hithau'n ddim ond deunaw-a-deugain roedd ganddi hawl i ugain mlynedd arall.

"Mi goda i wneud cwpaned 'chi," meddai wrtho.

"Wnewch chi ddim o'r fath, petai'n rhaid imi lwgu. Fe ddaw'r plant adre gyda hyn. Oes 'na rywbeth y carech chi'i gael?"

"Thrystiwn i mo'ch te chi, Edward. Mi gymera i lymed o ddŵr."

Aeth Edward Vaughan drwodd i'r ymolchfa. Wrth lenwi gwydryn â dŵr, daeth llen o niwl o flaen ei lygaid. Sychodd hwy'n ffyrnig â'i lawes. Ond doedd dim dianc rhag y gwir. Yr oedd Margaret yn mynd yn anwylach iddo bob blwyddyn.

## II

Ni allai'i draed gario Wil James adre'n ddigon buan y noson honno. Erioed ni welodd y ffordd mor faith o Leifior i Lanaerwen.

Achos y brys oedd y llythyr yn ei boced. Y llythyr a ddaethai gyda'r post pnawn i Leifior. Wedi'i agor a'i ddarllen, a'i ail-ddarllen, a'i ddarllen droeon wedyn, suddodd ei neges i ymennydd syfrdan Wil James. A phan suddodd honno, nid oedd gwaith yn ddim.

Safodd am eiliad a thynnu'r llythyr unwaith eto o'i boced. Darllenodd ef. Neidiodd fel plentyn i'r ffordd. Beth petai rhywun yn ei weld? Hw! Adref, llyncu cwpanaid, ac yna i'r *Crown* i ddweud wrth y bois.

Fel yr oedd yn troi i'w dŷ, safodd car mawr lliw hufen gyferbyn ag ef. Estynnodd Robert Pugh y Trawscoed ei ben drwy'r ffenest.

"Helô, William?"

69

"Smai, Pugh."

Crychodd Robert Pugh ei drwyn. A oedd wedi clywed yn iawn? "Meistar Pugh" y byddai Wil James yn arfer ei alw, a phob gwas ffarm arall, o ran hynny.

"William," ebe Robert Pugh, "oes gen dy fistar dipyn o feddwl ohonot ti?"

"Mwy nag sydd gen i ohono fo, wranta."

"O? Ydy hi felly?"

"Ydi. Pam?"

"Wel—meddwl y cawn i dy fenthyg di am ddeuddydd neu dri yn y Trawscoed acw. Mae Gwilym wedi'i daro'n wael. Roeddwn i'n meddwl, gan fod Harri gartre yn Lleifior—"

"Mae hwnnw lot o iws!" ebe Wil.

Twymodd Robert Pugh dros ei ddarpar fab-yng-nghyfraith.

"Cadw dy farn i ti dy hun, Wil," ffromodd. "Wnei di roi'r neges i Edward Vaughan?"

"Rhowch hi iddo'ch hun," ebe Wil James. "Mae gen i amgenach pethe i'w gwneud na bod yn bostman rhwng meistradoedd." Ac i ffwrdd ag ef i'r tŷ.

Caeodd Wil James y drws a galw "Sali!" Rhoddodd ei law'n serchog ar ben John. Edrychodd hwnnw'n syn ar ei dad. Nid oedd yn arfer â moethau felly. Yr oedd y babi'n crïo yn y pram fel y byddai bob dydd pan ddôi'i dad adref. Ond yn lle'i regi fel arfer aeth Wil James at y pram a'i siglo. Daeth Sali i lawr y grisiau ac edrych yn anghredadun ar ei gŵr yn siglo'r pram. Pa un ai ef ynteu hi oedd yn drysu?

"Gwna baned imi reit handi, da'r lodes," ebe Wil.

Da'r lodes? A oedd ei chlustiau'n clywed? Nid oedd ei gŵr wedi'i chyfarch ond fel 'slwt' a 'bitsh' a 'chythrel' ymron er dydd

---

crychodd R.B.: *R.B. curled up,* (crychu)  
o ran hynny: *for that matter*  
oes gen dy . . .: *does your master think*  
  *highly of you?*  
wranta: h.y. gwarantaf, *I'll*  
  *guarantee,* (gwarantu)  
felly: fel 'na  
darpar: *intended*  
ffromodd: *he fumed,* (ffromi)  
amgenach: gwell  
meistradoedd: meistri  

yn serchog: *affectionately*  
moethau (G.C.): maldod (D.C.),  
  *pampering*  
pan ddôi: pan fyddai'n dod  
rhegi: *to swear*  
yn anghredadun: h.y. yn syn  
Pa un . . .?: *Was it him or her that was*  
  *going mad?*  
da'r lodes: h.y. *there's a good girl*  
cyfarch: *to greet*  
ymron: *almost*

eu priodas. Da'r lodes! Aeth at ddrôr y dresal a thynnu allan liain bwrdd delach nag arfer. Os oedd ei gŵr wedi cael tröedigaeth, yr oedd hi'n werth ei swcro.

"Rwyt ti'n swnio'n o hapus, Wil," meddai wrtho.

"Hapus? Rydw i wedi ennill deugain punt ar y pŵls."

"Dydw i ddim yn dy gredu di, Wil."

Tynnodd Wil y llythyr o'i boced a'i daflu ar y bwrdd o'i blaen. Cydiodd hi ynddo a'i ddarllen yn awchus, a phan gododd ei llygaid yr oeddynt fel dwy seren.

"O Wil," meddai o'r diwedd, ac yr oedd dagrau yn ei llais, "mi allwn ni rŵan gael siwtiau i'r plant a wardrob, a . . . hwyrach y ca i got newydd . . . hwyrach . . ."

"Dillad i'r plant? Wardrob? Cot newydd?" Gwnaeth Wil ddau lygad syn. "Sali fach, chei di'r un ohonyn nhw. Yr yden ni'n cychwyn clwb colomennod yn y pentre 'ma, wyddet ti ddim? Mi fydd arna i eisie c'lomennod, ac mi fydd eisie cwt iddyn nhw a . . . a llawer o bethe."

Aeth dagrau Sali o'i llais i'w llygaid. Yr oedd ei llais yn dawel, yn rhy dawel.

"Ydi dy blant ddim yn bwysicach iti na ch'lomennod?"

Taniodd Wil Wdbein.

"Clyw, Sali. Rydw i wedi ennill yr arian ar sbort. Mae'n iawn imi gael eu gwario nhw ar sbort."

Llamodd y lliw i ruddiau llwydion Sali.

"Reit!" meddai, nes i Wil orfod syllu arni'n sydyn. "Mi gei di dy g'lomennod. Yr ydw i'n mynd, a'r plant efo fi."

Ni chlywsai Wil mohoni'n siarad fel hyn erioed o'r blaen.

"Ond i ble ei di, 'ngeneth i?"

"I Henberth, at fy chwaer. Mi ga i waith yno yn rhywle."

"Ho! Paid â gweithio'n rhy galed, wir dduwc!"

"Fydd raid imi byth weithio cyn g'leted am gyn lleied ag y gweithies i i ti," gwaeddodd Sali. "Tyrd, John."

---

tröedigaeth: *conversion*
ei swcro: h.y. *encourage him*
yn awchus: *eagerly*
hwyrach (G.C.): efallai (D.C.)
colomennod: *pigeons*
wyddest ti ddim?: doeddet ti ddim
   yn gwybod?

cwt: sied
llamodd: neidiodd, (llamu)
gruddiau: *cheeks*
llwydion: llwyd
ni chlywsai W: doedd W. ddim wedi
   ei chlywed
wir dduwc!: h.y. *for goodness sake*

"I ble, Mami?"

"I rywle oddi wrth dy dad." A chipiodd Sali'r babi yntau o'r pram a mynd ag ef i'w wisgo.

Am yr hanner awr nesaf ni wyddai Wil James yn iawn beth oedd yn digwydd. A ddylai geisio'i darbwyllo? Gwendid. A ddylai adael iddi fynd? Ffolineb. Ni wyddai beth i'w wneud.

Daeth Sali i lawr y grisiau fel corwynt a'i chot amdani a'i bag yn ei llaw, y babi'n gweiddi yn ei breichiau a John yn sobian wrth ei chwt. A hithau'n mynd drwy'r drws rhoes Wil gam tuag ati a dweud,

"Sali—"

Ond yr oedd Sali wedi mynd. Trwy'r ffenestr gwelodd hi'n dal ei llaw allan ac yn dringo i fws Henberth gan lusgo John i'w chanlyn. Chwyrnodd y bws yn ei flaen i lawr y ffordd gan godi cwmwl o lwch Awst ar ei ôl. Poerodd Wil drwy'r ffenest agored.

"Cer ynte'r cythrel!" meddai.

Trawodd ei gap ar ochor ei ben ac aeth allan i'r *Crown.*


## III


Yr oedd Greta'n pryderu am salwch ei mam. Yr oedd wedi'i gweld hi'n wael droeon, ond erioed mor wael â hyn. Yr oedd wedi dechrau codi ac wedi dechrau bwyta, ond fe wyddai Greta y byddai'n rhaid gwneud rhywbeth mwy cyn y byddai'i mam fel yr oedd cynt.

Yr oedd ei thad fel dyn â chyllell ynddo. Codai'n foreach, eisteddai'n hwyr ar ei draed yn darllen. Odiach na'r cyfan, yr oedd wedi colli cyfarfod o'r Cyngor Sir ac wedi colli amryw bwyllgorau.

---

cipiodd S.: *S. snatched,* (cipio)
ni wyddai W.J.: doedd W.J. ddim yn gwybod
darbwyllo: *to coax*
gwendid: *weakness*
corwynt: *hurricane*
rhoes: rhoiodd, (rhoi)
canlyn: dilyn

poerodd W.: *W. spat,* (poeri)
y cythrel: H.Y. y cythraul, *the devil*
trawodd: *he placed/put,* (taro)
pryderu: gofidio
droeon: nifer o weithiau
cynt: h.y. cyn hynny
odiach: yn fwy od
amryw: nifer

72

Am Harri, yr oedd rhyw ddifrifwch newydd ar hwnnw. Daethai adref o'r Eisteddfod mewn breuddwyd, ac mewn breuddwyd y bu am ddyddiau, heb ddweud na bw na be wrth neb. Ond pan aeth ei fam i'r gwely ddiwrnod yr ymryson cŵn defaid yn Henberth, ac aros yno, fe ddeffrodd drwyddo. Aeth yn nerfus ac yn bigog wrth bawb ond wrth ei fam. Eisteddai gyda hi am hydoedd, yn darllen, iddi, yn tendio arni.

Ond yr un a gyffyrddodd fwyaf â Greta oedd Karl. Gofynnai amdani y cyntaf peth bob bore. Daeth droeon yn ôl o Henberth â phwys o flodau iddi. Un diwrnod daeth i'r tŷ â theclyn go ddiarth yn ei law. Yr oedd â'i ddwylo'i hun wedi gwneud astell lyfr i Mrs Vaughan ddarllen yn ei gwely rhag iddi flino ac oeri'i dwylo. Ac yr oedd Harri wedi sylwi bod Karl ar ei liniau'n hwy nag arfer wrth erchwyn ei wely bob nos.

Karl . . . Fe ddaliodd Greta'i meddwl yn oedi gydag ef, yn oedi'n rhy hir, ac mewn panig o euogrwydd cydiodd yn llythyr Paul a oedd yn agored ar y bwrdd o'i blaen.

''My Dear Greta,

Although I wrote to you yesterday, having had your dear letter this morning I find I must write to you again to-day, to tell you how much I am thinking of you . . .

I understand how you feel about your mother. I am trying to arrange to come to you as soon as I can. From what you have been telling me in your letters, your mother's illness seems to be in my department of medicine, and I should like to take a look at her if she is willing. With your doctor's consent, I may be able to do something about it . . .''

Yr oedd y llythyr wedi rhoi heddwch i Greta. Yr oedd cydymdeimlad hwn a'r llall yn werthfawr, ond wedi'r cwbwl, dim ond meddyg a allai wella'i mam. Ar y funud, buasai'n well

---

difrifwch: *seriousness*
daethai: roedd wedi dod
na bw na be: h.y. dim gair
ymryson: cystadleuaeth
yn bigog: *touchy*
hydoedd: amser hir
a gyffyrddodd: *who touched,*
  (cyffwrdd)

teclyn: *instrument*
astell: h.y. *stand*
yn hwy: yn hirach
erchwyn: ochr
oedi: aros
euogrwydd: *guilt*
cydymdeimlad: *sympathy*

ganddi weld Paul yn dod i mewn drwy'r drws na neb. Am ei bod hi'n ei garu, ynteu am ei fod yn feddyg, ni wyddai.

Clywodd guro ar y drws. Cyflymodd ei gwaed. Nid Paul?

"Wel, Greta fach? Sut mae'ch mam heddiw, 'ngeneth i?"

Ceisiodd Greta guddio'i siom a gwenu ar y Parchedig Tynoro Thomas.

"Mae hi fymryn bach yn well, Mr. Thomas. Dowch i mewn."

## IV

Nid oedd Harri'n gwrando fawr ar y bregeth. Nid ar y pregethwr yr oedd y bai. Yr oedd Harri yma yn sedd y teulu ym Methel ar fore Sul, nid am fod Tynoro Thomas yn bregethwr da, ond am ei fod yn ddyn.

Bylchog oedd Harri fel capelwr. Ond yr oedd ymweld cyson y Parchedig Tynoro Thomas â Lleifior yn ystod gwaeledd ei fam wedi rhoi tro yn ei gydwybod. Wrth gwrs, yr oedd rhai o aelodau Bethel yn dweud bod yr hen Dynoro'n ymweld yn amlach â Lleifior nag ag unrhyw gartre arall, am fod teulu Lleifior yn 'bobol fawr'.

Ond wedi'r cyfan, gan bwy yr oedd hawl i feirniadu'r hen Barchedig? Yr oedd yn pregethu'n ystrydebol, wedi mynd i fugeilio'n anamlach, doedd ganddo ddim ffordd gyda'r bobol ifanc . . . Yr oedd yn mynd yn hŷn, yr oedd yn blino, yr oedd, yn naturiol, ym mhethau'r meddwl wedi aros yn ei unfan. Ond wedi'r cyfan, yr oedd wedi rhoi'i orau. Ac yr oedd yn dal i roi'i orau yn ei ffordd hen-ffasiwn ef.

Beth a ddywedai'r hen Dynoro, tybed, pe gwyddai ei fod ef yn mynd yn dipyn o gomwnydd? Anfynych y byddai'r hen frawd yn

---

ynteu: *or whether*
ni wyddai: nid oedd yn gwybod
mymryn bach: ychydig bach
yn gwrando fawr: yn gwrando
   llawer
bylchog: h.y. *patchy*
gwaeledd: salwch
cydwybod: *conscience*

beirniadu: *to criticize*
ystrydebol: *stereotyped*
bugeilio: h.y. ymweld ag aelodau'r
   capel
yn hŷn: yn henach
pe gwyddai: petai e'n gwybod
anfynych: anaml iawn

mentro i bolitics yn y pulpud, ond pan fentrai, Comwnyddiaeth ddi-dduw fyddi'n ei chael hi bob tro. Beth a ddywedai, tybed, pe gwyddai y foment hon fod mab o Leifior yn cymdeithasu ag un o ferched Stalin?

Posibl iawn, meddyliodd Harri, mai comwnyddiaeth yw'r unig ffordd i wneud pawb yn gystal gweithiwr â'r hen Dynoro. Ei bleser ef oedd ei waith, a dyna'r delfryd. Ac mewn gwlad gomwnyddol ei waith oedd pleser pob dyn. Yr oedd gan yr hen Barchedig ddigon o gydwybod i weithio hyd ymlâdd. Doedd gan Wil James ddim. Na Terence. Na'r dynion ffordd a oedd yn pwyso ar eu rhawiau bob dydd ar ffordd Henberth. Na'r dyn fu cyhyd yn trwsio'i olwyn iddo ar ei ffordd i'r Eisteddfod.

Ac eto, hwyrach fod Gwylan yn disgwyl gormod. Yr oedd yn anodd credu bod y radio a'r papurau i gyd yn methu, a Gwylan yn unig yn iawn. Ond pwy oedd yn gwybod. Yr oedd yn rhaid i rywun fod yn iawn, a pham nad Gwylan?

Yr oedd y ddau lygad du wedi bod ormod ym meddwl Harri. Yr oedd wedi derbyn dau lythyr 'comwnyddol' oddi wrth Gwylan, ond fe ddaeth rhywbeth cryfach na chomwnyddiaeth i'w canlyn. Fe ddaeth y persawr ar y papur, a'r pendantrwydd yn y llawysgrifen, luniaidd, a'r diwylliant yn y geiriau. Ac yr oedd Lisabeth, gyda sensitifedd ei rhyw, wedi synhwyro bod rhywbeth o'i le.

"Harri," meddai un noson ar waelod Wtra'r Trawscoed, "dwyt ti ddim yr un un ag a fyddet ti."

"Nac ydw i?"

"Beth sy'n bod?"

"Oes rhywbeth yn bod?"

"Wyt ti ddim yn 'y ngharu i?"

"Wrth gwrs 'mod i."

"Dwyt ti byth yn dweud hynny rŵan."

"Rydw i newydd ddweud hynny heno."

"Dim ond wedi i mi ofyn."

---

mentrai: *he would venture,* (mentro)
cymdeithasu: *to socialize*
delfryd: *ideal*
cydwybod: *conscience*
ymlâdd: *to be tired out*
cyhŷd: mor hir

i'w canlyn: *in their wake*
pendantrwydd: *decisiveness*
lluniaidd: taclus
diwylliant: *culture*
rhyw: *sex, gender*
synhwyro: *to sense*

75

Ond fe ddaeth salwch ei fam, a gyrrodd hwnnw bopeth arall i'r cilfachau. Daethai niwl dros wyneb Gwylan yn y cof. Gobeithiodd, a gobeithio'n wrol, na fyddai Gwylan pan welai hi eto ymhen wythnos neu ddwy ym Mangor, yn ddim ond merch fel pob merch arall, i'w hadnabod ac i'w hanghofio ac y dôi o rywle dân newydd i'w weldio ef a Lisabeth yn un.

Teimlodd Karl yn ei bwnio yn ei ystlys. Yr oedd yr hen weinidog newydd ddweud Amen a chododd Harri i ganu gyda'r gynulleidfa. Ymhen ychydig funudau fe fyddai yn y llofft yn Lleifior yn darllen i'w fam.

## V

"Cer di 'mlaen," meddai Wil James wrth Terence, "cer di 'mlaen y ffordd yr wyt ti'n mynd, ac mi losgi di dy fysedd. Gwthia nhw i'r tân. Gwthia nhw reit i'r tân!"

"Ie, ond Wil," cwynai Terence, "mae Sheila'n wahanol—"

"Gwrando, boi. Mi fûm i, bedair blynedd yn ôl, mor baliffŵl ag wyt ti. Ac roeddwn inne'n meddwl bod Sali'n wahanol. Roedd hi'n bisin yr adeg honno. Lle mae hi heddiw? Yn gweithio yn y ffatri beics yn Henberth am ei phumpunt yr wythnos. O ie, ac wedi 'ngadael i efo tŷ gwag. Ac wedi mynd â 'mhlant i. A dim ots 'mod i'n llwgu. Paid ti â meiddio dweud wrtha i byth bod un ohonyn nhw'n wahanol."

Cododd Wil James a Terence eu pennau i weld Karl yn dod i'r cae, ei ben melyn yn dal yr haul fel y byddai bob amser, a'i groen golau'n oleuach am fod ei ofyrôls yn ddu. Crebachodd wyneb Wil James. Yr oedd gweld yr Almaenwr iddo ef fel clwt coch i darw.

---

i'r cilfachau: h.y. i'r ochr, i gefn y
    meddwl
daethai niwl: roedd niwl wedi dod
yn wrol: yn ddewr
dôi: byddai . . . yn dod
weldio: h.y. *to weld*
pwnio: *to nudge*
ystlys: ochr

baliffŵl: h.y. *bloody fool*
yn bisin: h.y. yn ferch bert
llwgu: *to famish*
meiddio: *to dare*
ofyrôls: *overalls*
crebachodd wyneb W.J.: *W.J.'s face*
    *shrinked,* (crebachu)

Ac eto, ni allai ddweud beth yn union yn y dyn oedd yn ei darfu. Ni ddywedodd Karl erioed air croes wrtho. Diau mai dyna'r drwg. Yr oedd ysbryd Wil James wedi'i diwnio i eiriau croes.

Ond yr oedd un peth arall yn corddi cas Wil James. Karl a'i waith. Yr oedd yn caru gwaith. Doedd dim blino yn ei groen. Gweithiai nes torri calon pob gweithiwr arall, gan ddiystyru oriau undeb.

"Well, Jerry?"

"Helô, William? Helô, Terence?"

"You've been a long time coming to the field," ebe Wil James.

"I'm sorry," ebe Karl. "We've been unloading those two loads of wheat. We've only just finished."

"You're sure you haven't been unloading something else?" Yr oedd llais Wil James fel gwifren. "You haven't been unloading your saliva on the boss's daughter?"

Aeth yr awyr yn dalp o drydan. Yr oedd llygaid yr Almaenwr yn ddau ddolur gloyw. Yr oedd wedi'i daro yn ei fan tyneraf.

"No," meddai. "Love is not a matter of saliva. If you had found that out in time, your dear wife would still be living with you."

Yr oedd wyneb Wil James fel lliain a'i wefusau yn leision. Yr oedd y ffeit wedi'i adael i gyd. Trodd Wil James yn sydyn.

"Tyrd!" meddai wrth Terence. "Paid â sefyll yn fanna'n diogi!" Yr oedd ei du mewn yn chwerw, chwerw. Yr oedd yr Almaenwr wedi llefaru wrtho fel o bulpud ac yr oedd wedi methu dod o hyd i ateb. Yr oedd wedi'i wneud yn fychan ac yn ffŵl o flaen yr hogyn Terence. Yr oedd ef, a fu bum munud ynghynt yn rhoi cynghorion, yn awr wedi derbyn cyngor. Gwyliodd yr Almaenwr yn cerdded oddi wrthynt. Gwyddai y byddai'n rhaid iddo frifo'r Almaenwr ryw ddydd. Ei frifo'n galed. Yn fuan.

---

yn ei darfu: h.y. *disturbed him*
diau: *doubtless*
corddi: *to churn*
cas: h.y. casineb, *hatred*
diystyru: *to disregard*
tyneraf: mwyaf tyner/*tender*

yn leision: h.y. yn las
diogi: *to be lazy*
llefaru: siarad
cynghorion: *words of advice*
brifo (G.C.): gwneud dolur (D.C.), *to hurt*

# YR UNFED BENNOD AR DDEG

## I

Wedi dod o'r trên (yng ngorsaf Bangor) aeth Harri at un o'r porteriaid a gofyn iddo a oedd ei fagiau wedi cyrraedd.

"Be 'di'r enw?"

"Vaughan. D. H. Vaughan."

"Does 'ma'r un bag hefo'r enw yna. Pa bryd daru chi'i anfon o?"

"Ddoe."

"Ia, wel, mi ddylach fod wedi'u gyrru nhw'n gynt, dach chi'n gweld. Mae'n amhosib inni gôpio hefo'r cwbwl ar unwaith. Mi ddôn bora fory, mae'n siŵr. Mae'r rêlwes mor brysur rwan, dach chi'n gweld."

Gwnaeth Harri'i orau i weld, a brasgamodd o'r orsaf. Yr oedd dwy ferch, yn amlwg yn dod i'r coleg am y tro cyntaf, mewn cryn drafferth gyda'u beichiau ar ochr y stryd.

"I ba hostel yr ydech chi'n mynd?" gofynnodd Harri.

"University Hall," ebe'r ddwy ar unwaith.

Amneidiodd Harri ar gerbyd hur a oedd yn sefyll yr ochr arall i'r stryd.

"Ewch i mewn," ebe Harri wrth y genethod.

Diolchodd y ddwy iddo â'u llygaid mawr plentynnaidd. Gyda chymorth y gyrrwr cododd Harri'u bagiau ar gynffon y car, yna aeth i mewn atynt.

"Diolch yn fawr iawn i chi," meddai un o'r merched.

"Ia wir, rydach chi'n garedig iawn," meddai'r llall.

"Croeso," meddai Harri'n gwta. Pe gwyddent y cwbwl, nid gwneud cymwynas â hwy oedd ei unig amcan wrth logi cerbyd,

---

côpio: h.y. *to cope*
cryn drafferth: llawer o drafferth
beichiau: h.y. llwyth
amneidiodd H.: *H. beckoned,*
   (amneidio)
cerbyd hur: h.y. tacsi

cynffon: h.y. bŵt
yn gwta: yn fyr
pe gwyddent: petaen nhw'n gwybod
cymwynas: *favour*
amcan: pwrpas

ond osgoi'r myfyrwyr oedd yn dod yn ddau ac yn dri i lawr y ffordd. Cas beth ganddo oedd y cyfarch joliboi ar ddechrau tymor. Yr oedd y ddwy ferch yn sbïo'n slei arno ac ar ei gilydd. O'r diwedd, gofynnodd un,

"Rydach chi yn y coleg ers talwm?"

Atebodd, "Ar 'y mhedwaredd flwyddyn."

Edrychodd y ddwy ar ei gilydd eto.

"Rydych chi'n gwneud eich trêning eleni?"

"Ymchwil."

Bu agos i lygaid y ddwy adael eu pennau gan edmygedd. Yr oeddynt yn syllu ar fyfyriwr ymchwil graddedig byw!

Gwyrodd y ddwy eneth at y ffenest fel yr oedd y car yn pasio'r coleg.

"Dyma fo, ylwch!" llefodd un.

"Wel ia, wir," meddai'r llall. "Dyma lle byddwn ni. On'd ydi o'n grand?"

Safodd y car dan y coed wrth lidiardau Neuadd y Brifysgol.

"Faint ydi o, os gwelwch chi'n dda?" gofynnodd un o'r genethod wrth fynd o'r car, a'i llaw ar gaead-sip ei bag.

"Mm?" Gwelodd Harri rywbeth yn bathetig yn y gofyn. Fe fyddai'n dda i'r ferch fach wrth ei hanner-coronau. "Dim byd. Dim o gwbwl. Gobeithio y mwynhewch chi'r coleg." A gwenodd ei wên gyntaf ar y ddwy y noson honno.


## II

Cododd Harri oddi wrth y bwrdd swper a'i fwrw'i hun i'r gadair freichiau hynafol.

"Swper digs!" meddai, a thanio sigaret.

"Bachan," ebe Gwdig, a oedd heb orffen bwyta, "smo ti'n gallu gwerthfawrogi bwyd gwerin? Elli di ddim cario Lleifior gyda ti i bobman."

---

| | |
|---|---|
| sbïo (G.C.). edrych | fe fyddai'n dda . . .: *the girl would be* |
| ymchwil: *research* | *glad of her half-crowns* |
| gan edmygedd: *with admiration* | hynafol: hen |
| graddedig: *graduate* | smo ti (D.C.): dwyt ti ddim |
| gwyrodd: plygodd, (gwyro) | gwerthfawrogi: *to appreciate* |
| ylwch (G.C.): edrychwch | |

"Rydw i wedi cario cymaint ohono yma ag y gallwn i,"
atebodd Harri. "Tri phwys o fenyn, tri dwsin o wye, dwy dorth
frith a tharten 'fale. Fe fydd yn dda'u cael nhw."

"Eitha reit, bachan. Pharan nhw ddim yn hir."

Syllodd Harri ar Gwdig yn bwyta, ac agor ei geg i ddweud gair
miniog. Ond ni ddywedodd mohono. Fe fyddai'n resyn tarfu'r
hen Gwdig, er nad oedd modd ei frifo. Yr oedd mor hoffus.

"Sut mae dy fam, Gwdig?"

"Yn weddol fach. We'n i ddim yn hoffi'i gadael hi wrthi'i
hunan heddi. Ac we'n i'n gweud wrtho i'n hunan. Mae'n rhaid
i'r breit boi wneud yn well eleni nag a wnaetho i llynedd, neu
fydd dim heddwch i'r hen wreigen yn fyw nac yn farw."

Gwenodd Harri.

"O, fe wnei di'n iawn."

"Ma' dowt 'da fi am hynny hefyd," meddai Gwdig. "Smo
fi'n hoffi achwyn byth. Ond mae gwahaniaeth rhyngot ti a fi. Yn
un peth, does gyda fi ddim 'mennydd academaidd fel sy gyda ti.
Peth arall, petaet ti'n gwneud cawl o dy thesis, mae arian Lleifior
tu cefn iti, ac fe allet ti fyw fel gŵr bonheddig. Ond amdana i, fe
fydde ffaelu arholiad yn costi'n rhy brid i mi. Ta p'un i, does
gyda fi ddim busnes i ddweud peth fel'na."

Oes, meddai Harri wrtho'i hun. Mae ganddo fusnes i ddweud
peth fel na. Mae'n wir. Tra oedd y naill yn rhifo'i arian mewn
miloedd a'r llall mewn degau, ni allent byth anghofio'r agendor
yn llwyr.

"Shwd ma' Lisabeth?" gofynnodd Gwdig.

"Fel y graig," ebe Harri.

"Bachan, ddwedaist ti mo hyn'na wrthi, do-fe? Mae sawl
cwaliti mewn craig heblaw cadernid. Wes, wes."

Bu'n rhaid i Harri chwerthin. A chwarddodd Gwdig, wrth
gwrs. Chwerthin nes oedd y dagrau'n powlio. Chwerthin nes
daeth curo ar y drws.

---

| | |
|---|---|
| miniog: *sharp* | 'mennydd: ymennydd, *brain* |
| fe fyddai'n resyn: fe fyddai'n drueni | gwneud cawl: *to make a mess* |
| tarfu: *to disturb, offend* | ffaelu: h.y. *to fail* |
| we'n i ddim (Pen.): doeddwn i ddim | yn rhy brid (D.C.): yn rhy ddrud |
| gweud (D.C.): dweud | ta p'un i: beth bynnag |
| nag a wnetho i: nag a wnes i | agendor: bwlch, *gap* |
| smo fi (D.C.): dwy i ddim | cadernid: *strength* |
| achwyn: cwyno | wes (Pen.): oes |

"I mewn," ebe Harri, ac agorodd y drws yn araf.

"Sut mae hi 'ma?" gofynnodd Ifan Armstrong. Ni chafodd groeso mor gynnes â'r disgwyl. Y tu ôl iddo daeth ei gydletywr, Huw Llywarch, llanc o'r un sir â Harri.

"Beth ydi'r gêm newydd 'ma sy gin ti, Harri?"

"Pa gêm?"

"Talu am dacsis i ferched ifanc."

"Os wyt ti am wybod, Ifan," meddai Harri'n araf, "roedd tacsi'n ffordd hwylus i'th osgoi di a dy debyg ar y stryd."

"Ffeindia well esgus, y cena'," rhuodd Ifan yn isel. "Os wyt ti am wybod, ffordd effeithiol oedd hi i ddangos i ferched ifanc dy fod ti'n graig o arian."

Cododd Harri ar ei draed, ac yr oedd ei wefusau yn welw wrth ddweud,

"Rwy'n meddwl bod yn well iti fynd, Ifan."

Cododd Gwdig yntau a chroesi'n chwim at Harri a rhoi'i law ar ei fraich.

"Nawr, nawr, Harri, eistedd i lawr, gw'boi. Doedd yr Armstrong ddim yn meddwl beth wedodd e."

"Roeddwn i'n meddwl yn union beth ddwedis i. Mae'n hen bryd tynnu'r snob o Harri Vaughan, Yswain."

Teimlodd Gwdig gyhyrau braich Harri'n tynhau dan ei law. Yr oedd Harri'n dweud,

"Rwy'n teimlo fel dy daro di, Ifan."

"Ddylai consi ddim taro neb," meddai Ifan yn wastad.

"Na ddyle, mewn theori. Ond mae consi weithie'n colli'i dymer."

"Wrth gwrs, mae gin ambell un fwy o hawl i golli'i dymar na'i gilydd. Mae ambell un wedi'i ddwyn i fyny uwchlaw ei gymdogion, hefo gweision o'i gwmpas i'w hordro o gwmpas fel cŵn."

Rhoddodd Harri lam ymlaen a chydio yng ngholer Ifan.

---

cydletywr: *fellow lodger*
hwylus: cyfleus
y cena': h.y. y cenau, *the rascal*
chwim: cyflym
beth wedodd: h.y. beth ddywedodd
Yswain: *Esquire*
cyhyrau: *muscles*

consi: h.y. *conscientious (objector)*
wedi'i ddwyn i fyny: *been brought up*
uwchlaw: *above*
cymdogion: *neighbours*
ordro: h.y. *to order*
llam: naid

"Rydw i *wedi* colli 'nhymer,'' meddai, a'i lais yn dynn rhwng ei ddannedd. Tynnodd Ifan ar ei draed ac anelu'i ddwrn i'w wyneb. Ond yr oedd disgyblaeth milwr gan Ifan, ac osgôdd y dwrn fel chware. Gafaelodd â'i ddwy law galed yn llapedi siaced Harri a chyda hergwd giaidd gyrrodd ef ar ei gefn i'w gadair. Ni chododd Harri. Yr oedd dau lais yn sibrwd o'i fewn. Un yn dweud wrtho fod Ifan yn gryfach dyn nag ef. Y llall yn dweud wrtho na ddylai heddychwr daro'n ôl. Aros yn ei gadair a wnaeth Harri.

Gwenodd Ifan ei wên gam.

"Ty'd, Llywarch bach,'' meddai. "Tyd hefo mi i chwilio am leiff, boi bach.''

A hwyliodd yn fawreddog drwy'r drws.

"Ifan Armstrong,'' meddai Gwdig.

"Wel?''

"Smo ti am siglo llaw gyda Harri cyn mynd?''

"Mi 'sgydwa'i law hefo fo pan ddaw o i lawr i blith y werin.''

"Eitha reit. Smo ti am siglo llaw gyda fi 'te?''

"Waeth gin i,'' ebe Ifan. Ac estynnodd ei law i Gwdig. Fel mellten, yr oedd Gwdig wedi cydio yn y llaw fawr galed ac wedi troi braich Ifan ar draws ei gefn nes oedd ymron ar ei liniau mewn poen.

"Nawr 'te,'' ebe Gwdig. "*Quick march.*'' A gwthiodd yr Ifan mawr o'i flaen. Ac meddai yn y drws,

"A phaid ti â dodi dy droed y tu fewn i'r drws hyn eto nes bo ti wedi dysgu cwpwl o fanners. Nos da.''

A chaeodd y drws yn glep. Pan ddaeth yn ôl i'r ystafell yr oedd Harri'n dal yn y gadair lle'r oedd Ifan wedi'i daflu.

"Bachan,'' ebe Gwdig, "Smo ti am ddiolch i fi am achub dy gam di?''

"Ydw, Gwdig,'' meddai Harri, "yr ydw i yn diolch i ti. Mae dy gymhellion di'n aur pur. Ond . . .''

"Wel 'te?''

---

anelu: *to aim*
disgyblaeth: *discipline*
hergwd: *push*
ciaidd: cas
heddychwr: *pacifist*
cam: *crooked*

leiff: h.y. *life*
mawreddog: *majestically*
i blith: i ganol
waeth gin i: h.y. does dim ots gen i
achub dy gam: *to stick up for you*
cymhellion: *motives*

"Creu problemau y mae gweithredu fel'na, nid eu datrys nhw."

"Ti greodd y broblem, bachan, gyda'r dymer basiffistaidd 'na sy gyda ti."

"Mae gen i dymer, Gwdig," meddai. "Fe'm landith i mewn gwaeth trwbwl na hyn ryw ddydd."

Rhythodd Harri, heb symud, ar y gadair gyferbyn lle syrthiodd dan hergwd Ifan Armstrong. Nid oedd yr hergwd wedi'i frifo. Y peth a'i brifodd oedd y cam a wnaethid ag ef. Nid oedd yn snob. Yr oedd yn gwybod nad oedd yn snob—mwyach. Nid i wneud sioe o'i gyfoeth y talodd am dacsi i'r ddwy ferch. Yr oedd wedi byw gormod ers deufis ar fin y cryman comwnyddol i fod yn falch o'i arian mwy.


## III

Bore drannoeth aeth Harri a Gwdig i'r coleg i gofrestru. Wrth syllu ar Gwdig yn talu i'r cofrestrydd am yr addysg yr oedd i'w chael am flwyddyn arall, dywedodd Harri wrtho'i hun, dyma fo'n talu'r cwbwl, a hwyrach fwy na'r cwbwl. Mewn munud mi fydda innau'n talu, a fydd y talu'n ddim i mi. Dim ond diferyn mewn afon.

Yr oeddynt newydd fynd o stafell y cofrestrydd pan bwniodd Gwdig ef yn ei ystlys.

"Edrych," meddai, "pwy sy'n dod."

Trodd atynt. Nid oedd Gwylan ei hunan. Yr oedd Bill Kent gyda hi. Sais tal, golau, ar ei flwyddyn gradd yn y coleg, comiwnydd.

"Hylô, Harri," ebe Gwylan. Ac yr oedd mêl yn ei llais, er na fuasai neb ond Harri yn ei flasu. "You know Bill, of course."

"Very well, by sight," ebe Harri, "although we've never spoken."

---

| | |
|---|---|
| gweithredu: *to act* | ar fin: *on the edge of* |
| datrys: *to solve* | cryman: *sickle* |
| hergwd: *push* | cofrestru: *to register* |
| y cam a wnaethid ag ef: *the injustice* | cofrestrydd: *registrar* |
| that was done to him, (gwneud) | |

Crymodd Kent ei ben, heb siarad. Beth oedd y berthynas rhwng Bill Kent a Gwylan? Nid oedd o ddim pwys iddo ef, wrth gwrs. Fe gâi Gwylan fynd â'i chomiwnydd i'r fan a fynnai; fe âi ef am goffi. Ond dywedodd Gwylan,

"I'll see you another time, Bill. You'll be calling a meeting, of course."

"Thursday evening, probably," meddai Kent.

"'Bye, Gwylan."

Ac fe'i cafodd Harri'i hun yn unig gyda Gwylan. Yn rhyfedd iawn, yr oedd yn swil, fel petai'n cwrdd â hen gariad yr oedd wedi rhoi'r gorau iddi ers blynyddoedd.

"Diolch ichi am eich llythyra', Harri," ebe hi.

"Diolch i chithe, Gwylan."

Rhagor o fudandod, a'r ddau'n methu'i dorri. O'r diwedd, cydiodd Gwylan yn y sefyllfa.

"Ewch â fi am goffi, Harri. Fe gawn ni sgwrs yn yr Iwnion."

Prynodd (Harri) ddwy gwpanaid o goffi, a llithrodd Gwylan ac yntau i ddwy gadair wrth fwrdd bach crwn yn y gornel a oedd newydd ddod yn wag. Wrth eistedd, meddai Harri, yn ddidaro, fel petai,

"Roeddech chi'n nabod Bill Kent cyn heddiw?"

"Rwy'n nabod pob comiwnydd yng ngholega' Cymru ers tro," ebe Gwylan. "A dyna'r cyfan."

Taniodd sigaret, ac wedi sipian ei choffi'n ofalus am ychydig, gofynnodd i Harri,

"Ac yrwan, faint o gomiwnydd ydach *chi*?"

Yn sydyn, daeth awydd mentro ar Harri.

"Y peth sy'n y mhoeni i, Gwylan, ydi hyn. Petai dyn wedi dal *das Kapital* dan 'y nhrwyn i am flwyddyn, fuaswn i'r un fodfedd yn nes at dderbyn yr Efengyl yn ôl Marcs heddiw nag oeddwn i flwyddyn yn ôl. Ond am mai chi oedd yn dadlau, dyma fi'n fwy o Folshi nag y credais i erioed y gallwn i fod."

---

crymodd: plygodd, (crymu)
o ddim pwys: *of no importance*
i'r fan a fynnai: *to wherever she'd*
    *want*, (mynnu—*to insist*)
fe âi ef: byddai e'n mynd
mudandod: tawelwch

yn ddidaro: *unconcerned*
awydd mentro: *a desire to venture*
dal: *to hold*
*das Kapital*: llyfr gan Karl Marx
Efengyl yn ôl: *Gospel according to*

Tybiodd weld y ddau lygad du'n meddalu am eiliad. Dim ond am eiliad. Yr oedd Gwylan yn dweud,

"Mae gynnon ni gyfarfod nos Iau. Y Gymdeithas Sosialaidd. Dim ond cyfarfod busnes. Ond mae croeso ichi ddod."

"Dydw i ddim yn meddwl, Gwylan—"

"Mi fydda i yno, Harri. Mi fuaswn i'n hapus petaech chi'n dod."

Addawodd Harri. Beth ddywedai Gwdig? Beth ddywedai'i gyd-fyfyrwyr? Beth ddywedai'i dad, a'i fam, a phobol Dyffryn Aerwen . . .? Ond yr oedd wedi addo. Ac fe wyddai, wrth godi oddi wrth y bwrdd, y byddai'n cadw'i addewid.

---

tybiodd weld: *he imgined he saw*     addawodd H.: *H. promised,* (addo)
meddalu: *to soften*                  addewid: *a promise*

# Y DDEUDDEGFED BENNOD

## I

Pan ddaeth nos Iau fe'i cafodd Harri'i hun wedi eillio ac ymolchi'n lân ac yn gynnar, wedi gwisgo'i grys sidan lliw hufen gyda thei a oedd ymron yn goch, ac wedi edrych lawer gwaith yn y drych.

"Bachan," ebe Gwdig, "lle'r wyt ti'n mynd heno mor bert?"

Yr oedd y gwir yn ormod i'w gyfaddef.

"I bwyllgor y Cymric. Rhyw ots?"

"Dim, dim, jiw, jiw. Dim ond dy fod ti'n dishgwl mor neis."

Pan gyrhaeddodd y stafell bwyllgor yn y coleg yr oedd tri chomiwnydd yno. Mewn cadair freichiau y tu ôl i'r bwrdd yr oedd Bill Kent, yn amlwg yn gadeirydd y gymdeithas. Ar gadair arall wrth y mur, eisteddai Lee Tennyson. Llanc eiddil o Lerpwl, gyda llygaid culion, o dad Seisnig a mam Sineaidd. Yn y cysgod wrth y mur arall yr oedd Ianto Rees o Gwm Dâr, ei wyneb yn fain ac yn welw ac yn frith gan greithiau glo, a dau lygad yn mud-losgi yn eu socedi. Syllodd y tri'n syn ar Harri pan ddaeth i mewn.

"Wrong room, brother," ebe Ianto. "This is a Soc-Soc meeting."

"It's all right, Ianto," meddai Bill kent. "He can come in if he wants to."

Yr oedd yn amlwg fod Kent wedi cael rhybudd i'w ddisgwyl. Eisteddodd Harri ar un o'r cadeiriau a oedd wedi'u gosod o gylch y stafell fach felen.

Daeth un neu ddau arall i mewn, bechgyn na wyddai Harri cyn hynny eu bod yn gomwnyddion. Fel y deallodd wedyn, nid grŵp comwnyddol pur mo hwn. Yr oedd y Gymdeithas

---

| | |
|---|---|
| cyfaddef: *to admit* | mud-losgi: *burning slowly/quietly* |
| dishgwl: h.y. disgwyl, edrych | rhybudd: *a warning* |
| eiddil: *frail* | na wyddai H.: doedd H. ddim yn |
| yn frith: h.y.: *covered* | gwybod |
| creithiau glo: *coal scars* | |

86

Sosialaidd yn cynnwys cryn amrywiaeth, o aelodau pur chwith o'r Blaid Lafur i Staliniaid eirias.

Yr oedd y cloc wedi mynd heibio i saith pan benderfynodd Bill Kent ddechrau'r cyfarfod. Sylwodd Harri, er hynny, mai dyma'r gymdeithas fwyaf prydlon a welsai ef yn y coleg. Ond gyda galw ar Ianto Rees i ddarllen y cofnodion, agorodd y drws, a daeth Gwylan i mewn. Gwenodd ar bawb. Y tro cyntaf erioed i Harri'i gweld yn gwenu'n iawn.

"I'm sorry I'm late," meddai. "I've been trying to get my co-diggers to come. They may come later on."

Nid edrychodd Gwylan ar Harri drwy gydol y cyfarfod. Yr oedd wedi'i frifo braidd. Wedi'r cyfan, er ei mwyn hi yr oedd wedi dod. Ond yr oedd ei llygaid wedi eu gludio ar wyneb Bill Kent. Yr oedd mor barchus ohono ef ag ydoedd ef ohoni hi. Yr oedd Harri'n mynnu synhwyro'i fod yn rhywbeth mwy na pharch. Yr oedd yn falch ei fod wedi sgrifennu at Lisabeth ac wedi postio'r llythyr cyn dod. Ac yn falch, wedi'r cyfan, ei fod yn llythyr pur annwyl.

Pan oedd y dynion ar fedr codi ar ddiwedd y cyfarfod, dywedodd Gwylan fod ganddi un mater o bwys. Yn eu plith yr oedd cyfaill yr oedd hi'n siŵr na fu mewn cyfarfod o'r gymdeithas o'r blaen. Cyfeirio'r oedd at Mr. Harri Vaughan, a oedd ar hyn o bryd yn dilyn gwaith ymchwil yn y coleg. Yr oedd gan Mr. Vaughan ddiddordeb mawr yng ngwaith y gymdeithas, yr oedd ar fedr dod yn sosialydd. Fe fyddai hynny'n fuddugoliaeth o bwys i'r gymdeithas, gan fod Mr. Vaughan yn fab i un o dir-feddianwyr Maldwyn, o deulu o Ryddfrydwyr dylanwadol.

Murmurodd y dynion yn gefnogol, ac aeth un neu ddau mor bell â mynd at Harri i ysgwyd llaw. Nid aeth Ianto, fodd bynnag,

---

cryn amrywiaeth: *quite a variety*
eirias: *fiery*
cofnodion: *minutes*
drwy gydol: yn ystod, *throughout*
wedi'i frifo braidd: *had been rather hurt*
gludio: *to glue*
parchus: *respectful,* cf. parch: *respect*
mynnu synhwyro: h.y. *determined to sense*
ar fedr: ar fin, *on the point of*

o bwys: *of importance*
yn eu plith: *amongst them*
cyfeirio: *to refer*
buddugoliaeth: *victory*
tir-feddianwyr: *landowners*
Rhyddfrydwyr: *Liberals*
dylanwadol: *influential*
murmurodd y dynion: *the men whispered,* (murmur)
cefnogol: *encouraging*

na Lee Tennyson. Iddynt hwy, nid oedd dyn ariannog ucheldras i ymddiried ynddo nes oedd wedi ymadael â'i arian ac wedi cweryla â'i deulu ac wedi dod yn aelod chwerw ac ymladdgar o'r Parti.

Ceisiodd Harri sleifio o'r ystafell. Ond galwodd Gwylan arno. Daeth Bill Kent ati a gofyn,

"Will you come and have supper with me, Gwylan?"

Ac atebodd hi,

"I'm sorry, Bill. Harry's already asked me to have supper with him."

Dywedodd y Sais fod popeth yn iawn ac y caent swper gyda'i gilydd rywbryd eto, a dywedodd nos da a mynd. Ni allai Harri'n hawdd ddianc bellach.

"Roedd yn ddrwg genny ddweud celwydd, Harri," ebe Gwylan, "Ond roedd yn well genny'ch cwmni chi heno na chwmni Bill Kent. I ble'r awn ni am swper?"

Awgrymodd Harri Westy'r Castell, ond ysgydwodd Gwylan ei phen.

"Rhy grand. Wnaiff hi mo'r tro i'r proletariat fwyta mewn lle felly. Fe awn ni i un o'r tai bwyta rhatach yng ngwaelod y dre."

A dechreuodd y ddau gerdded. Yr oedd Harri'n arogli persawr digon hyfryd, a hwnnw'n cyffroi rhyw atgof. Bu am rai eiliadau'n ceisio lleoli'r atgof. Yna fe gofiodd mai'r un persawr oedd hwn â'r persawr ar y llythyrau a dderbyniodd oddi wrth Gwylan yn yr haf. Daeth cynnwrf bach derbyn y llythyrau hynny'n ôl iddo, ac ar yr un foment llithrodd Gwylan ei braich drwy'i fraich ef. Yn gyfeillgar, megis. Cyfeillgar neu beidio, fe deimlodd Harri'i ben yn ysgafnu. Teimlodd yr un pryd yn anesmwyth. Yr oedd ei fodrwy ef ar fys yn Nyffryn Aerwen.

Yn sydyn, ar ganol siarad politicaidd, meddai Gwylan,

"Oes arnoch chi isio swper, Harri? Wir-yr?"

"Wel, wn i ddim . . . Pam, Gwylan?"

"Wel . . . mae arna i isio sgwrs hefo chi. Wedi'r cwbwl, Saeson

---

ucheldras: *of noble lineage*  
ymddiried: *to trust*  
ymladdgar: yn hoffi ymladd  
caent: bydden nhw'n cael  
wnaiff hi mo'r tro: *it won't do,*  
    (gwneud y tro)

cyffroi: *to stir*  
atgof: *memory*  
cynnwrf: *excitement*  
megis: *as if it were*  
ysgafnu: *to lighten*  
anesmwyth: *uncomfortable*

a thramorwyr a Sowthmyn diwydiannol ydi comwnyddion i gyd fel arfer. Mi fydd arna i hiraeth am sgwrs hefo rhywun tebyg i mi fy hun—rhywun fel chi.''

''Ar bob cyfri, Gwylan, os dyna ydi'ch dymuniad chi.''

Daethant at y pier. Yr oedd y llidiardau dan glo a dywedodd Harri,

''Mae arna i ofn y bydd yn rhaid inni ddychwelyd mewn siomedigaeth.''

''Peidiwch â siarad fel llyfr, Harri. Fe ddringwn ni dros y giatia. Codwch fi i fyny.''

Mae ganddi ewyllys gref, meddai Harri wrtho'i hun. Cydiodd am ei chanol a'i chodi nes gallai gyrraedd pen y llidiardau. Wedi'i gollwng o'i ddwylo cafodd fod ei ganol yn corddi'n gyflym. Ac nid am ei fod wedi colli'i anadl wrth ei chodi, o achos yr oedd hi'n ysgafn fel plu gweunydd. Dringodd dros y llidiardau ar ei hôl, ac aethant, fraich ym mraich, ar hyd y pier, a'u traed yn eco'n rhuthmig ar y pren. Wedi cyrraedd pen draw'r pier, pwysodd y ddau ar y rheiliau ac edrych i lawr i'r dŵr tywyll.

Mudandod, ac yn y mudandod yr oedd Gwylan, a'i braich trwy fraich Harri, yn tynnu'i bysedd hyd gefn ei law. Buont felly'n hir, heb siarad, heb symud. Yn y man dywedodd Gwylan,

''Ydi hi'n hwyr, Harri?''

Taniodd Harri fatsen i weld ei oriawr.

''Chwarter i ddeg.''

''Rwy'n meddwl rywfodd,'' ebe Gwylan, ''bod yn well inni fynd. Mae genny dipyn o waith sgwennu i'w wneud yn barod at yfory.''

''Fel y mynnoch chi, Gwylan.''

Teimlodd Harri ryddhad o gael cychwyn yn ôl heb wneud dim y byddai ganddo gywilydd ohono drannoeth. Ac eto, yr oedd rhyw wacter ynddo, fel dyn ar newynu wedi treulio awr yn

---

tramorwyr: *foreigners*
ar bob cyfri: *by all means*
ewyllys: *will*
gollwng: *to release*
corddi: h.y. yn troi
plu gwcunydd: *cotton grass*

mudandod: *silence*
rhyddhad: *relief*
cywilydd: *shame*
gwacter: *emptyness*
ar newynu: *on the point of starving*

aroglau pobty ac yn gorfod mynd i ffwrdd heb fwyta. Trodd oddi wrth y rheiliau, a throdd Gwylan. Ond yn sydyn fe faglodd hi—a chydiodd ef ynddi i'w chadw rhag syrthio.

"Gwylan, ddaru chi frifo?"

"N-naddo," meddai hi, "ddim brifo."

Ond symudodd hi ddim. Yr oedd yn dal i bwyso arno, ac yr oedd ei freichiau ef yn dal amdani. Yn gyflym, twymodd ei waed. Doedd hyn ddim yn iawn, ond go drapio, dyn oedd ef, nid gwleidydd. Ac yr oedd wedi cael digon o brofion bychain cynnil y noson honno mai fel dyn yr oedd hithau'n edrych arno ac yn cyffwrdd ag ef—

"Ga i'ch cusanu chi, Gwylan?"

Yr oedd y cwestiwn o'i enau yn ddiarwybod iddo bron. Ond er ei syndod clywodd ei chorff yn tynhau a hithau'n ei datod ei hun yn araf, yn bendant, o'i freichiau.

"Na chewch, Harri. Ddylech chi ddim gofyn peth fel yna."

"Ond wnes i ddim—"

"Gwrandwch, Harri. Thâl hi ddim i gymysgu serch â pholitics. I gyflawni'r gwaith yr ydw i wedi'i osod i mi fy hun mae'n rhaid wrth ddisgyblaeth ddur. I'ch cael chi'n gomwnydd yr ydw i wedi ceisio'ch cwmni chi, nid i'ch cael chi'n gariad. Mae'n rhaid cadw'r ddau ar wahân. p'un bynnag, rydach chi wedi'ch dyweddio i un arall."

Yr oedd Harri'n fud. Nid gan siom er bod peth siom. Nid gan gywilydd, er bod peth cywilydd ond gan edmygedd.

Gyda sgwrsio difrif isel y cerddodd y ddau i fyny Ffordd Uchaf y Garth a throi tua'i llety hi. Safasant wrth lidiart ei llety.

"Mi garwn i ysgwyd llaw â chi, Gwylan," ebe Harri, ac yr oedd ei lais yn newydd. "Rwy'n eich edmygu chi gymaint."

Estynnodd Gwylan ei llaw iddo a dweud,

---

pobty (G.C.): ffwrn (D.C.), *oven*
baglodd hi: *she tripped,* (baglu)
go drapio: h.y. *dash it all*
gwleidydd: *politician*
profion: *proofs*
cynnil: *subtle*
genau: ceg
diarwybod: *without (him) knowing*

datod: *to undo*
cyflawni: *to complete, to achieve*
rhaid wrth: *one needs*
disgyblaeth: *discipline*
dur: *of steel*
gan edmygedd: *with admiration*
edmygu: *to admire*

90

"Fe gawn ni lawer sgwrs eto, Harri. Fe ellwch chi a finna' symud bryniau, beth bynnag am fynyddoedd, hefo'n gilydd."

Trodd, ac aeth i fyny'r grisiau o'r tŷ, a throi i godi'i llaw arno cyn diflannu trwy dywyllwch y drws. Aeth Harri'n araf tua'i lety yntau, yn meddwl, meddwl, meddwl. Ac yn edmygu.

# Y DRYDEDD BENNOD AR DDEG

## I

Yr oedd yn fore rhewllyd yn Nhachwedd pan dderbyniodd Harri'r llythyr ystyrbiol oddi wrth ei chwaer.

"F'annwyl Harri," dechreuodd Greta'i llythyr fel arfer. "Gobeithio dy fod yn iach fel yr ydym ninnau yma i gyd ond Mam . . ." Cododd Harri'i ben i bensynnu. Yn araf, tynnodd lun ei fam o'i waled a syllu arno'n hir. Pe digwyddai rhywbeth iddi hi, nid oedd yn gweld pa lawenydd a fyddai iddo ef mewn byw.

Ond yr oedd ail ran y llythyr yn ei gynhyrfu'n fwy hyd yn oed na'r cyntaf.

"Ddoe, fe ddanfonodd 'Nhad Wil James oddi yma. Yr oedd wedi mynd yn annioddefol ers talwm, ac yn wir, yr wy yn teimlo rhyddhad mawr ar ôl iddo fynd. Ond un drwg yw Wil James, ac mi wn na fydd yn fodlon nes bydd wedi talu'n ôl . . ."

Darllenodd Harri drwy'r hanes. Sibrydodd toc, "Karl druan!" Pa faint o'r hanes yr oedd Greta wedi'i ddweud? Hyd yn oed os dwedodd hi'r cwbwl a wyddai, yr oedd Harri'n siŵr na wyddai hi mo'r cwbwl . . .

## II

Wedi rhedeg i fyny ac i lawr y grisiau drwy'r dydd yr oedd Greta wedi blino. A thipyn yn chwerw. Yr oedd ei thad yn gallu pryderu, ond doedd pryderu ddim yn gwella claf. Yr oedd Harri i ffwrdd ym Mangor ac yr oedd hi wedi peidio â son yn ei llythyrau am salwch ei mam rhag ei flino a'i dynnu adref o ganol ei waith. Yr oedd Lisabeth y Trawscoed yn galw'n bur ffyddlon

---

ystyrbiol: *disturbing*
pensynnu: h.y. meddwl
pe digwyddai: petai . . . yn digwydd
llawenydd: *joy*
cynhyrfu: *to trouble, to agitate*

annioddefol: *intolerable*
rhyddhad: *relief*
gwyddai: roedd yn gwybod
pryderu: gofidio
wedi peidio â: wedi gorffen

ac yn barod i helpu, ond teimlo'n ddistaw bach yr oedd Greta mai er mwyn creu argraff ar Harri yr oedd Lisabeth yn galw, ac nid o gydymdeimlad gwir. Yr oedd Mrs. Roberts yn dod i fyny bob yn eilddydd o Ddyddyn Argain, ac er ei bod hi'n hen yr oedd hi'n abal ac yn ewyllysgar.

Ond yr un a fu fwyaf o gefn i Greta yn ei threial oedd Karl. Fyddai Wil James a Terence, wrth gwrs, byth yn gofyn a oedd ei mam yn well. Ond am Karl, yr oedd ef bob amser wrth law pan oedd ei eisiau arni. Weithiau, pan âi hi i'r gegin, fe fyddai'r llestri i gyd wedi'u golchi. Byddai coed a glo ar y tân pan oedd hi'n meddwl mynd i'w cyrchu. Byddai llestraid o flodau ffres ar y bwrdd i'w mam, moddion a thabledi'r meddyg yn cyrraedd cyn pen awr wedi i'r meddyg adael. Ond yr unig adeg na byddai Karl ar gael oedd pan fyddai arni eisiau diolch iddo.

Fodd bynnag, yr oedd Karl heddiw wedi gofyn peth braidd yn eithriadol. Wedi gofyn amser te am gael dal y bws i Henberth cyn i'r siopau gau. Dywedodd hi wrtho am fynd ar ei union. Cododd Karl oddi wrth y bwrdd cyn i'r lleill orffen. Gwelodd Greta Wil James a Terence yn edrych arno mewn ffordd braidd yn od ond ni feddyliodd ragor am y peth.

Wedi i'r dynion fynd aeth Greta i fyny'r grisiau i ofyn a oedd angen rhywbeth ar ei mam. Gorweddai Margaret Vaughan yn llonydd yn y gwely dwbwl mawr, a dywedodd Greta wrthi'i hun fod yr wyneb hardd wedi teneuo'n fwy ers mis nag a wnaethai cynt ers deng mlynedd.

Aeth pwl o gasáu drwy Greta. Am eiliad, aeth y wraig yn y gwely'n ddiarth iddi, yn ddim ond teyrn mewn croen ac asgwrn, yn ei chadw hi'n gaeth ac yn cadw'i thraed i redeg, rhedeg, rhedeg.

Ond pan sylweddolodd Greta'i bod hi'n meddwl y meddyliau hyn, torrodd chwys ar ei thalcen. Petai hi'n marw, meddyliodd Greta, petai hi'n marw, petai hi'n marw . . .

---

| | |
|---|---|
| argraff: *impression* | eithriadol: *exceptional* |
| cydymdeimlad: *sympathy* | union: *immediately* |
| abal: *able-bodied* | angen: eisiau |
| yn ewyllysgar: h.y. yn barod (i helpu) | nag a wnaethai cynt: nag oedd wedi gwneud cyn hynny |
| mwyaf o gefn: *most supporting* | pwl: *a bout* |
| pan âi hi: pan fyddai hi'n mynd | casáu: *to hate* |
| i'w cyrchu: i'w 'nôl | teyrn: *despot* |

Clywodd guro ar y drws. Gwyddai Greta nad oedd neb yn y tŷ i ateb y curo ac aeth i lawr. Agorodd y drws, a safodd yn syn.

"Paul."

Yr oedd Paul a hithau ym mreichiau'i gilydd, ac er ei syndod, fe'i cafodd Greta'i hun yn colli dagrau ar ei ysgwydd. Yr oedd cael pwyso ar rywun a allai ddelio â'r sefyllfa yn rhyddhad fel dod allan o garchar.

"Gret darling," meddai Paul, a'i wefusau'n gynnes yn ei gwallt, "this has been too much for you."

Sychodd Greta'i llygaid yn frysiog a'i dynnu i'r tŷ ar ei hôl. Yr oedd Paul yn syllu arni, yn porthi'i lygaid arni. Fe ddaethai i'w gweld pan gafodd ei lythyr adeg cystudd cynta'i mam ddau fis yn ôl, ond yr oedd dau fis wedi bod fel dwy flynedd.

"You're thinner, Gret," meddai. "You need a holiday. But we'll talk of that later. I want to see your mother at once."

Fe'i hadnabu Margaret Vaughan ef, a cheisiodd ddal ei llaw iddo a gwenu'n wan. Ond cwympodd ei llaw yn ôl ar y cynfas. Siglodd Paul ei ben ac aeth ar ei union o'r ystafell ac i lawr i'r neuadd. Dilynodd Greta ef a'i chalon yn curo fel morthwyl. Gofynnodd i Paul a oedd y gwaeledd yn ddifrifol. Oedd, yn ddifrifol iawn. Pa mor ddifrifol, gofynnodd hithau. Aeth Paul drwodd o'i blaen i'r parlwr mawr a sefyll yn y ffenest lydan.

"She may get better," meddai, "for a time. But only an operation will cure her. And even an operation means a risk. The surgeon who undertakes it will have to stake his reputation on it. And only a man who had a very special reason for wanting to cure your mother would be likely to do that."

Gofynnodd a fyddai ef yn fodlon mentro. Byddai. Heno? Na, fe fyddai'n rhaid iddo gael ei mam yn y 'sbyty i'w chryfhau'n gyntaf. Yr oedd hi'n llawer rhy wan. Ond dywedodd Greta fod Dr. Owen yn erbyn operasiwn.

"Damn him! That a fussy old man in a sleepy Welsh village should have the power of life and death over your mother sucks the soul out of me. He ought to be put in solitary confinement on bread and water. And I mean it."

---

syndod: *surprise*
delio â: *to deal with*
rhyddhad: *relief*
porthi: bwydo

fe ddaethai: roedd wedi dod
cystudd: salwch, gwaeledd
cynfas: *canvas*

Dadleuodd Greta na allent fynd dros ben Dr. Owen a'i anwybyddu. Yr oedd cyfeillgarwch meddygon Llanaerwen a theulu Lleifior yn rhan o draddodiad yr ardal. Gofynnodd Paul i Greta pa un oedd bwysicaf iddi hi, traddodiad ardal ynteu bywyd ei mam. Bywyd ei mam, wrth gwrs, meddai hi, ond ni byddai'r bywyd hwnnw'n werth ei fyw wedi'i ladrata, megis, o ddwylo'r hen feddyg teulu.

"It seems, then," meddai Paul, "that there's no more to be said. I don't want to tell you how foolish you are. You may find that out for yourself. Bitterly. God grant you will not. I have to go now. I shall have lives to save in the morning."

Ac aeth yn gyflym drwy'r neuadd gan adael Greta wedi gwreiddio ar lawr y parlwr mawr, yn methu yngan gair. Ond cyn iddo fynd, trodd yn y drws a dweud,

"You need not write to me, Greta. To hear of your mother would only mean unnecessary pain to me now, because I disclaim all responsibility. However, if you should ever need me, you have my address."

A chaeodd y drws ar ei ôl.

Clywodd Greta beiriant y *Gloria*'n tanio, a'r car yn mynd i lawr y dreif ac allan i'r ffordd. Pan dawodd ei sŵn, trodd a rhedeg yn wyllt i'r gegin a thaflu'i chorff i gadair a'i phen ar y bwrdd. Nid bod Paul wedi cerdded allan o'i bywyd oedd yn ddychrynllyd, er bod hynny'n ei brifo, ond ei bod hi wedi gwrthod aberth dihafal yr oedd yn barod i'w wneud, a'i wneud am ei fod yn ei charu hi. A'i bod hi hwyrach, hwyrach yn sicr, wedi arwyddo tystysgrif marwolaeth ei mam. Plannodd ei dwylo'n dynn, dynn ar ei llygaid ac wylodd yn chwerw dost.

### III

Llamodd Karl i fws Llanaerwen fel yr oedd yn gadael sgwâr Henberth. Bu agos iddo'i golli. Yr oedd ganddo gyn lleied o amser i siopa. Ac am fod yr amser mor brin nid oedd wedi cael

---

anwybyddu: *to ignore*
traddodiad: *tradition*
ynteu: neu
lladrata: dwyn/dwgyd
wedi gwreiddio: *rooted*

yngan: h.y. dweud
dychrynllyd: ofnadwy
aberth: *sacrifice*
dihafal: *unequalled*

digon o gyfle i ddewis. Fe brynodd y peth gorau a allai, ond buasai'n caru cael mwy o amser i fod yn siŵr.

Drannoeth yr oedd penblwydd Greta. Byddai Karl yn cofio penblwydd pob un o deulu Lleifior. Fe fyddai'n gwario'n sylweddol ar anrheg Edward Vaughan ac anrheg Mrs. Vaughan ac anrheg Harri, ond yr oedd anrheg Greta bob tro yn costio ychydig mwy. Yr oedd y teulu wedi sylwi ar hynny, ond nid oedd neb yn dweud dim. Fe fu Greta'n ffefryn gan bawb erioed, ac ni byddai'n syn iddi fod yn ffefryn gan Karl. Fe wyddai Greta, fodd bynnag, ei bod hi'n fwy na ffefryn.

Nid bod Karl wedi dweud hynny wrthi. Ni ddywedodd air wrthi ar hyd y pum mlynedd y bu yn Lleifior am y cariad a oedd ynddo. Byddai yn ei lygaid weithiau pan gwrddent yn ddirybudd â'i llygaid hi. A byddai yn yr anrhegion y byddai'n eu rhoi yn ei llaw ar fore Nadolig ac ar fore'i phenblwydd. Ond dyna i gyd. Fe wyddai Greta'i fod yno. Ac fe wyddai Karl ei bod hi'n gwybod. Ac fe wyddai ambell un arall. Wil James, er enghraifft.

Yfory, fe fyddai Greta'n un-ar-hugain, ac yr oedd Karl wedi prynu blwch hardd ac ynddo hanner dwsin o boteli bychain, ac ym mhob potel bersawr gwahanol, pob persawr yn ddigon i wirioni geneth ac i gynhyrfu dyn. Yr oedd Karl wedi rhoi dwybunt am y blwch; yr oedd yn flwch o Baris.

## IV

Chwythodd Terence y ffroth ar ben ei wydryn stowt, yn union fel y gwnaethai yfwr profiadol. Nid dyma'r tro cyntaf iddo yfed stowt. Ond dyma'r tro cyntaf erioed iddo yfed yn y *Crown,* y tro cyntaf erioed yn Llanaerwen. Ac ni buasai yn y *Crown* heno onibai am Sheila.

Aeth pigyn o boen drwyddo wrth feddwl amdani. Yr oedd wedi colli'i ben arni. Fe fu rhai o'r bois yn ceisio'i berswadio

---

drannoeth: y diwrnod wedyn
sylweddol: h.y. tipyn, llawer
ffefryn: *favourite*
pan gwrddent: pan fydden nhw'n
   cwrdd
dirybudd: *without warning*

gwirioni geneth: h.y. *to make a girl*
   *silly*
cynhyrfu: *to excite*
gwnaethai: byddai . . . yn ei wneud
onibai am: *were it not for*
pigyn o boen: *a dart of pain*

droeon nad oedd hi ddim yn ddel ond yr oedd hi'n hardd iddo ef, ac yn swynol, ac yn rhyfedd o annwyl.

A neithiwr yr oedd hi wedi dweud wrtho na allai mo'i ganlyn mwy. Yr oedd hi wedi cwrdd â rhywun yn y dre. Gobeithio y parhaent yn ffrindiau.

Aethai Terence adref i wely di-gwsg. Aethai i Leifior i ddiwrnod di-waith. Yr oedd sylfaen ei fywyd wedi rhoi. Yr oedd wedi penderfynu peidio â dweud wrth Wil James, am fod hwnnw wedi'i rybuddio droeon nad oedd Sheila dan y paent ddim gwahanol i ferched eraill. Ond gŵr graff oedd Wil James.

"Rwyt ti'n ddistaw heddiw, Terence."

"Nac ydw i."

"Wyt. Be mater?"

"Dim byd."

"Allan â fo. Elli di ddim twyllo hen dderyn. Mae hi wedi rhoi dy gardie iti neithiwr. Reit?"

"Meindia dy fusnes."

"Roeddwn i'n meddwl. Mi ddwedes i ddigon."ˏ

"Wnei di adael llonydd imi'r—!"

"A! Dim geirie mawr, plis. Wyddost ti beth wyt ti eisie? Llond dy berfedd o stowt coch, cynnes. Ac wedi cael dau neu dri, fydd dim mwy o ots am Sheila na phetase hi'n beg ar lein ddillad. I'r *Crown* heno, was."

A dyma fo, wrth fwrdd bach crwn ym mharlwr y *Crown,* yn dechrau teimlo'n ddyn o'i gorun i fodiau'i draed. Safai Wil James wrth y ffenest yn edrych i'r niwl, a gwydriaid o whisgi yn ei law. Ni byddai Wil James byth yn yfed whisgi ond ar achlysuron arbennig neu pan fyddai ganddo ryw orchwyl o'i flaen yn gofyn mwy o nerth na'i gilydd.

Nid oedd ond hwy'u dau yn y parlwr. Yr oedd Wil James wedi gofyn i Perkins y perchennog am gael defnyddio'r parlwr yn

---

droeon: nifer o weithiau
canlyn: h.y. mynd allan gyda
parhaent: bydden nhw'n parhau/*to continue*
aethai T.: roedd T. wedi mynd
sylfaen: *foundation*
craff: *observant*
twyllo: *to deceive*

hen dderyn: h.y. hen aderyn
perfedd: h.y. bola
corun: top pen
bodiau'i draed: *toes of his feet*
safai W.J.: roedd W.J. yn sefyll
achlysuron: *occasions*
gorchwyl: gwaith/tasg
perchennog: *owner*

breifat am awr neu ddwy. Yr oedd ganddo fusnes. Yr oedd yn disgwyl un arall i mewn.

"Fe fydd bys Henberth yma cyn inni droi," meddai. "Ble mae'r Robin 'na?"

Llyncodd weddill ei whisgi ar un llwnc a chanu'r gloch.

"Yes, Bill?"

"Another double, Perkins. With soda."

"Yes. Anything for the lad?"

"A light ale for now."

"Pam na cha i'r un peth â ti rwan, Wil?" gofynnodd (Terence).

"Rhag iti fynd yn sâl. Fyddi di'n dda i ddim yn chwydu dy berfedd hyd y ffordd 'na."

Agorodd y drws ac yno safai'r cymeriad hynod a adweinid yn Llanaerwen fel Robin Bol Uwd. Crymffast penfoel gyda breichiau fel pyst lamp.

"Ble andros y buost ti'r Bol Uwd?" cyfarthodd Wil James. "Rwyt ti hanner awr ar ôl dy amser."

"Gweithio'n hwyr," ebe Robin.

"Gweithio'n hwyr! Wyddost ti ddim mai gwaith ydi'r peth ola ddylai gadw dyn oddi wrth ei sbort?"

"Gwn, tad, gwn, tad," ebe Robin, gan chwilio'n brysur am gadair.

Agorodd y drws drachefn a daeth Perkins i mewn, a ffedog wen o'i flaen, yn cario hambwrdd ac arno wydryn o gwrw golau a gwydryn o whisgi.

"Bring more glasses," ebe Wil, "and a bottle of Scotch."

Wedi i'r botel ddod, eisteddodd y tri o gwmpas bwrdd bach yn union o flaen y tân. Llanwodd Wil James wydryn Robin â whisgi a gorchymyn,

"Yf hwnna ar ei dalcen."

Ufuddhaodd Robin, a thynnu wyneb sur.

---

gweddill: *the remainder*
llwnc: *gulp*
rhag iti: *in case you*
hynod: *remarkable*
a adweinid: *who was known,*
   (adnabod)
crymffast: *lout*

penfoel: heb wallt
Ble andros . . .?: *Where the heck . . .?*
hambwrdd: *tray*
gorchymyn: *to order*
ufuddhaodd R.: *R. obeyed,*
   (ufuddhau)

"Ach-y-fi!" poerodd. "Dda genny mo'r stwff."
Rhythodd y Bol Uwd o'i flaen. Yr oedd ei wydryn yn llawn
eto. Llyncodd hwnnw yr un fath â'r llall, tynnu wyneb eto,
sychu'i geg, a gofyn,
"Rwan, be di'r gêm?"
Gwyrodd (Wil James) yn araf dros y bwrdd,
"Mi gollaist ti dy frawd John yn y rhyfel, Robin," meddai'n
bwyllog.
"Do, pam?"
"Wyddost ti ble lladdwyd o?"
"North Affrica."
"Yf dy whisgi."
Ufuddhaodd Robin, a llanwodd Wil ei wydryn am y
pedwerydd tro.
"Wyddost ti, ynte, *pwy* lladdodd o?"
"Na wn i. Blydi Jyrman."
"Ie, siŵr. Yf dy whisgi."
Robin yn ufuddhau. Wil James yn llenwi'i wydryn am y
pumed tro.
"Fuaset ti'n licio cyfarfod y Jyrman hwnnw?" gofynnodd
Wil.
Neidiodd llygaid y Bol Uwch yn ei ben.
"Lle mae o?" gwichiodd. A throdd i chwilio'r stafell yn wyllt,
fel petai'n disgwyl gweld llofrudd ei frawd yn llechu yn un o'r
corneli.
"Nac ydi, Robin. Dydi o ddim yn y *Crown*," meddai Wil.
"Ond mae 'na Jyrman yn dod ar y bys o Henberth heno—mi
fydd yma ymhen deng munud—y Jyrman sy'n gweithio gyda
Terence a fi. Yn North Affrica'r oedd hwnnw'n ymladd—"
Neidiodd Robin ar ei draed.
"Hwnnw laddodd John bach?"
Cododd Wil James hefyd.
"Paid â gweiddi, Robin," sibrydodd yn bryderus. "Does dim

---

Rhythodd y B.U.: *The B.U. stared,*
  (rhythu)
Gwyrodd W.J.: *W.J. bent forward,*
  (gwyro)
yn bwyllog: yn araf

gwichiodd: *he squeaked,* (gwichio)
llofrudd: *murderer*
llechu: cuddio
sibrydodd: *he whispered,* (sibrwd)
yn bryderus: yn ofidus

eisie i bawb glywed. Cofia, alla i ddim dweud mai fo laddodd John. Does dim modd gwybod.''

"Mi'i lladda i o," meddai, "mi'i lladda i o!"

"Hanner munud," ebe Wil, "dydi'r bys ddim wedi cyrraedd eto. Cymer lasied arall iti gael bod yn gry'."

Tra fu Robin yn drachtio gwaelod y botel, aeth Wil at y ffenest. Toc, clywodd rwnian bws yn dod i fyny'r ffordd a gwelodd ei ffurf dywyll yn sefyll gyferbyn ag ef yn y stryd. Disgynnodd nifer ohono a chychwynnodd un ffurf dal, heini, i fyny'r ffordd tua Lleifior. Arhosodd Wil nes iddo fynd ganllath neu well i ffwrdd, yna trodd at y lleill.

"Mae o wedi dod, bois,"

"R-r-r-reit!" ebe Robin, yn taro'i ddwylo'n drwm ar y bwrdd i godi.

Rhag colli Karl yn y niwl, gan ei fod yn gerddwr mor gyflym, cydiodd Wil, y sobraf o'r tri, ym mreichiau'r ddau arall a'u llusgo 'mlaen. Rhag i Karl eu clywed yn dod, aethant ar hyd y llain glaswellt gydag ymyl y ffordd. Cyn dod, i gamfa Coed Argain gwelsant gwmwl bychan o oleuni'n siglo o'u blaenau. Yr oedd yn amlwg fod gan Karl fflachlamp. Gallent ei ddilyn yn well. Gwelsant olau'r fflachlamp yn croesi'r gamfa. Croesodd y tri y gamfa ar ei ôl. Wrth groesi, bachodd troed y Bol Uwd a syrthiodd ar ei wyneb ar y llwybyr yr ochr arall. Rhegodd yn hyglyw. Gwelodd Wil olau'r fflachlamp yn sefyll, a ffurf Karl fel petain troi'n ôl i edrych.

Yr oedd Karl wedi sefyll ac yn syllu o'i gwmpas. Daeth y tri i'w ymyl a dim ond tro yn y llwybyr yn eu cuddio o'i olwg. Gallent ei weld yn glir erbyn hyn. Yn ei law gwelodd Wil James barsel bychan, a rhoes y whisgi ynddo syched anniwall am wybod beth oedd yn y parsel.

Pwniodd y Bol Uwd yn nerthol yn ei ystlys gigog nes i hwnnw duchan, a sibrydodd Wil,

---

modd: ffordd
glasied: *a glassful*
yn gry': h.y. yn gryf
drachtio: *yfed yn ddwfn*
grwnian: *humming*
ffurf: *form*
heini: *fit*
sobraf: *most sober*

llain: *strip*
camfa: *stile*
bachodd . . . .: *tripped*, (bachu)
yn hygliw: yn glir iawn
anniwall: *insatiable*
ystlys: ochr
cigog: yn llawn cig, h.y. tew
tuchan: *to groan*

100

"Yrwan!"

Cododd y Bol Uwd i'w lawn uchder a chrafangu drwy'r prysgwydd i fyny at Karl. Trodd Karl ei ben a syllu arno'n syn. Yr oedd y ddau o'r un daldra, ond fod y Bol Uwd yn debyg i arth yn ymyl Karl.

"Ha-lô, Jerri bo-oi!"

"Noswaith dda," meddai Karl, heb gryndod.

Siglodd y Bol Uwd yn ansicr, a thybiodd Wil James ei fod am ildio.

"Cofia John bach, Robin," ebe Wil mewn llais diarth rhag i Karl ei nabod. Sylweddolodd Karl fod rhywun arall yn y prysgwydd odano a throdd ei ben i edrych. Y foment y trodd ei ben, anelodd y Bol Uwd ei ddwrn at ochr ei wyneb. Gallesid clywed y glec hanner milltir i ffwrdd yn y tywyllwch hwnnw. Disgynnodd Karl ar ei liniau.

"Gorffen o, Robin," ebe Wil James eto yn y llais diarth: Ond yr oedd Karl unwaith eto ar ei draed. Ond y cyfan a wnaeth Karl oedd edrych i fyw llygad y crymffast a gofyn,

"Gyfaill, pam y gwnewch chi hyn i mi?"

"Pam?" gofynnodd y crymffast. "Chi'r Jerris laddodd John bach! Lladd John baaaach-y!"

A chyda hynny fe'i bwriodd ei hun at Karl. Ar y dechrau cododd Karl ei freichiau i ddal y dyrnodiau, ond ni cheisiodd unwaith daro'n ôl. Dan bwysau'r ergydion suddodd eto ar ei liniau. A'r gwaed yn treiglo o'i geg a'i drwyn, cododd ei lygaid tua'r lleuad a dweud yn isel,

"Vater, vergib ihnen; denn sie wissen nicht, was sie tun."

Rhowliodd Karl ar ei ochr fel marw. Ond wrth syrthio, cafodd gip ar wyneb Wil James yn rhythu arno dros grib y boncyn.

---

crafangu: *to claw*
prysgwydd: llwyni
taldra: *height*
heb gryndod: heb grynu
tybiodd: meddyliodd, (tybio)
ildio: *to yield*
anelodd y B.U.: *the B.U. aimed,* (anelu)
dwrn: *fist*
gallesid clywed: *one could hear,* (gallu)
y glec: *the crack*

dyrnodiau: *blows*
ergydion: *blows*
treiglo: *to trickle*
"Vater . . .: h.y. O, Dad, maddau iddyn nhw achos dydyn nhw ddim yn gwybod beth maen nhw'n ei wneud.
cip: *glimpse*
rhythu: *to stare*
crib y boncyn: *the ridge of the bank*

101

Wedi gweld ei fod yn llonydd, cododd Wil James a Terence o'u cuddfan.

"Da was, Robin," ebe Wil, "fe weithith y Jerri yr un sbîd â phob dyn call am sbel rwan."

Ymaflodd Wil yn y parsel yr oedd Karl wedi'i roi'n dyner ar y glaswellt pan gwympodd gyntaf. Torrodd y llinyn â'i ddannedd a rhwygo'r papur oddi amdano. Agorodd y blwch, a fflachiodd y rhes poteli bychain yng ngolau'r lleuad. Rhwbiodd ei drwyn ynddynt.

"Aha!" llefodd. "Sent lyfli! Present bach neis i Miss Greta?"

Yna, fel plentyn mawr, trodd y blwch â'i wyneb i waered a gollwng y poteli bychain bob yn un i'r llwybyr creigiog. Y peth nesaf a wnaeth Wil oedd rhoi'i law ym mhoced ei got a thynnu ohoni botel fach o frandi. Penliniodd yn ymyl Karl, tywalltodd frandi o'r botel a'i daenu dros geg Karl a'i rwbio i'w groen.

"Be ddiawl wyt ti'n wneud, Wil-y?" gwichiodd Robin.

"Ah!" ebe Wil yn foddhaus. "Pan eith y Jerri 'ma i'r tŷ heno—os eith o—y peth cynta glyw'r titotlar Edward Vaughan fydd gwynt diod ar ei anadl o. Rwan, dydi Edward Vaughan ddim yn licio diod. Mi fydd gwynt diod yn esbonio'r olwg fydd ar y Jerri 'ma pan gyrhaeddith o. A fory, mi fydd yn dweud ta-ta wrth Lleifior." Sobrodd Wil. Cododd ar ei draed. "Ond Robin—Rwyt ti wedi'i ladd o. Mae o wedi marw. Edrych."

Daeth Robin yn nes ar flaenau'i draed a rhythu â'i geg yn agored ar y Karl gwelw ar lawr.

"Naddo, naddo, naddo! Ti wnaeth, ti wnaeth, glywi di, Wil James, ti lladdodd o! Ti, ti, ti!"

"Gwrando, Robin. Os dwedi di un gair wrth rywun am hyn, mi fydd pawb yn gwybod pwy ddaru. Os dwedi di un gair mi gei dy grogi—"

"Waaa!" oernadodd y Bol Uwd, a chyda'r oernad honno dechrau rhedeg i lawr y llwybyr troellog. Pan ddistawodd sŵn ei

---

cuddfan: lle cuddio
ymaflodd W.: gafaelodd W., (ymaflyd)
wyneb i waered: *upside down*
tywalltodd: arllwysodd, (tywallt)
taenu: *to spread*
yn foddhaus: *pleased*

glyw'r titotlar: bydd y titotlar yn ei glywed
pwy ddaru (G.C.): pwy wnaeth
crogi: *to hang*
oernadodd y B.U.: *the B.U. howled,* (oernadu)
troellog: *winding*

draed yn y pellter, gwyrodd Wil James i'r ddaear, yn swp o chwerthin. Syllodd Terence arno gyda dychryn.

"Pam rwyt ti'n chwerthin?" gofynnodd, "ac ynte wedi'i ladd o?"

"Ei ladd o?" Chwarddodd Wil James ychwaneg. "Fawr o beryg'. Mae'n anadlu, edrych arno." Taflodd ei lygad ar Karl. "Terence," meddai, "mae'n dod ato'i hun. Tyrd odd'ma. Am dy fywyd. Tyrd."

A diflannodd y ddau i'r coed mor ddistaw â'u cysgodion.

## V

Ni wyddai Greta am ba hyd y bu â'i phen ar y bwrdd wedi i Paul fynd. Yr oedd blinder yr wythnosau wedi mynd yn drech na hi. Pan ddeffrodd yr oedd fel petai noson a diwrnod wedi mynd er pan fu Paul yn Lleifior. Cododd yn frysiog a mynd at y drych.

Twtiodd ei gwallt a'i dillad ac aeth drwodd i'r neuadd. Y peth cyntaf a ddaliodd ei llygad oedd parsel bychan ar y bwrdd crwn wrth y teleffon a symudodd yn araf at y parsel ac arno gwelodd ei henw'i hun. Datododd y llinyn ac agor y papur a thynnu allan flwch lledr golygus. Agorodd y blwch a thu mewn iddo yr oedd chwech o boteli bychain yn rhes, a phersawr amrywiol ym mhob un. Cododd y cerdyn oddi ar y rhes poteli a chrynodd ei gwefusau wrth ddarllen:

*To my darling Gret, with love and fondest wishes for a very happy birthday. From your very own—Paul.*

Daeth awydd ysol ar Greta i sgrechian nes tynnu'r to am ei phen. Yr oedd Paul wedi cofio'i phenblwydd. Nid dod i weld ei mam yn unig a wnaeth, ond dod ag anrheg iddi hi. A'r unig ddiolch a roesai hi iddo oedd gwrthod ei gymwynas a sathru'i serch.

---

gwyrodd W.J.: plygodd W.J.,
  (gwyro)
dychryn: ofn mawr
am ba hyd: am faint o amser
yn drech na hi: h.y. *had overcome her*
datododd y llinyn: *she undid the string,*
  (datod)

awydd ysol: *a great desire*
a roesai hi: yr oedd hi wedi rhoi
cymwynas: *favour*
sathru: *to trample*

"Greta?"

Llais ei thad o'r parlwr bach.

"Wyt ti wedi deffro?"

"Y-ydw, 'Nhad. Gymerwch chi'ch swper rwan?"

"Dim ond cwpaned, fel arfer."

Nid aeth Greta ato i'r parlwr bach rhag iddo ddarllen y cyffro ar ei hwyneb. Aeth ar ei hunion i'r gegin i baratoi'i gwpanaid te a'i fisgedi, ond pan ddaeth ei thad ati i'r gegin i fwyta'i hwyrbryd, yr oedd ei lygad barcud wedi gweld mwy nag a feddyliodd hi.

"Fe gysgaist yn o sownd, Greta," meddai wrth droi'i de.

"Do, 'Nhad."

"Wedi blino'r oeddet ti?"

"Ie, braidd."

"Wyt ti'n siŵr nad oedd dim arall wedi d'yrru di i gysgu?"

"Fel beth?"

"O, fel—crïo, er enghraifft?"

"Fûm i ddim yn crïo."

"Dwyt ti ddim yn dweud y gwir, Greta. Roedd dy hances poced yn dy law pan oeddet ti'n cysgu. Roedd o'n wlyb."

"Rydych chi'n sylwi llawer, 'Nhad."

"Fe synnet gymaint. Mi sylwais ar beth arall. Fe fu rhywun yma heno."

Nid atebodd Greta. Aeth Edward Vaughan yn ei flaen. "Mi welais ole car yn cychwyn oddi wrth y tŷ pan oeddwn i ar y Ffridd. Pwy oedd o?"

"Paul oedd bia'r car."

"Wedi dod yr holl ffordd o Lerpwl? Pam nad arhosodd i'm gweld i?"

"Roedd o'n gorfod brysio'n ôl. Mae ganddo lawer o waith yfory."

"Gafodd o rywbeth i'w fwyta?"

"N-naddo, 'Nhad. Roedd o ar ormod o frys."

"Greta. Dywed y gwir wrtha i. Oes yna ryw gysylltiad rhwng ymweliad Paul a'r ffaith i ti fod yn crïo?"

---

cyffro: *excitement, agitation*  
aeth ar ei hunion: *she went directly*  
llygad barcud: h.y. *keen eye,*  
   (barcud—*kite*)

yn o sownd: h.y. *very sound*  
fe synnet: *you'd be surprised,* (synnu)  
cysylltiad: *link*

Cystal, hwyrach, i'w thad wybod y gwir cyn belled â hyn.

"Oes, 'Nhad.''

Aeth llygaid ei thad mor finiog nes codi ofn arni.

"Beth, yn hollol, ydi'r cysylltiad?''

Suddodd Greta i gadair, a chydag anhawster adroddodd y sgwrs a fu rhwng Paul a hithau ar gownt ei mam, fel y dywedodd Paul ei fod yn barod i weithredu ac fel y dywedodd hithau fod Dr. Owen yn erbyn operasiwn. Ac meddai (ei thad),

"Alla i mo dy feio di, Greta. Fe ddywedaist ti'r pethe y buaswn inne wedi'u dweud. Ond fi ddyle fod wedi'u dweud nhw.''

Gan fod lwmp yn ei gwddw, y cyfan a wnaeth Greta oedd nodio'i phen. Siaradodd ei thad eto.

"Dydw i ddim yn ame'r pethe ddwedaist ti wrth Paul. Yr ydw i'n ame'r ffordd y dwedaist ti nhw. Fuase'r bachgen ddim wedi mynd fel yr aeth o petai'r achos wedi'i roi'n rhesymol o'i flaen. Rwyt ti yn ei garu o, Greta, on'd wyt?''

"Wn i ddim, 'Nhad.''

Disgwyliodd i'w thad godi'i lais a'i rhostio â cherydd, ond pan siaradodd yr oedd ei lais yn is ac yn arafach nag arfer ac yr oedd poen ynddo.

"Charwn i ddim meddwl bod genny ferch sy'n ffŵl. Nid pob merch o gyfoeth sy'n cael cynnig safle hefyd. Ac nid bob dydd y daw meddygon disgleiria'r Deyrnas i Gymru i chwilio am wraig. Yr ydech chi, blant, yn meddwl mai peth sy'n digwydd ydi serch. Ond peth yr ydech chi'n ei dyfu ydi serch. Mae syrthio mewn cariad yn union fel tyfu ŷd. Yr ydw i'n dewis y cae yr ydw i am dyfu ŷd ynddo y flwyddyn nesa. Ac mae merch yn dewis y dyn y mae hi am syrthio mewn cariad ag o. Am ei bod hi wedi penderfynu mai dyna'r dyn feder roi'r bywyd fydd ore iddi hi.''

Ni symudodd Greta, ond dywedodd mewn llais bychan bach, "Dydw i ddim yn meddwl y daw Paul byth yn ôl.''

---

cystal: *just as well*
hwyrach (G.C.): *efallai*
miniog: *sharp*
anhawster: *difficulty*
ar gownt: h.y. ynglŷn â
gweithredu: *gwneud rhywbeth*
rhesymol: *reasonable*

cerydd: *reprimand*
yn is: *lower*
safle: *status*
y Deyrnas: *the Kingdom*
ŷd: *corn*
meder: h.y. sy'n medru/gallu

"Rhaid iti'i gael o'n ôl,'' ebe'i thad. "Mae'n gwbwl amlwg beth y mae o'n ei feddwl ohonot ti. Does yna neb arall, Greta?''

Teimlodd Greta'r gwres yn ymwthio i'w hwyneb. Os dywedai hi'r gwir yn awr, hwyrach y collai gyfeillgarwch ei thad, un o'r pethau gwerthfawrocaf mewn bywyd iddi hi.

"Nac oes, 'Nhad."

Tybiodd mewn panig y byddai'i thad yn ei hamau eto o gelwydd, ond er ei rhyddhad, gwelodd ei thad yn codi, ac yn mynd tua'r drws. Trodd yn y drws.

"Ble mae Karl?''

"Wedi mynd i Henberth i siopa.''

"Fe ddyle fod yn ôl erbyn hyn. Mae'r bws olaf o Henberth wedi cyrraedd Llanaerwen ers awr-a-hanner.''

"Fe fydd yn ôl unrhyw funud. Ewch chi i'ch gwely, 'Nhad.''

Edrychodd ei thad arni.

"Cysga ar beth ddwedais i, Greta. A breuddwydia heno am Paul. Nos da.''

Prin yr oedd drws llofft ei thad wedi cau na chlywodd Greta sŵn yn y portico y tu allan. Yr oedd fel sŵn rhywun diarth yn ceisio dod i mewn heb guro. Bu agos iddi alw ar ei thad yn ôl. Ond penderfynodd beidio, a mynd at y drws yn gyntaf.

Er ei dychryn, pan agorodd y drws cwympodd Karl ar ei hyd i'r neuadd. Yr oedd baw ar ei ddillad a darnau ohonynt wedi'u rhwygo ac yn hongian yn rhydd. prin y gallai weld ei ddwylo a'i wyneb gan waed. Gorweddai fel hanner marw.

"Karl!'' Yr oedd ar ei gliniau yn ei ymyl mewn eiliad. "Karl annwyl, beth ddigwyddodd?''

Ceisiodd ei wefusau symud ond ni ddaeth gair ohonynt. Yna, fe glywodd Greta aroglau diod ar ei anadl byr. Karl o bawb! Gwthiodd ei dwylo dan ei geseiliau a'i godi ar ei liniau, ac yna ar ei draed. Hanner cariodd ef i mewn i'r gegin. Rhoddodd ef i orwedd ar yr hen soffa ledr gyda chlustog dan ei ben a gwthio diferyn o ddŵr rhwng ei wefusau chwyddedig. Yna, aeth i wneud cwpanaid o goffi du.

---

y collai: y byddai'n colli
cyfeillgarwch: *friendship*
gwerthfawrocaf: mwyaf
  gwerthfawr, *precious*

diarth: dieithr/*strange*
ceseiliau: *armpits*
chwyddedig: *swollen*

106

Tra fu'n gwneud y coffi yr oedd ei meddwl yn gawl. Yr oedd eisioes wedi bod trwy ddigon y noson honno i ddantio merch wannach. Ar ben straen a blino wythnosau o nyrsio claf a cholli cwsg, daeth y cweryl gyda Paul, a'r geiriau gyda'i thad, a gorfod dweud y celwydd mawr cyntaf a ddywedodd erioed wrtho ef. Ac yn awr, hyn. Iddi hi, yr oedd Karl wedi sefyll dros bopeth a oedd yn arwrol, ac yn dduwiol, ac yn dda. Am ei fod yn siarad Cymraeg ac yn mynychu'r capel ac wedi magu diddordeb yn eu diddordebau hwy, yr oedd hi ers talwm wedi peidio â meddwl amdano fel estron. Ac am ei fod yn hardd ac yn gryf ac yn garedig yr oedd hi wedi dod i'w garu. Ond yr oedd ei thad wedi'i dysgu i gasáu diod, ac yr oedd aroglau diod ar Karl.

Tywalltodd y coffi du i gwpan a mynd ag ef at y llanc ar y soffa. Ond pan roddodd y cwpan wrth ei wefusau, cododd ef ei law'n wan a'i wthio i ffwrdd. Siglodd ei ben yn boenus a sibrwd,

"Nid wyf wedi meddwi, Greta."

Nid oedd yn siarad fel meddwyn. Nid llygaid meddwyn oedd ganddo chwaith. Brathodd Greta'i gwefus mewn penbleth.

"Beth ddigwyddodd, Karl?" gofynnodd eto. Gwelodd ei lygaid yn cau'n dynn fel petai'n eu cau rhag golygfa anhyfryd. Yna dywedodd,

"Syrthio. Ar lwybr Coed Argain. A dod adref . . . ni wn i pa ffordd . . . trwy holl wrychoedd drain Dyffryn Aerwen."

Syllodd Greta'n agosach ar ei wyneb. Fe wyddai ddigon am nyrsio i wybod nad briwiau codwm oeddynt. Yr oedd Karl wedi bod yn ymladd. Cleisiau dyrnau oedd ar ei wyneb. Ond pam yr oedd o'n celu'r gwir? A oedd Karl yn ceisio cysgodi rhywun? Penderfynodd Greta beidio â holi rhagor arno. Fe ddôi goleuni yn y man. Brysiodd i mofyn dysglaid o ddŵr cynnes a chadachau glân.

---

yn gawl: *in a mess*
eisoes: yn barod
dantio: h.y. *to daunt*
arwrol: *heroic*
duwiol: *religious*
mynychu: yn mynd i
estron: *alien*
tywalltodd (G.C.): arllwysodd
  (D.C.)/*to pour*
meddwyn: rhywun wedi meddwi

brathodd (G.C.): cnociodd
  (D.C.),/*to bite*
penbleth: *perplexity*
briwiau: *cuts*
codwm: syrthio
cleisiau: *bruises*
dyrnau: *fists*
celu: cuddio
fe ddôi goleuni: fe fyddai goleuni'n dod
yn y man: cyn bo hir

107

Pan gydiodd yn un o'i ddwylo i'w golchi clywodd arni'n sydyn aroglau persawr, a hwnnw'n bersawr da. Cydiodd yn y llaw arall. Yr oedd persawr ar honno hefyd.

"Karl," meddai, "mae 'na oglau sent ar eich dwylo chi." Nodiodd ef yn araf a daeth gwên wan i'w lygaid.

"Dyna eich anrheg penblwydd chi, Greta."

"Dydw i ddim yn deall."

"Blwch o boteli o bersawr Paris. Fe dorrodd y poteli pan syrthiais i."

Teimlodd Greta'i hwyneb yn gwelwi. Yn y neuadd yr oedd anrheg Paul. Blwch o boteli o bersawr paris. Yn gyfan, yn ddestlus, ar y bwrdd. Yma, dan ei dwylo, yr oedd Karl, a dim ond aroglau'i garedigrwydd ar ei fysedd.

"O Karl, Karl!" Yr oedd hi wedi gollwng ei phen ar ei fynwes noeth ac yn ei gwlychu â dagrau. Teimlodd ei law ddolurus yn anwesu'i gwallt. Gobeithiodd Greta na ddôi Paul byth yn ôl i'w bywyd. Fe anghofiai amdano ac ystyried mai anrheg Karl oedd yr anrheg yn y neuadd. Bob tro y byddai'n rhoi persawr yn ei gwallt ac ym môn ei chlustiau ac ar ei mynwes, persawr Karl fyddai hwnnw.

Cododd ei phen a sychu'i llygaid a mynd ati'n dyner i olchi'i wyneb. Yr oedd yn ei frifo ond yr oedd yn dioddef y driniaeth heb furmur. Pan sychodd hi ei wyneb yr oedd yn lân, o leiaf, ond yr oedd cylchau duon am ei lygaid ac yr oedd ei wefusau'n drwchus. Yr oedd hi'n caru'r Karl y tu ôl i'r cleisiau. Gan gydio'n dynn yn ei freichiau a throi'i hwyneb i fyny at ei wyneb ef, sibrydodd Greta,

"Cusanwch fi, Karl, da chi!"

Trodd Karl ei lygaid gleision chwyddedig ar y pen melyn cyrliog yn ei ymyl, ac ynddynt yr oedd brwydr fwya'i fywyd. Fe allai y foment hon anghofio hanner cynta'r noson yng ngorfoledd ei hanner olaf. Fe fyddai cusanu'n artaith a'i wefusau mor ddolurus, ond fe ddewisai'r artaith hwnnw o flaen unpeth yn y

---

oglau (G.C.): arogl/*smell*
gwelwi: *to become pale*
destlus: taclus
mynwes: *chest*
dolurus: poenus
anwesu: h.y. *to stroke lovingly*
ystyried: meddwl

brifo: gwneud dolur
gleision: glas
brwydyr: brwydr/*battle*
gorfoledd: *ecstasy*
artaith: *torture*
dewisai: fe fyddai'n dewis

byd. Yr oedd yn caru Greta, oedd, yn fwy nag yr oedd yn caru'r Arglwydd y byddai gymaint yn ei gwmni bob dydd. Ond ysgwyd ei ben a wnaeth, a'i dal hi oddi wrtho.

"Na, Greta, nid fi a'ch piau chi."

Twymodd gruddiau Greta.

"Pwy arall?" meddai.

"Fe wyddoch pwy. Hyd nes byddwch chi a Dr. Rushmere wedi gwahanu am byth, nid oes gen i ddim hawl i gyffwrdd â chi."

"Ond ryden ni wedi gwahanu," ebe Greta.

"Does genny ddim prawf o hynny," ebe Karl.

Bu Greta'n fud am ennyd. Gan dymer annisgwyl anesboniadwy.

"Rydech chi'n greulon, Karl. Wrtha i ac wrthoch eich hun. Faddeua i byth ichi. Byth!"

A disgynnodd i gadair, ac wylo. Yr oedd y straen a'r blinder yn gwneud iddi wylo ar ddim. Safodd Karl wrth ei air. Ond fel yr ymataliodd ei hun yng Nghoed Argain, fe ymataliodd eto rhag ei foddio'i hun yng nghegin Lleifior. Ac fe wyddai mai hynny oedd orau.

"Ryw ddiwrnod, Greta annwyl," meddai'n araf, "fe fyddwch chi'n falch mai fel hyn y bu. Peidiwch â chasáu Dr. Rushmere. Casewch fi. Hynny wna bethau hawsaf, i chi ac i minnau. Rwy'n mynd i'r gwely'n awr. Diolch ichi am olchi 'mriwiau i. Nos da."

A throdd Karl i fynd. Heb emosiwn dywedodd Greta, "Rhowch eich dillad y tu allan i ddrws eich llofft. Fe'u trwsia i nhw."

Diolchodd Karl iddi'n dyner, a mynd. Gwrandawodd Greta arno'n ymlwybro'n araf, boenus, ar hyd y neuadd ac i fyny'r grisiau. Wedi amser fel oriau, clywodd ef yn ail-agor drws ei lofft ac yn ei gau drachefn. Aeth i fyny i mofyn ei ddillad.

---

gruddiau: bochau
yn fud: yn dawel heb siarad
am ennyd: am ychydig o amser
annisgwyl: *unexpected*
anesboniadwy: *inexplicable*
faddeua i byth: *I shall never forgive,*
(maddau)

ymataliodd: *he restrained,* (ymatal)
boddio'i hun: *to satisfy himself*
fe wyddai: roedd yn gwybod
briwiau: *cuts*
ymlwybro: *to make one's way*
i mofyn: i 'nôl

# Y BEDWAREDD BENNOD AR DDEG

## I

Am hanner awr wedi chwech (fore trannoeth) yr oedd Edward Vaughan yn curo wrth ddrws Karl ac wrth ddrws Greta ac yn mynd i lawr i wneud cwpanaid o de. Am chwarter i saith yr oedd yn tynnu'i got fawr amdano ac yn mynd allan i'r buarth.

Ar ganol y buarth safodd yn stond. Yr oedd rhywun yn sefyll wrth ddrws y beudy mawr. Nid oedd Edward Vaughan yn ddyn ofnus, ond am funud, amheuodd Edward Vaughan nad dyn ydoedd. Yn y gwyll serog yr oedd mor fawr, yn debycach i arth. Ni wastraffodd Edward Vaughan ddim amser gyda chwrteisi.

"Pwy ydech chi?" gofynnodd.

"Mistar Edward Vaughan?" Yr oedd llais y creadur mawr yn annisgwyl ferchetaidd.

"Ie."

"Mi wn i pwy laddodd y Jyrman," sibrydodd y dyn yn gyflym.

"Lladd y Jyrman? Pa Jyrman?" Ceisiodd Edward Vaughan gofio ymh'le'r oedd y fforch wair agosaf. Yr oedd yn siŵr fod y dyn wedi dianc o seilam.

"Eich Jyrman chi," ebe'r dyn, "Y Jyrman sy'n gweithio yma."

Cofiodd Edward Vaughan am Karl, ac fel y bu'n hir yn cyrraedd neithiwr, ac na chlywodd ef mohono'n dod i mewn. Hwyrach fod y dyn yn gwybod rhywbeth wedi'r cyfan.

"Wel," meddai, "beth ydi'ch stori chi?"

Llyncodd y creadur mawr ei boeri fel plentyn yn dechrau'i adroddiad.

"Roeddwn i'n mynd adre neithiwr trwy Goed Argain . . . a mi welais Y Jyrman ar y llwybyr a . . . Wil James yn ei ddyrnu o, ac yn ei ddyrnu o, ac yn ei ddyrnu o—"

---

buarth: *farmyard*
safodd yn stond: *he stopped dead*
amheuodd E.V.: *E. V. doubted,*
  (amau)
gwyll: *twilight*

serog: *starry*
merchetaidd: *effeminate*
fforch: *fork*
ei boeri: *his saliva*
dyrnu: *to thump*

"Ewch ymlaen."

"Wel, pan glywodd Wil James fi'n dwad, mi redodd i ffwrdd. Ac roedd y Jyrman yn gorwedd ar lawr, wedi marw."

"Aethoch chi ddim at Ifans y polismon?"

"Y-naddo."

"Na dod yma'n syth i dweud?"

"Y- naddo. Rydw i wedi dod rŵan, yr holl ffordd y bore 'ma, cyn mynd at 'y ngwaith. Rhaid imi fynd rŵan. Mi fydda i'n hwyr."

A rhuthrodd y dyn i ffwrdd fel petai cawod o dân ar ei sodlau. Wedi iddo fynd, aeth (Edward Vaughan) i grynu'n ddireolaeth. Yr oedd wedi mynd drwy'r rhan fwyaf o brofiadau dibleser bywyd, ond ni bu erioed yng nghwmni llofruddiaeth.

Yr oedd Greta wedi codi ac yn rhoi'r llestri brecwast ar y bwrdd. Pan ddaeth ei thad i mewn cododd ei llygaid di-gwsg ac edrych arno.

"'Nhad," meddai, "beth sy'n bod?"

"Karl . . ." meddai yntau.

"Karl? Beth am Karl?"

"Pa bryd yr est ti i dy wely?" gofynnodd ei thad.

"Yn fuan ar ôl Karl."

Bu agos i Edward Vaughan neidio.

"Karl—aeth Karl i'w wely?"

"Do, siŵr. Fe'i gwelais o'n mynd."

Suddodd Edward Vaughan i gadair a sychu'r chwŷs oddi ar ei dalcen.

"A'r dyn dwl yna," meddai, "yn dweud ei fod wedi'i weld o'n cael ei ladd. Mi wyddwn mai dyn wedi drysu oedd o."

Yr oedd Greta wedi gorffen deffro. Dyma gyfle'n awr i wybod y gwir.

"Nac oedd," meddai, "doedd y dyn ddim wedi drysu. Pan ddaeth Karl i mewn roedd ei wyneb o'n waed a'i ddillad o'n ddarne. Pwy ddaru?"

Edrychodd ei thad arni,

"Fe gei di wybod yn ddigon buan pwy ddaru." A chododd a mynd allan i'r buarth drachefn.

---

crynu: *to shake*
direolaeth: heb reolaeth/*control*
llofruddiaeth: *murder*

drysu: *to confuse*
pwy ddaru? (G.C.): pwy wnaeth? (D.C.)

"Karl heb godi heddiw?" (meddai Wil James wrth y bwrdd brecwast).

Sylwodd Edward Vaughan fod Wil James wedi cyfeirio at Karl wrth ei enw. 'Jerri' y byddai'n ei alw bob amser.

"Rydw i am fynd i fyny i edrych ble mae o," ebe Edward Vaughan, gan godi oddi wrth y bwrdd.

"Waeth ichi heb, 'Nhad," meddai Gretâ. "Dydi Karl ddim hanner da. Mi ddwedais wrtho am aros yn ei wely."

"Mwya'n y byd o reswm pam y dylwn i fynd," ebe'i thad.

Chwaraeodd gwên ar wefusau Wil James. Yr oedd y Bol Uwd wedi gwneud ei waith yn drylwyr os oedd y Jerri'n rhy dila i godi. Teimlai Wil James yn hyfryd ddiogel. Ni byddai neb yn ei gysylltu ef â'r anffawd. Ni welsai Karl mohono neithiwr.

Agorodd Edward Vaughan ddrws llofft Karl yn ddistaw. Clywodd anadlu trwm ac ambell awgrym o riddfan. Yr oedd ei wyneb wedi chwyddo a'i lygaid yn hanner cau gan gleisiau. Caeodd Edward Vaughan y drws yn ddistaw. Yr oedd wedi penderfynu. Pan gyrhaeddodd y gegin yr oedd y dynion wedi codi oddi wrth y bwrdd ac yn cychwyn allan.

"William," meddai.

Trodd Wil James.

"Dowch i'r offis am funud."

Dilynodd Wil James ef drwy'r neuadd i'r ystafell fechan lle'r oedd desg Edward Vaughan a'i bethau.

"'Steddwch, William."

Eisteddodd Wil James. Aeth Edward Vaughan y tu ôl i'w ddesg, ond nid eistedd. Ar ei draed y byddai ef yn trin pob achos fel hwn.

"Yn y llofft mae'na fachgen ifanc. Bachgen amddifad heb gartre yn y byd. Fe wyddon ni mai Almaenwr ydi o, a bod ei wlad o ychydig yn ôl yn ymladd yn erbyn ein gwlad ni. Ond fe wyddon ni hefyd nad oes ganddo fo mo'r help am hynny. Ac mi wn i mai fo ydi'r gweithiwr gore fu genny ar dir Lleifior erioed. Y funud

---

| | |
|---|---|
| waeth ichi heb: h.y. *don't bother* | griddfan: *a groan* |
| yn drylwyr: *thoroughly* | cleisiau: *bruises* |
| tila: *feeble* | trin: *to deal* |
| cysylltu: *to link* | amddifad: *heb rieni* |
| anffawd: *misfortune* | |

yma, mae'r bachgen yna mewn twymyn, wedi'i guro'n greulon ar lwybr Coed Argain neithiwr. Ac mi wn i, William, mai chi sy'n gyfrifol.''

Ceisiodd Wil James gadw'i hunanfeddiant. Yr oedd yn barod i wadu'r cyhuddiad, ond fe allai'r hen ŵr fod yn gwybod gormod. Tybed, wedi'r cyfan, fod yr Almaenwr wedi'i weld ef neithiwr? Cystal iddo gael gwybod.

"Jerri ddwedodd y stori yma?'' gofynnodd.

"Nage. Fe ddaeth yma ddyn heddiw'r bore, cyn mynd at ei waith, cyn i chi ddod. Clamp mawr. Robin rhywbeth—''

"Robin Bol Uwd?''

"Hwnnw.''

Doedd dim amdani bellach, ond gwneud yn fach o'r peth. Cododd (Wil James) ei 'sgwyddau a dweud,

"Wel, ydi o'n gwneud rhyw wahaniaeth?''

"Mae'n mynd i wneud gwahaniaeth mawr i chi, William.''

Agorodd Edward Vaughan ddrôr yn ei ddesg a thynnu allan becyn o arian papur. "Dyma ichi gyflog mis, ac fe'ch heria i chi i gael cystal cyflog ar unryw ffarm yn Nyffryn Aerwen ag a gawsoch chi gen i. Yr ydech chi i fynd o Leifior y funud yma. Bore da.''

Nid oedd llaw Wil James yn gwbwl gadarn wrth dderbyn yr arian. Fe wyddai o'r gorau fod cyflog Lleifior gryn dipyn uwchlaw telerau'r undeb. Trodd yn y drws,

"Gobeithio na fyddwch chi ddim yn edifar am hyn, Mistar Vaughan. Bore da.''

## III

Gyda'r nos, aeth Edward Vaughan i fyny i weld Karl. Yr oedd yn llonyddach, ac yn amlwg yn well.

"Noswaith dda, Mr. Vaughan,'' meddai.

---

| | |
|---|---|
| twymyn: *fever* | cadarn: *steady* |
| hunanfeddiant: *self-possession* | uwchlaw: uwchben |
| gwadu: *to deny* | telerau: *terms* |
| cyhuddiad: *accusation* | undeb: *union* |
| clamp mawr: h.y. dyn mawr iawn | edifar: *sorry* |
| pecyn: *packet* | llonyddach: *calmer* |
| fe'ch heria i chi: *I'll challenge you,* | yn amlwg: *obviously* |
| (herio) | |

"Noswaith dda, Karl. Maen nhw'n dweud eich bod chi'n well."

"Diolch, ydw. Un peth sy'n fy mhoeni."

"A beth ydi hwnnw, Karl?"

"Fe ddwedodd Greta eich bod wedi anfon Wil James oddi yma. Nid Wil a'm curodd i neithiwr."

Cododd Edward Vaughan ei ben.

"Does dim angen ichi gysgodi'r dyn yna, Karl. Mi wn i mai un drwg ei galon ydi o."

"Dwyf i ddim yn cysgodi Wil James. Nid ef a'm curodd i. Dyn arall. Dwyf i ddim yn ei nabod."

"Ydech chi'n siwr, Karl?"

"Yn berffaith siŵr."

"Pan oedd y dyn arall yma'n eich curo chi, welsoch chi mo Wil James o gwmpas? Yn ymyl?"

Yr oedd hon yn ddilema i Karl. Un o'r pethau egluraf yn ei gof oedd wyneb Wil James dros ben boncyn oddi tano yn edrych arno'n cwympo. Ond yr oedd wedi gwneud ei orau hyd yma i arbed yr adyn.

"Doeddwn i ddim mewn cyflwr i weld dim yn iawn. Nid Wil James a'm curodd i. Yr wyf yn gwybod hynny."

Nid arhosodd Edward Vaughan yn y stafell yn hir. Aeth i lawr i'r offis i feddwl. Onid Wil James a fu'n curo Karl yng Nghoed Argain, pa bwrpas fyddai gan y Robin Bol Uwd a ddaethai i Leifior am saith o'r gloch y bore wrth ei gyhuddo yn ei gefn? Onid Wil James a gurodd Karl, pwy a'i curodd?

Aeth meddwl ei fod wedi danfon Wil James o Leifior ar gam yn fwrn ar Edward Vaughan. Nid oedd erioed o'r blaen wedi digyflogi gwas heb fod ganddo dystiolaeth berffaith. Yr oedd ar hyd y blynyddoedd wedi arfer pob gofal. Hynny a gafodd iddo'i enw da fel meistr.

Cododd o'i gadair. Fe âi i holi rhagor ar Karl. Os gallai ef enwi, neu o leiaf ddisgrifio'r dyn a'i dyrnodd, a thrwy hynny

---

cysgodi: *to shelter*
egluraf: *mwyaf clir*
oddi tano: *beneath him*
yr adyn: *the rascal*
cyflwr: *condition*
a ddaethai: *a oedd wedi dod*
cyhuddo: *to accuse*

ar gam: *unjustly*
bwrn: *a burden*
digyflogi: *to dismiss*
tystiolaeth: *evidence*
fe âi: *he would go,* (mynd)
a'i dyrnodd: a'i curodd, (dyrnu)

glirio enw Wil James y tu hwnt i bob amau, fe . . . Fe wnâi beth?
Galw Wil James yn ôl, a'i ailgyflogi?

Eisteddodd Edward Vaughan drachefn. Pa un oedd waethaf
iddo, digyflogi gwas ar gam, ynteu'i ailgyflogi ac addef y cam
gerbron y cyhoedd?

Ac yr oedd un posibilrwydd arall. Beth petai Wil James yn
gwrthod y cynnig i ddod yn ôl? Yr oedd dyn yn gwrthod cyflog
Lleifior a gwasanaethu dan ŵr Lleifior yn beth na chlywodd neb
amdano yn Nyffryn Aerwen. Fe âi'i gyd-amaethwyr i chwerthin
am ei ben y tu ôl i'w dwylo. Yr oedd wedi sefyll ar bedestal ym
Mhowys ers deugain mlynedd.

Cododd Edward Vaughan wedi taro'r fargen galetaf yn ei
fywyd. Yr oedd wedi gyrru dyn o'i wasanaeth, hyd y gwyddai,
ar gam. Ond yr oedd yn gadael i'r cam sefyll yn hytrach na
dangos gwendid i'w gymdogion.

Aeth Edward Vaughan o'i offis y noson honno'n wannach
dyn. Yr oedd ei hyder ynddo'i hun wedi'i siglo.

---

ail-gyflogi: *to re-employ*  
addef: cyfaddef, *to admit*  
gerbron: o flaen  
y cyhoedd: *the public*  
cyd-amaethwyr: *fellow farmers*

hyd y gwyddai: *as far as he knew,*  
  (gwybod)  
gwendid: *weakness*  
hyder: *confidence*

115

# Y BYMTHEGFED BENNOD

## I

Yr oedd (Harri) wedi mynd i Leifior pan gafodd lythyr Greta yn dweud bod eu mam yn gwaelu ac yn sôn am (Paul, Karl a Wil James). Yr oedd ei fam a'i dad wedi heneiddio llawer mwy na deufis er pan adawsai hwy ddechrau Hydref. Ac yr oedd y sioncrwydd penfelyn wedi gadael Greta a'i gadael yn ddynes gynefin â beichiau bywyd. Yr oedd Karl yn brin ei eiriau, ac er mor atgas oedd Wil James, yr oedd Lleifior rywfodd yn wacach heb ei bryfôc. Daethai Harri'n ôl i Fangor wedi'i ddwysáu.

Ond yr oedd llythyr Greta heddiw'n sioncach. Yr oedd eu mam yn well ac yn dechrau codi ers deuddydd. Yn dechrau bwyta ac yn cymryd diddordeb mewn byw. Eu tad o'r herwydd yn loywach ei lygad, er bod rhyw bensynnu arno weithiau na allai Greta mo'i ddeall. Daeth Karl yn amlach ei eiriau, ac yr oedd yn gweithio ddwywaith cyn galeted â chynt. Er gwaethaf annog ei thad, nid oedd Greta eto wedi sgrifennu at Dr. Rushmere, nac wedi cael llythyr ganddo. Ond nid oedd hynny'n poeni cymaint ag a ddylai arni hi.

Yr oedd llythyr arall oddi wrth Lisabeth. Darllenodd Harri'r llawysgrif blentynnaidd gydag amynedd. Nid oedd yn hir. Ni allodd Lisabeth erioed sgrifennu llythyr hir. I ddyn mewn cariad fe fuasai'n ddiddorol. Nid oedd yn ddiddorol i Harri. Sôn amdani'i hun yr oedd Lisabeth, am got newydd a gawsai gan ei thad, yn costio hanner canpunt; am gar newydd yr oedd ei brawd Dafydd wedi'i brynu, am gariad newydd ei brawd arall, Gwilym . . .

---

gwaelu: yr iechyd yn gwaethygu
heneiddio: mynd yn hen
gadawsai: roedd (e) wedi gadael
sioncrwydd: *nimbleness*
dynes: menyw
cynefin â: yn gyfarwydd â
beichiau: llwythau, h.y. gofidiau
atgas: annymunol

pryfôc: *provocking*
dwysáu: *to become intense/serious*
o'r herwydd: *as a result*
gloywach: yn fwy gloyw/*shiny*
pensynnu: *to day-dream*
annog: *urging*
a gawsai: yr oedd wedi'i gael

Taflodd y llythyr o'r neilltu, mor ddiseremoni nes i Gwdig ddweud,

"Bachan, fe ddyle dyn ddangos mwy o barch na hynna i lythyron ei gariad."

Atebodd Harri,

"Does genny ddim amynedd â'r stwff. Dyw hi'n sôn am ddim ond arian, a'r pethe y gall arian eu prynu."

"Ond dyw e ddim ond y bywyd yr wyt ti'n gyfarwydd ag e."

"Wyt ti'n meddwl 'mod i'n falch? Rydw i wedi syrffedu ar arian a sôn am arian."

"Mae dylanwad comwnyddiaeth yn drwm arnat ti, Harri."

"A pham lai? Os ydi dyn yn trafeilio ar drên sy'n mynd i ddinistr, mae'n bryd iddo newid trên."

"Eitha da," ebe Gwdig. "Ond pa ffordd mae dyn i wybod pa drên sy'n mynd i ddinistr? Rwy'n gweud wrthot ti'n awr, fe fydd dynion yn dal i grafangu am feddianne ac yn dal i dreisio'i gilydd pan fydd comwnyddiaeth yn ddim ond rhes o hen lyfre mewn llyfrgell."

Edrychodd Harri ar ei gyfaill yn llym.

"Roeddwn i'n meddwl mai cenedlaetholwr Cymreig oeddet ti, Gwdig. Rwyt ti'n siarad fel Tori."

"Nid braint cenedlaetholwr, Harri, yw cau'i lyged ar y natur ddynol. A phe bawn i wedi dysgu dim arall ym Mhlaid Cymru, rwy' wedi dysgu nabod 'y nghenedl. Mae eisie mwy na hunanlywodraeth ac mae eisie mwy na refoliwshion i dynnu ariangarwch allan o Gymro."

"Fy mhleser i, Gwdig, fydd profi dy fod ti'n rong."

"A'm loes inne, Harri, fydd profi 'mod i'n iawn."

Ac aeth y ddau i'r coleg.

---

o'r neilltu: *o'r ffordd*  
parch: *respect*  
syrffedu ar: *fed-up with*  
crafangu: *to claw*  
meddianne/meddiannau: *possessions*  
treisio: *to rape, to violate*  
yn llym: *severely*

cenedlaetholwr: *nationalist*  
braint: *privilege*  
dynol: *human*  
ariangarwch: hoffter o arian  
loes: dolur, *pain*

Y pnawn hwnnw oedd y pnawn yr yfodd Harri goffi gyda Ifan
Armstrong a Huw Llywarch.

Ifan, chware teg iddo, a'i gwahoddodd.

"Tyrd am gwpanad i'r Iwnion, Harri. Mae gin i isio gair hefo
chdi."

Ac aeth Harri, heb wybod yn iawn i beth. Ac ni thorrodd neb
air nes oedd y tair cwpanaid coffi ar fwrdd bach rhyngddynt yn
un o gorneli'r Undeb.

"Rwyt ti'n perthyn i Soc-Soc, Harri," meddai Ifan i agor.

"Ydw."

"Yn Gomiwnydd."

"Dydw i ddim yn aelod o'r Parti," ebe Harri, "ond mi alla
ddweud 'mod i'n cytuno ag o i fesur helaeth iawn."

"Rwyt ti'n credu yn y werin," ebe Ifan.

"Â'm holl galon," ebe Harri.

Estynnodd Ifan ei law dros y bwrdd, a chydiodd Harri ynddi
heb wybod pam yn iawn.

"Harri," ebe Ifan, "Mae'n ddrwg genny imi dy gyhuddo di
ar gam yn dy ddigs noson gynta'r tymor. Ac mae'n ddrwg genny
'mod i wedi rhoi 'nwylo arnat ti fel y gwnes i."

"Diolch, Ifan," ebe Harri, "ond fi roddodd 'y nwylo arnat
ti'n gynta, ac fe wnaeth yr hergwd honno fyd o les i mi."

Chwarddodd y tri o gylch y bwrdd. Penderfynodd Harri'i bod
hi'n werth cweryla i gael cymodi. Ond eto, nid cymodi ag ef fel
etifedd ffortiwn Lleifior a wnaethai Ifan, ond cymodi ag ef fel
sosialydd. Ar lefel Ifan y bu'n cymodi, ac ar delerau Ifan. Eto,
nid oedd hynny'n boen i Harri.

Am y tro cyntaf yn ei fywyd yr oedd y werin wedi'i dderbyn yn
un ohonynt hwy.

"Hogan dda ydi honna'r wyt ti'n ei chanlyn, Harri," ebe
Ifan.

---

ni thorrodd neb air: ni siaradodd
  neb
i fesur helaeth iawn: *to a great extent*
cyhuddo: *to accuse*
ar gam: *wrongly*
hergwd: *shove*

byd o les: *world of good*
cymodi: *to reconcile*
a wnaethai Ifan: roedd Ifan wedi'i
  wneud
telerau: *conditions, terms*

"O Gwylan," ebe Harri. "Ffrindie yden ni. Brawd a chwaer yn y ffydd."

"Dwyt ti ddim yn meddwl dweud dy fod ti'n gallu cerdded allan hefo merch o bersonoliaeth honna heb gyffwrdd ynddi?" Nodiodd Harri.

"Meddwl," meddai Ifan, "am Gwylan Thomas yn gwrthod yr ysgoloriaeth yna."

"Gwrthod ysgoloriaeth?" ebe Harri.

"Paid â dweud na wyddost ti ddim."

"Chlywais i'r un gair," ebe Harri.

"Do'n taid. Pan oedd hi yn Aberystwyth yr ha' dwetha, fe gynigiodd y Proff. ysgoloriaeth arbennig iawn iddi i fynd i Brifysgol Llundain i wneud ymchwil. Tri chant a hanner y flwyddyn, rwy'n meddwl. Ac fe wrthododd yr hogan wneud dim â hi."

"Diwedd mawr!" ebe Harri, "pam?"

"Am fod arian yr ysgoloriaeth yn dod o elw rhyw waith yn y trefedigaetha. Budur-elw cyfalafol o chwys y bobol dduon, medda' hi. Dim ond hogan-a-hanner fuasa'n aberthu fel'na er mwyn ei hegwyddorion."

Ie, hogan-a-hannar yn siŵr, meddai Harri wrtho'i hun. Ac nid oedd Gwylan wedi sôn gair wrtho ef am y peth, am y buasai, mae'n debyg, yn ei chanmol ei hun. Yn union fel hi! Fe wyddai Harri fod yn rhaid iddo gydio'n dynn ynddo'i hunan rhag i'w edmygedd ohoni droi'n addoliad.

Taniodd Ifan Armstrong ei getyn, ac wedi taflu'r fatsen, codi.

"Gwna'n fawr o'r hogan 'na, Harri," meddai. "Dydi'r math yna ddim i'w cael am ddwy-a-dima'. Ac yr ydw i'n falch, yn falch gynddeiriog, dy fod ti'n un ohonon ni."

Ac mewn cwmwl o fwg glas cerddodd Ifan o'r ystafell a Huw Llywarch yn ei ddilyn.

---

ffydd: *ffaith*
ysgoloriaeth: *scholarship*
Diwedd mawr! h.y. *Good grief!*
elw: *profit*
trefedigaetha/trefedigaethau: *colonies*
budur-elw: *ill-gotten gain*
cyfalafol: *capitalist*
chwys: *sweat*
aberthu: *to sacrifice*

egwyddorion: *principles*
canmol: *to praise*
edmygedd: *admiration*
addoliad: *worship*
cetyn (G.C.): *pibell*
Gwna'n fawr . . .: h.y. *Make the most,*
(gwneud yn fawr)
yn falch gynddeiriog: h.y. yn
falch/*glad* ofnadwy

# III

Yr oedd y trên yn taranu eto drwy ddyffrynnoedd coediog Powys. Nid oedd neb yn y compartment ond Harri. Rhoddodd Harri'i lyfr ar ei lin a thanio sigaret. Wedi tynnu sbel yn ei sigaret edrychodd eto ar y llyfr yr oedd wedi'i roi i lawr ar y sedd gyferbyn. Ond nid nofel mohono. Ond gwaith Lenin. Yr oedd Harri wedi benthyca'r gyfres gyfan o weithiau Lenin oddi ar y silff yn llyfrgell y coleg ac wedi'i phacio i gyd yn un o'i fagiau. Yr oedd yn bwriadu'i darllen drwyddi yn y tair wythnos gwyliau Nadolig a oedd o'i flaen.

Yr oedd wedi edrych ymlaen at bob gwyliau gartref er pan fu yn y coleg. Yr oedd cael dod adref i Leifior bob tro yn hyfrydwch. Ond y tro hwn, nid oedd dim blas ar ddod adref i Leifior. Yr oedd fel petai'n dod i le diarth, lle byddai pawb yn perthyn i fyd ac oes a meddwl gwahanol i'w fyd a'i oes a'i feddwl ef. Yr oedd Gwylan wedi digwydd.

Y tro diwethaf y gwelsai Gwylan oedd neithiwr, noson ola'r tymor. Yr oedd dawns yn neuadd y coleg, a Harri wedi mynd i ddawnsio. Yr oedd yn ddawnsiwr da, ac yr oedd y merched yn ystyried dawnsio gydag ef yn un o binaglau'r noson. Fe ddaethai Gwylan yno. Anaml y dôi i'r dawnsfeydd ond i sibrwd comwnyddiaeth ac i hysbysebu cyfarfodydd. Ond fe ddaethai hi neithiwr am y gwyddai fod Harri yno.

Y funud y gwelodd hi, gwahoddodd Harri hi i ddawnsio. Fe ddaeth. Ond wrth siglo yn ei freichiau hyd y llawr llithrig safodd hi ar ganol cam a dweud yn isel,

"Dowch allan, Harri."

"Ble'r ewch chi, Gwylan?"

"Mynydd Bangor."

"Heno?"

"Dowch."

A cherddodd y ddau drwy'r dref dan y lampau lleithion, ac i fyny tua'r tywyll yr ochr draw. Wedi cyrraedd y llwybrau

---

yn taranu: *thundering*
drwyddi: *through it*
hyfrydwch: *delight*
blas: *zest*
ystyried: *to consider*
pinaclau: *pinnacles*

y dôi: y byddai hi'n dod
sibrwd: *to whisper*
am y gwyddai: oherwydd ei bod yn gwybod
cam: *step*
lleithion: llaith, *damp*

120

caregog tynnodd Gwylan fflachlamp o'i phoced ac aeth ar y blaen i arwain. Daethant cyn hir at fainc ddi-gefn. Eisteddodd Gwylan arni, ac amneidio ar Harri i eistedd.

"Wyddoch chi, Gwylan—"

"Ust!"

Gadawodd Harri iddi glustfeinio heb ymyrryd. Toc, dywedodd hi,

"Mae'r cread yn griddfan, Harri."

"Dywedwch chi, Gwylan. Rwy'n gwrando."

Fe wyddai Harri pan fyddai Gwylan yn yr hwyliau hyn, fod rhywbeth gwerth ei wrando ar ddod. Gwrandawodd ar y gwynt yn sgrechian trwy gangau'r coed yn y tywyllwch ar ben y mynydd. Yna, daeth llais clir, Gwylan, yn wastad, heb weiddi:

"Yn America heno, mae'r bobol dduon yn griddfan dan y deddfau gwahanu; ac yn Ne Affrica heno ac yn Kenya heno; ac yn Nigeria heno. Ac yn Ffrainc heno mae'r gweithwyr gwynion yn griddfan dan sbeit y cyfalafwyr y maen nhw'n gwneud modrwyau iddyn nhw, a thai, a cheir modur, a gwin; ac yn yr Eidal heno, ac yn Sbaen heno, ac yn Lloegr heno, ac yng Nghymru heno. Ac yn Rwsia heno, ac yn y Balcanau, mae'r gweithwyr yn rhydd." Trodd ei hwyneb at Harri.

"Ydi hwnna'n golygu rhywbeth ichi, Harri? Yn rhydd."

Fel y dywedodd hi ef, yr oedd yn golygu llawer iawn i Harri. Petai rhywun arall wedi siarad fel y bu hi'n siarad fe fuasai ef wedi wfftio a chwerthin. Ond am ei bod hi mor amlwg o ddifri, fe wrandawodd arno mewn mudandod. A chan fod ei llygaid yn disgwyl wrtho, dywedodd,

"Yr ydw i'n derbyn popeth ddywedwch chi, Gwylan, heb amau dim. A phopeth yr ydech chi wedi'i ddweud er pan welais i chi gynta, heb ame."

"Felly," ebe Gwylan, "beth ydech chi am ei wneud?"

---

| | |
|---|---|
| amneidio: *to signal* | sbeit: h.y. *spite* |
| clustfeinio: *to listen intently* | cyfalafwyr: *capitalists* |
| ymyrryd: *to interfere* | rhydd: *free* |
| Toc: yn fuan | golygu: *to mean* |
| cread: *creation* | wfftio: *to flout* |
| griddfan: *to groan* | mudandod: h.y. tawelwch, heb |
| hwyliau: *moods* | siarad |
| yn wastad: *flat* | amau: *to doubt,* cf. ame |
| dcddfau gwahanu: *laws of apartheid* | |

"Beth garech chi imi'i wneud?" gofynnodd Harri.

"Ydach chi'n hapus yn mynd adra fory i Leifior? I fwynhau moetha' y mae chwys dynion eraill wedi'u hennill i chi?"

"Hapus . . .? Wel, na dydw i ddim yn hapus, ond dario, mae'n rhaid imi fynd adre—"

"Ond ydach chi'n ddigon siŵr o anghyfiawnder Lleifior i benderfynu na fwynhewch chi ddim o'i foetha' fo mwy? Ewch chi ddim yn fistar Lleifior ar ôl eich tad. A phe gwerthech chi Lleifior, chymerech chi mo arian y gwerthiant chwaith. Nid chi pia' nhw."

"Mae'ch rhesymeg chi'n dal dŵr, Gwylan."

"Ac mae 'na un peth arall."

Yr oedd Gwylan yn ddistaw am ysbaid, mor ddistaw nes gwneud i Harri edrych arni'n siarp.

"Beth Gwylan?"

"Rydech chi'n canlyn merch ariannog, sy wedi'i magu, fel chitha', ar chwys dynion eraill. Os glynwch chi wrth eich sosialaeth ar ôl priodi, a hitha' wrth ei bywyd *bourgeois,* fe ddrylliwch eich priodas, a gwahanu, ac fe fydd y briodas yn ofer. Ac os digwydd i chi'i hennill hi i'ch ffordd chi o feddwl, a'ch bod chi'ch dau'n troi cefn ar eich cyfoeth, fe dynnwch chi ddau deulu yn eich pen yn lle un."

"Rydach chi'n gofyn imi roi'r gore i Lisabeth."

"Ellwch chi ddim gwneud dim arall—os ydach chi o ddifri. Mae hi'n rhan o'r bywyd y mae'n rhaid ichi dorri oddi wrtho."

Distawrwydd hir yn dilyn y llif geiriau hyn. Ond yr oedd y dewis yn gliriach yn awr. Yr oedd caru Lisabeth wedi mynd yn anodd iddo ers blwyddyn. Yr oedd y fflam a fyddai'n neidio hyd ei wythiennau wrth feddwl amdani ddwy a thair blynedd yn ôl

---

moetha'/moethau: *luxuries*
dario: *drat it!*
anghyfiawnder: *injustice*
pe gwerthech chi: petaech chi'n
    gwerthu
chymerech chi mo arian: *you
    wouldn't take the money,* (cymryd)
gwerthiant: *sale*
rhesymeg: *logic*
am ysbaid: am ychydig bach o
    amser

yn canlyn: *courting*
ariannog: gyfoethog
os glynwch chi: *if you will stick,*
    (glynu)
fe ddrylliwch: *you will shatter,*
    (dryllio)
gwahanu: *to separate*
yn ofer: *in vain*
gwythiennau: *veins*

122

wedi llosgi'n isel iawn. Ond er pan gyfarfu â Gwylan yr oedd y wreichionen olaf wedi diffodd. Nid am fod Gwylan wedi cymryd lle Lisabeth. Ffrind oedd Gwylan, o'i dewis hi ac o'i ddewis yntau. Yr oedd hi wedi gwneud lle newydd iddi'i hun. Lle arweinydd a chynghorwr a chonffidant. Nid oedd Gwylan wedi llosgi cusanau Lisabeth oddi ar ei wefusau â'i chusan ei hun. Ni wyddai Harri pa flas fyddai ar gusanau Gwylan. Yr oedd wedi peidio â meddwl amdani yn nhermau cusanu. Ond y gwir oedd wir. Er pan ddaethai i nabod Gwylan y diffoddodd ei serch at Lisabeth.

Ond tan neithiwr, nid oedd ganddo reswm dros roi'r gorau i Lisabeth. Yr oedd yn dal i obeithio yr ail-gyneuai'r fflam, y dôi'r hen hiraeth eto'n ôl. Ond yn awr yr oedd ganddo reswm. Wrth ysgwyd llaw â Gwylan neithiwr yr oedd wedi addo y dôi'n ôl y tymor nesaf yn ddyn rhydd, wedi gadael Lisabeth fel y rhan gyntaf o'r bywyd y byddai maes o law yn ei adael yn llwyr.

Heno, fodd bynnag, wrth eistedd yn y trên a oedd yn nesáu bob eiliad at Henberth, yr oedd ei addewid yn edrych yn anos, anos ei chadw. Ei chadw fyddai raid, fe wyddai. Ond heno yr oedd yn dechrau ystyried effeithiau'i chadw. Yr oedd nid yn unig yn mynd i dorri calon un a fu'n dibynnu arno ac yn disgwyl wrtho ers tair blynedd. Yr oedd hefyd yn mynd i dynnu ato'i hun anair y cymdogion a chlepwragedd Dyffryn Aerwen. Gwaeth na'r cyfan, yr oedd yn mynd i beryglu'r cyfeillgarwch bregus rhwng y Trawscoed a Lleifior a oedd yn golygu cymaint i Greta ac i'w thad.

Fe fyddai'n rhaid rhoi rheswm i'w dad. Fe allai weld ei dad yn codi to Lleifior mewn dirmyg. Rywfodd, yr oedd Harri'n dechrau teimlo'n fychan ac yn eiddil wrth droed y mynydd tasg

---

cyfarfu â: cwrddodd â, (cyfarfod)
gwreichionen: *spark*
cynghorwr: *counsellor*
blas: *taste*
er pan ddaethai: er pan oedd (e)
   wedi dod i
yr ail-gyneuai . . .: y byddai'r
   (fflam) yn ail-gynnau
y dôi'r . . .: y byddai'r (hiraeth) yn
   dod
maes o law: *eventually, presently*

yn anos: yn fwy anodd
fe wyddai: roedd yn gwybod
effeithiau: *effects*
anair: *gossip*
clepwragedd: *talkative women*
bregus: *brittle*
a oedd yn golygu: *which meant*
dirmyg: *contempt*
rhywfodd: rhyw ffordd
eiddil: *frail*

123

a osododd iddo'i hun. Fe fuasai'n dda ganddo fod yn mynd i rywle heno ond adref. Yr oedd yn wynebu'r gwyliau mwyaf diflas a wynebodd erioed. Ac fel y troellai'r trên i'r orsaf, ac y gwelodd Greta'n sefyll ar y platfform i'w ddisgwyl, suddodd ei galon ynddo fel carreg yn Llyn y Dywysen.

---

fel y troellai . . .: fel yr oedd y trên
    yn troi/to wind

# YR UNFED-BENNOD-AR-BYMTHEG

## I

Yn ystod yr wythnosau wedi'r noson yng Nghoed Argain, fe aeth Terence drwy wewyr meddwl na phrofodd na chynt nac wedyn mo'i debyg. Cyn y byddai wedi treulio hanner awr yng nghwmni Karl neu yn ei gwmni'i hun, fe fyddai'n ôl yng Nghoed Argain, ac fe fyddai Karl yn cwympo ar ei luniau dan ddyrnodiau'r Bol Uwd . . .

Petai Karl wedi rhegi a thyngu ac wedi taro'r Bol Uwd yn ôl fel y dylai fe fuasai'r olygfa wedi syrthio'n dwt i angof. Ond am fod yr Almaenwr wedi gwrthod cynhyrfu ac wedi rhoi'i gorff fel oen i'r cigydd, yr oedd yr olygfa'n gwrthod cilio.

Yr oedd Wil James, wrth gwrs, y tu hwnt i effeithio arno gan yr atgof. I bob golwg, beth bynnag. Yr oedd ef ar y dôl ac ym mar y *Crown* gyda'r nos yn ei ystyried ei hun yn ferthyr dros gyfiawnder. Ond pe gwyddai Terence y cwbwl nid oedd y tu mewn i Wil James mor gyfforddus ychwaith. Am y Bol Uwd, nid oedd neb wedi gweld hwnnw yn y *Crown* er noson yr ymosod.

Yr oedd y peth wedi pwyso cymaint ar Terence fel y dechreuodd feddwl am grefydd. Yr oedd yn amlwg mai hwnnw oedd cryfder Karl. Daeth ymdeimlad o euogrwydd llethol i bwyso ar Terence. Bu fwy nag unwaith ar fin cyffesu i Karl a gofyn iddo faddau os gallai. Ond bob tro y byddai ei hunan yng nghwmni Karl, fe fyddai rhywbeth yn sibrwd esgus wrtho, ac fe

---

gwewyr meddwl: *mental anguish*
na chynt nac wedyn: *neither before nor after*
dan ddyrnodiau: *under the blows*
rhegi a thyngu: *to swear and curse*
yn dwt: *nicely*
angof: *oblivion*
cynhyrfu: *to get exicted, to agitate*
atgof: *memory*
ystyried: *to consider*
merthyr: *martyr*

cyfiawnder: *justice*
pe gwyddai Terence: petai T. yn gwybod
ymosod: *attack*
cryfder: *strength*
ymdeimlad o euogrwydd: *a feeling of guilt*
llethol: *oppressive*
cyffesu: *to confess*
sibrwd: *to whisper*

fyddai'r cyfle wedi mynd. Fe aeth hyn yn ei dro yn fwrn, a dyblu'r euogrwydd.

Felly, wedi methu gwneud iawn i Karl trwy gyffesu wrtho, fe ddechreuodd wneud iawn i'w ysbryd trwblus ei hun trwy wneud dau beth. Yn gyntaf, fe beidiodd â mynychu'r *Crown*. Fe welodd Wil James droeon yn ystod dyddiau'i ddirwest, ond fe fu'n ddigon gwrol i droi clust fyddar. Yn ail, wedi peidio â mynychu'r *Crown* fe ddechreuodd fynychu'r capel. Yn union fel yr oedd yn cysylltu'r *Crown* â'r meddwi a'i harweiniodd i ymosod ar Karl, yr oedd yn cysylltu'r capel â'r grym a wnaeth Karl yn drech na'r ymosod. Eisteddodd yn sedd gefn capel yr Annibynwyr dair noson Sul yn olynol, ac er nad oedd pregethau S. J. Williams y gweinidog ifanc yn golygu fawr iddo, yr oedd bod wedi mentro i'r capel yn rhoi tawelwch rhyfedd iddo. Yr oedd yn teimlo nad oedd y dydd ymhell yn awr pan gâi ddigon o nerth i fynd at Karl a chyffesu.

Ond fe ddigwyddodd y peth arall. Yr oedd wedi llwyddo i anghofio (am Sheila) nes cafodd lythyr un bore wrth gychwyn i'w waith o'r Cefn Canol.

Hwn oedd yr unig lythyr a gawsai gan Sheila erioed.

3 Maes Powys,
Llanaerwen,
Henberth.

Dear Terence,—
Please me'et me too-morrow night at seven o clock on the bridje in Llan like you used.
Yours, with love,
SHEILA

Y peth a'i poenodd oedd fod Sheila wedi sgrifennu o gwbwl, a'i bod ar waelod y nodyn wedi mynegi'i chariad. Wrth lusgo'i draed tua Lleifior, yr oedd ei feddwl yn ddau. Yr oedd un darn

---

bwrn: *burden*
gwneud iawn i Karl: *to compensate K.*
mynychu: *to frequent*
dirwest: dim yfed cwrw
gwrol: dewr
troi clust fyddar: *to turn a deaf ear*
grym: *might*

yn drech na: *stronger/superior than*
yn olynol: *in succession*
pan gâi: pan fyddai'n cael
nerth: *strength*
a gawsai: yr oedd wedi'i gael
mynegi: *to express*

126

ohono'n falch fod cyfle eto i gyfarfod â Sheila. Ond yr oedd darn arall ei feddwl yn flin wrthi am ei gwthio'i hun yn ôl i'w fywyd pan oedd wedi dysgu byw hebddi'n eithaf da. Fe fu'n hir ar ddau feddwl pa un i'w chyfarfod ai peidio, ond o'r diwedd, fe benderfynodd fynd.

Sheila oedd gyntaf ar y bont. Pan welodd Terence hi fe deimlodd dipyn yn fawr. Yr oedd yr eneth wedi canfod ei chamgymeriad yn colli'i phen ar y llanc o'r dre, ac wedi ffeindio mai ef, Terence, oedd ei chariad hi wedi'r cwbwl. Ac yr oedd mor awyddus i'w gyfarfod eto nes dod at y bont cyn pryd.

"Hylô, Terence."

"Hylô, Sheila."

Yr oedd y ddau'n swnio braidd yn swil, a Sheila'n unig oedd yn gwenu.

"Lle'r awn ni?" gofynnodd Terence.

"Lle lici di."

"I'r Nant?"

"Olreit."

Er ei bod yn noson fudr, wleb, cododd y ddau goleri'u cotiau a mynd i gyfeiriad y Nant. Smociodd Terence yn drwm ar hyd y ffordd. Yr oedd hynny'n arbed siarad mwy nag oedd raid. Fodd bynnag, gan edrych yn syth o'i flaen, mentrodd ofyn,

"Sut mae dy tshap di, Sheila?"

"Wedi gorffen efo fo," ebe Sheila, mewn llais bach, a'i geiriau'n boddi yn ei chrafat.

"O."

Cerddodd sbel eto mewn distawrwydd. Ond o'r diwedd fe fethodd Sheila â dal, a throdd at Terence yn sydyn.

"Terence pam na ofynni di imi dy briodi di?"

Trodd ef ati fel petai wedi'i wanu.

"Ond duwc, Sheila," meddai, "Wel, mi liciwn i, ond duwc, fedrwn i ddim . . . dydw i ddim yn ennill digon eto . . . mi—"

"Mae genny ofn bod rhaid iti."

"Sheila! Dwyt ti ddim . . .?"

"Ydw."

---

| | |
|---|---|
| canfod: h.y. gweld | fe fethodd S. â dal: *S. couldn't contain* |
| awyddus: *eager* | *herself,* (methu â dal) |
| budr (G.C.): brwnt | fel petai wedi'i wanu: *as if he had been* |
| gwleb: h.y. gwlyb | *stabbed* |

"Ond—ond wyt ti'n siŵr mai fi . . .?"

"Ie. Ti."

Mewn ychydig eiliadau, neidiodd ei feddwl hwnt ac yma drwy'r cawdel gan geisio ffordd allan. Ond yr oedd hi'n cau arno o bob cyfeiriad. Gwnaeth un ymdrech olaf, lesg.

"Fedra i mo dy briodi di."

"Ti sy'n gwybod. Prun a briodi di fi ai peidio, mi fydd yn rhaid iti gadw dau ar wahân i ti dy hun."

Chwysodd Terence. Yr oedd hi'n ddidrugaredd. Yr oedd hi'n amlwg wedi meddwl am bopeth, wedi cynllunio popeth.

Dechreuodd Terence feddwl am effeithiau hyn. Fe fyddai'n rhaid iddo ddweud wrthynt gartref. Gorfod priodi fu ar ei dad a'i fam yr un fath ag yntau'n awr. Fe'i gwelodd Terence ei hun yn ceisio llusgo'r stori allan wrth ei dad a'i fam a'i frodyr a'i chwiorydd amser swper. A chyda'i gap yn ei law o flaen tad a mam Sheila yn gofyn caniatâd i wneud yr anochel.

## II

Wrth fynd o'r tŷ gwelodd Marged Terence a Sheila'n mynd i mewn i'r drws nesaf. Yr oedd Sheila wedi dweud ei thrwbwl wrthi hi, ac yr oedd hi, er gwaetha'i sioc a'i diflastod, wedi cydymdeimlo.

Gwir, yr oedd hi wedi'i themtio fwy nag unwaith yng nghanol caethiwed y nyrsio diddiwedd ar ei thad, wedi'i themtio i fynd allan, i rywle, am ffling. Yr oedd yn gorfod edrych ymlaen at ddegau o flynyddoedd o fod yn hen ferch wedi bygwth torri'i hewyllys fwy nag unwaith, a'i gyrru allan i'r caeau tywyll i geisio lladrata priodas, megis, trwy drais. Ond o edrych ar ruddiau llwydion Sheila wrth ddod o'i gwaith bob dydd a gwylio'r panig yn symud yn ei llygaid cyn iddi benderfynu dweud wrth Terence, yr oedd Marged yn falch, wedi'r cyfan, o'i hymatal.

---

hwnt ac yma: *here and there*
cawdel: *mess*
llesg: *feeble*
Prun . . . ai peidio: *Whether you'll
  marry me or not*
didrugaredd: *without mercy*
effeithiau: *effects*
yn anochel: *the inevitable*

diflastod: *misery*
caethiwed: *captivity*
hen ferch: *spinster*
lladrata: *dwyn*
trais: *violence/rape*
gruddiau: *checks*
ymatal: *restraint*

128

Brysiodd drwy'r glaw oer dros bont Llanaerwen i siop Wilff.
Yr oedd wedi wyth o'r gloch ond nid oedd Wilff wedi cau. Safodd
yn betrus ar drothwy'r drws. Â'i gefn at y goeden Nadolig fawr
yn y gornel, safai Harri Vaughan, Lleifior. Yr oedd yn wynebu
dau o weithwyr y ffordd a oedd yn gymdogion i Marged yn nhai
cyngor Maes Powys, ac yr oedd yn amlwg fod dadl rhyngddynt.
Yr oedd un ohonynt, Joni Watkins, yn dweud,
    "A thase gen inne fab gwerth ei halen mi fuaswn yn ei anfon
ynte i'r coleg i arbed iddo slafio fel yr ydw i."
    Dywedodd y llall, Twm Ellis,
    "Roedd gen i ddigon yn 'y mhen, medde Roberts y Sgŵl ers
talwm, ac mi fuaswn wedi gwneud marc go ffein mewn Iwni-
fersiti, ond doedd gen 'y nhad mo'r pres i 'nanfon i fel sy gen
Vaughan, Lleifior."
    Go brin fod Harri'n derbyn barn y Sgŵl am ei ddisgybl, ond
y cyfan a ddywedodd oedd,
    "Ond rwy'n siŵr y cytunwch chi fod yn rhaid i rywrai anfon
eu meibion i'r coleg. Sut siâp fydde ar y wlad petae pawb yn
gweithio ar y ffordd ac ar ffermydd? A sut siâp fydde arni wedyn
petae pawb mewn coleg? Mae'n rhaid cael rhai i gynnal gwlad a
rhai i'w rhedeg hi."
    "Olreit," ebe Joni Watkin yn hyderus, "ond dweud yr ydw
i fod gormod ohonoch chi'r tacle mewn coleg."
    "Fe ellwch chi fod yn falch o hynny," meddai (Harri)
wrthynt. "Yn falch fod mwyafrif eich pobol ifanc yn mynd i
mewn am swyddi sy'n gofyn mwy o straen a chyfrifoldeb. Dydi
swydd ysgafnach ar y corff ddim o angenrheidrwydd yn
ysgafnach ar y meddwl."
    "Not a bit of it!" ffrwydrodd Joni Watkin. "Cwshi jobs,
'ngwas i. Cwshi jobs. Wyt ti'n meddwl am funud y bydde
cymaint o bobol ifanc yn mynd yn fancars ac yn ditshiars ac yn
blwmin pregethwyr petae gwaith pen yn g'letach na gwaith
llaw?"

---

yn betrus: *hesitantly*
ar drothwy: ar step
y Sgŵl: h.y. *the Schoolmaster*
go ffein: h.y. eithaf da
go brin: *hardly*

cynnal: *to maintain*
tacle: h.y. taclau, *rascals*
cyfrifoldeb: *responsibility*
o angenrheidrwydd: *of necessity*

"Cweit reit, Joni," ebe Twm Ellis. "Cwshi jobs. Ac un peth arall, cofia di. Mwy o gyflog."

"O ie," ebe Joni Watkin, yn rowlio'i ben yn egnïol. "Mwy o gyflog. Dyma ti, Harri. Fe ddylid gwneud i ffwrdd â'r posishions esmwyth 'ma i gyd a rhoi pob un ohonoch chi'r ladidas i wneud rhyw waith iwsffwl. Dyna'r soliwshion i gyflwr y wlad 'ma heddiw."

"Ond y dyn," ebe Harri'n uchel, yn dechrau colli'i addfwynder erbyn hyn, "on'd oes yna fancwyr ac athrawon a dynion mewn swyddfeydd yn Rwsia, hyd yn oed, mewn gwlad gomiwnyddol!"

Cododd Joni Watkin ei law'n ataliol.

"Paid ti â sôn wrtha i am Rwsia ac am gomiwnism. Does gen i ddim 'mynedd efo comiwnism. Lebor ydw i."

"Ond yr un peth ydi Llafur a Chomiwnydd yn y pen draw," ebe Harri.

"Paid ti â thrio 'nysgu i beth ydi Lebor," ebe Joni, "a finne wedi bod yn Lebor ar hyd fy oes."

"Ie," ategodd Twm Ellis. "Dwyt ti ddim yn dysgu popeth mewn coleg."

"Dod, Twm? gofynnodd Joni.

"Ydw, am wn i, Joni," ebe Twm, a chodi coler ei got i wynebu'r eirlaw.

"Sdawch, bawb," ebe Joni.

"Sdawch," ebe Twm.

Ond cyn cau'r drws ar eu holau, taflodd Joni un olwg ar Harri a dweud,

"Ryden ni'n dal yn brin o ddyn ar y ffordd er pan aeth tad Marged 'ma'n sâl. Os byddi di'n teimlo fel gwneud rhywbeth i gymdeithas, Harri, meddwl amdani, wnei di?"

A chan chwyrnu chwerthin yn eu gyddfau, diflannodd y ddau i'r nos. Bu mudandod am sbel yn y siop. Yna, penderfynodd Wilff y gallai ef yn awr gymryd pethau mewn llaw a gollwng ei dafod.

---

yn egnïol: *energetically*
addfwynder: *gentleness*
yn ataliol: i stopio
yn y pen draw: *ultimately*
ategodd T.R.: *supported T.R.,* (ategu)

am wn i: *as far as I know*
eirlaw: *sleet*
Sdawch (G.C.): Nos da i chi
chwyrnu: *to snore*
mudandod: tawelwch

130

"Rhai garw ydi'r *boys*," meddai, "mae'n rhaid iddyn nhw gael eu *say*. Rydw i'n credu mewn i bawb gael eu *say*. Wedi'r cyfan, yr yden ni'n byw mewn gwlad rydd, on'd yden? *Free speech and so on*, yntê. *Yes*, Miss Morris?"

"Roedd Mr. Vaughan yma o'm blaen i," meddai Marged, yn weddus swil, yn taflu llygad ar Harri.

"Popeth yn iawn," ebe Harri, "Dydw i ddim ar frys." Trodd Marged yn ôl at y siopwr.

"Rhywbeth i wneud diod lemon neu oren i 'Nhad." meddai.

"*Squash? Yes*," ebe'r siopwr, gan fowio, a throi i archwilio'r silffoedd uwch ei ben.

"Mae'ch tad yn wael, Miss Morris?" ebe Harri, yn teimlo'i bod yn weddus arno ddweud rhywbeth.

"Ydi, ers misoedd, Mr. Vaughan," ebe Marged.

"Mae'n ddrwg genny glywed," ebe Harri. "Chewch chi ddim Nadolig llawen iawn eleni, 'te."

"Mwy llawen na llawer, hwyrach, Mr. Vaughan." Ac yr oedd gwên fach annwyl iawn yn llygad Marged y funud honno.

Dyna un ffordd o edrych ar bethau, meddai Harri wrtho'i hun.

"Rhywbeth arall, Miss Morris?" gofynnodd Wilff. "Na? *Very good*. Nos da."

"Nos da, Miss Morris," ebe Harri. "A gobeithio y bydd eich tad yn well."

"Diolch yn fawr, Mr. Vaughan."

Ac i gyfeiliant sionc y gloch, aeth Marged hithau allan i'r eirlaw. Rywfodd, wrth frysio dros bont Llanaerwen drwy'r glaw, yr oedd hi'n afresymol lawen. Yr oedd wedi gweld Harri Vaughan, Lleifior, ac wedi sefyll yn ei ymyl. Ac yr oedd ef wedi cymryd sylw ohoni ac wedi siarad â hi.

---

yn weddus: *suitably*  
archwilio: *to examine*  
cyfeiliant: *accompaniment*

sionc: *nimble*  
yn afresymol: *unreasonably*

131

# III

Ar hyd y ffordd o siop Wilff fe fu Harri'n ceisio cadw'r dur yn ei ewyllys. Ond er ei waethaf yr oedd y dur yn toddi. Wedi rhoi'r geiriau yr oedd yn mynd i'w dweud bob un yn ei le fe ddôi rhyw nerfusrwydd a'u chwalu i gyd drachefn. Yr oedd yn edifar ganddo erbyn hyn na ddaethai â'r car wedi'r cwbwl. Wedi penderfynu yr oedd peidio â defnyddio'r car drwy gydol y gwyliau, gan ei fod yn sumbol o gyfalafiaeth. Yr oedd am gerdded bob dydd i bobman.

P'un bynnag, yr oedd wedi dod hebddo. Ond, yr arswyd, yr oedd hi'n oer, ac fe fyddai'n wlyb at ei groen ymhell cyn cyrraedd. Ac yr oedd wedi hen anghofio bod y ffordd o'r pentref mor bell. Yr oedd ganddo reswm arall, hefyd, dros beidio â dod â'r car. Fe fuasai'r car yn mynd ag ef i ben ei daith yn rhy gyflym, ac yr oedd am ohirio'r awr boenus cyhyd ag oedd modd.

Tynnodd ei fflachlamp o'i boced a'i throi ar yr oriawr ar ei arddwrn. Pum munud wedi naw. Yr oedd i fod yno erbyn naw ac yr oedd ganddo hanner milltir eto. Yr oedd wedi trefnu awr ddigon hwyr fel na fyddai rhaid aros yno'n hir.

Yng ngwaelod Wtra'r Trawscoed yr oedd golau car. Pan gyrhaeddodd y car yr oedd ei galon yn curo'i frest fel dwrn ar ddrws. Edrychodd Lisabeth arno'n feirniadol.

"Hanner awr yn hwyr," oedd ei geiriau cyntaf.

Yn union fel hi, meddai Harri wrtho'i hun.

"Tyrd i mewn."

Yr oedd hi'n dal y drws gyferbyn â hi'n agored iddo.

"Na," meddai Harri, "ddo i ddim i mewn. Rydw i bron yn wlyb at 'y nghroen ac mi wlycha sedd y car."

"Wel," ebe Lisabeth, "os na ddôi di i mewn mi ddo i allan."

"Paid â bod yn wirion. Fe wlychi."

---

dur: *steel*
ewyllys: *will*
fe ddôi: fe fyddai . . . yn dod
chwalu: torri
yn edifar: yn flin, *sorry*
na ddaethai â'r car: nad oedd wedi
   dod â'r car
drwy gydol: ar hyd

cyfalafiaeth: *capitalism*
am gerdded: yn bwriadu cerdded
yr arswyd: h.y. *By jove!*
gohirio: *to postpone*
cyhyd a(g): *as long as*
garddwrn: *wrist*
yn feirniadol: *critically*
yn wirion: *silly*

132

"Pa ots?" ebe Lisabeth. "Fe ddyle cariadon rannu glaw a rhannu hindda."

Synnodd Harri glywed brawddeg mor raenus ganddi. Daeth hi allan o'r car.

"Pl'e mae dy gar di?" gofynnodd.

"Roedd arna i awydd cerdded."

"Wel, mi ddewisest noson dda i'r gwaith. Un cwestiwn arall. Pam trefnu i ddod mor hwyr?"

"Am na wnei di ddim mwynhau 'nghwmni i heno."

Synhwyrodd Lisabeth fwy o drwbwl yn ei lais nag yn ei eiriau.

"Harri, beth sy'n bod?"

Cododd ef ei ben ac edrych arni yng ngolau'r car. Yr oedd ei hwyneb yr un mor hardd ag erioed, ond yr oedd yr harddwch yn ei adael yn oer fel carreg. Nid oedd ynddo ddim i'w symbylu mwy. Ac erbyn hyn, nid oedd ganddo ef fel gwerinwr ddim yn gyffredin â hi nac â'i bywyd hi.

"Rhaid inni orffen."

Rhythodd hi arno.

"Gorffen . . .?"

"Ie, Lisabeth."

"Rwyt ti'n golygu . . . torri *engagement*?"

"Hynny'n union."

Cydiodd Lisabeth yn adain y car i'w chynnal ei hun. Er bod ei hwyneb yn y cysgod fe wyddai Harri'i fod yn wyn fel lliain.

"Ond Harri . . . pam? Mor sydyn . . .?"

"Dydi o ddim yn sydyn, Lisabeth, mi wyddost—"

"O ydi, mae o. Dy lythyrau di . . . roedden nhw'n annwyl . . . doedd yna'r un gair . . ."

Yr oedd hi'n dweud y gwir, fe wyddai Harri. Yr oedd wedi gwthio anwyldeb i'w lythyrau ac nid oedd hi wedi ffeindio nad oedd yn ddidwyll. Tan echnos, y sgwrs olaf gyda Gwylan, yr oedd Harri wedi gobeithio y dôi'i gariad yn ôl.

---

| | |
|---|---|
| hindda: tywydd da | golygu: *to mean* |
| graenus: *polished* | adain: *wing* |
| roedd arna i awydd *I felt like walking* | cynnal: *to support* |
| synhwyrodd L.: *L. sensed,* | fe wyddai H.: roedd H. yn gwybod |
| (synhwyro) | anwyldeb: *tenderness* |
| symbylu: *to motivate* | nad oedd: *that he was not* |
| gwerinwr: dyn cyffredin | didwyll: *sincere* |
| rhythodd hi: *she stared,* (rhythu) | y dôi: y byddai . . . yn dod |

133

"Mae'n ddrwg genny, Lisabeth."

"Ond pryd . . . pa bryd y peidiaist ti 'ngharu i, Harri?"

"Wn i ddim . . . ydi o ryw wahaniaeth?"

"Nac ydi, wrth gwrs. Ond ar ôl tair blynedd—"

"Paid, Lisabeth."

Gwelodd hi'n plygu'i phen ac yn gwasgu'i hances poced ar ei llygaid. Yr oedd hi'n ymladd yn ddewr â'i dagrau. Wedi iddi gael peth rheolaeth ar ei theimladau, tynnodd ei maneg, a chan wasgu'i gwefusau'n dynn, tynnu'r fodrwy ddyweddio oddi ar ei bys. Estynnodd hi iddo.

"Gwell iti gael dy fodrwy'n ôl."

"Chymera i mohoni, Lisabeth. Roedd hi'n ffitio dy fys di. Rown i moni byth ar fys neb arall."

"Chymera inne moni chwaith!" A thaflodd Lisabeth y fodrwy i ffwrdd oddi wrthi i'r tywyllwch. A'i holl gorff yn ysgwyd gan feichio crio, a'i sŵn yn ofnadwy yn y nos, rhuthrodd i mewn i'r car a chau'r drws yn glep arni a thanio'r peiriant. Neidiodd Harri o'r ffordd fel y llamodd y car mawr heibio iddo, a throi, a saethu i fyny'r ffordd gul tua'r Trawscoed. Safodd yno nes diflannodd y ddau olau coch o'i ôl o'r golwg ym muarth y ffarm. Ac yna troi tuag adref.

Ar hyd y ffordd i Leifior yr oedd ei ben yn ferw. Yr oedd sŵn beichio wylo Lisabeth ynddo o hyd, fel petai hi yn ei ymyl. Yr oedd yn teimlo rhyddhad o gael terfyn ar y cyfan. Yr oedd straen y caru digariad ar hyd y flwyddyn ddiwethaf wedi dod i ben. Ond yn ei fyw ni allai ymysgwyd o deimlo'i fod wedi gwneud cam, a cham mawr. Diolchodd fod Lisabeth wedi gyrru adref ar ei hunion ac nid trwy wrych a thros ddibyn. Ond beth fyddai'r

---

peidiaist ti: *you stopped*
o ryw wahaniaeth: h.y. *of any*
  *importance*
rheolaeth: *control*
modrwy ddyweddio: *engagement ring*
rown i moni byth: *I would never put*
  *it,* (rhoi)
beichio crio: h.y. *sobbing*
a chau'r drws yn glep: *and slammed*
  *the door*
tanio: *to fire*

llamodd: neidiodd, (llamu)
o'r golwg: *out of sight*
yn ferw: h.y. *boiling*
rhyddhad: *relief*
terfyn: diwedd
y caru digariad: *the loveless courting*
yn ei fyw: h.y. *for the life of him*
ymysgwyd: *to shake off*
gwneud cam: *to cause injustice*
dibyn: *precipice*

effaith arni ar ôl hyn, ni wyddai. A pha beth fyddai'r canlyn-
iadau yn y Trawscoed, ac yn Lleifior, doedd ond y nefoedd a
wyddai ei hun.

## IV

Pan gyrhaeddodd Harri Lleifior yr oedd pawb wedi mynd i'r
gwely ond Greta a Karl. Safai Greta ar ben ysgol-risiau ar ganol
y parlwr mawr a Karl ar lawr yn estyn celyn iddi. Yr oedd y
ddau'n chwerthin. Yr oedd yn amlwg eu bod mewn cariad.

Pan welodd Harri'r stafell olau a'r celyn a'r garlantau papur,
a chlywed y chwerthin, a thynnu'i ddillad gwlybion oddi
amdano, daeth arno yntau awydd chwerthin. Yn sydyn,
gwelodd sbrigyn o fisilto'n hongian o'r lamp fawr. Fe wyddai am
gariad Karl a Greta ac fe wyddai am eu hymatal. Ond ni wyddai
pam yr oedd rhaid ymatal. Yr oedd ef yn falch fod Dr. Rushmere
wedi mynd. Rhedodd at y lamp fawr a thynnu Greta'n ddi-
seremoni oddi ar yr ysgol, ac wedi'i gosod dan y misilto,
gwaeddodd ar Karl,

"Rwan, Karl!"

Yr oedd gwrid swil, sydyn ar wyneb Karl. Ond yr oedd
Harri'n dal i ddisgwyl â her yn ei lygaid, a daeth Karl ymlaen a
chydio'n dyner yn Greta, a chyfarfu gwefusau'r ddau. Fe
barhaodd y cusan ychydig yn hwy na chusan arferol misilto, yn
ddigon hir i Harri ddianc yn ddistaw o'r ystafell. Neu felly y
tybiodd. Ond gwrthododd Karl gymryd mantais arno, a
galwodd,

"Harri!"

Trodd Harri yn y drws.

"Dowch i helpu. Mae'n rhaid rhoi'r celyn i gyd i fyny cyn
mynd i'r gwely."

---

ni wyddai: doedd hi ddim yn
  gwybod
doedd ond y nefoedd . . . .: h.y.
  *heaven only knows*
celyn: *holly*
daeth arno yntau . . . .: *he also felt like*
  *laughing*

eu hymatal: *their restrain*
ymatal: *to restrain*
gwrid: *blush*
her: *challenge*
cyfarfu: *cwrddodd*
yn hwy: *longer*
fclly y tybiodd: *so he thought*

135

A chyda winc ar Greta, aeth Karl i ben yr ysgol i wneud y gwaith na chafodd Greta mo'r llonydd i'w orffen. Daeth Harri'n ôl.

"Rydech chi wedi gwneud y lle 'ma'n grand iawn," meddai.

"Mae'n rhaid ei gael o'n grand erbyn y parti," ebe Greta. Trodd Harri ac edrych arni.

"Pa barti?"

"Parti Noson Bocsing. Chefais i'r un parti penblwydd un ar hugain gan fod mam yn ei gwely a thithe oddi cartre, felly'r yden ni'n ei gael noson ar ôl y Gwylie."

"O, neis iawn," ebe Harri. "Pwy sy'n dod?"

"Wel . . . ni'n tri, wrth gwrs . . ."

"Nid fi," meddai Karl. "Gweithiwr ydw i—"

"Karl," ebe Harri, "dim o'r lol yna. Rydech chi'n un o deulu Lleifior. Os na fyddwch chi yn y parti, fydda i ddim."

"'Nhad a mam, wrth gwrs," ebe Greta, "er y byddan nhw'n mynd i'r gwely'n gynnar; Tom y Garnedd ac Annie'i chwaer; Richard a Beti ac Elinor Castell Aram; ac wrth gwrs, Lisabeth a Dafydd a Gwilym Trawscoed—"

Safodd Harri'n stond.

"Ddaw plant y Trawscoed ddim," meddai. "Ddaw . . . ddaw Lisabeth ddim, beth bynnag."

"Harri." Daeth Greta'n araf tuag ato a'i dwylo ymhleth. "Does yna ddim wedi digwydd rhyngot ti a hi?"

"Oes. Heno."

"Y ffŵl iti! Yr hen ffŵl! Wyddost ti mo'i gwerth hi. Un o lodesi gore'r Sir—"

"Dyna ddigon, Greta. Mae'r peth wedi costio digon imi'n barod."

Safodd Greta ar ganol y llawr, a'i holl gorff yn crynu. Yna, o'i gwefusau glaniaith, dihangodd yr unig reg a glywodd neb ganddi erioed.

"O'r cythrel dwl!"

---

llonydd: h.y. *quietness, peace*
safodd H.: *H. stood,* (sefyll)
yn stond: *still*
ymhleth: *folded*

lodesi: merched
rheg: *swear-word*
"o'r cythrel dwl!": h.y. *the silly fool!*

A rhuthrodd o'r parlwr mawr, gan gau'r drws ar ei hol â chlep a wnaeth i'r hen blasty solet grynu. Ymlwybrodd Harri at un o'r cadeiriau esmwyth ger y tân coch, cysglyd, a suddo iddi. Yr oedd wedi brifo Greta'n gyntaf. Wedi'i gwahanu hi a'i chyfeilles. Ac fe wyddai nad Greta'n unig a frifai. Disgynnodd cysgod rhyngddo a golau'r lamp fawr. Cododd ei ben, a gweld Karl yn sefyll yn ei ymyl, a'i lygaid yn deall fel llygaid mam.

"Gadewch imi ddweud," meddai Karl, "fy mod i wedi gweld hyn yn dod ers llawer o fisoedd. Dwyf fi yn gweld ynoch ddim bai. Yng ngeiriau'r Apostol Paul, 'heb gariad gennych, nid yw modrwy ddim llesâd i chwi.' Mae'n arferiad gennym ni yn yr Almaen ysgwyd llaw cyn mynd i'r gwely. Gute Nacht, Harri."

A chododd Harri i ysgwyd llaw ag ef. Yr oedd Karl ac yntau'n rhannu'r un ystafell wely, ond yr oedd Karl wedi synhwyro bod ar Harri eisiau bod ar ei ben ei hun.

Eisteddodd Harri yn y gadair i wylio'r tân yn diffodd. Pan ddaeth un o'r gloch y bore, brysiodd Harri yntau o'r parlwr mawr, a thrwy'r neuadd, ac i fyny'r grisiau, ac ar hyd y landing, gan ddiffodd y goleuon wrth fynd, i guddio'r ysbrydion. Pan ddaeth i'r llofft yr oedd Karl yn dal ar ei liniau wrth y gwely.

---

â chlep: *with a slam*  
solet: *solid*  
ymlwybrodd H.: *H. made his way,*  
(ymlwybro)

a frifai: a fyddai e'n ei frifo/*to hurt*  
llesâd: *benefit*  
synhwyro: *to sense*

137

# YR AIL-BENNOD-AR-BYMTHEG

Nid oedd dydd Nadolig yn Lleifior yn hollol yr un fath ag arfer.
Yr oedd Greta, i ddathlu'i hunfed-blwydd-ar-hugain, a llwydd-
iant Harri yn y coleg, a'r gwelliant yn iechyd ei mam, wedi
addurno'r tŷ drwyddo'n fwy ysblennydd nag erioed o'r blaen.
Yr oedd tanau ym mhob stafell drwy'r tŷ ar Ddydd Nadolig,
a phawb yn rhydd i fynd lle mynnai ac i wneud beth bynnag a
fynnai'i galon. Yr oedd Edward Vaughan wedi treulio awr neu
ddwy yn yr offis yn gwneud cyfrifon. Felly y byddai'n treulio bob
bore Nadolig. Ond heddiw, er bod tân braf yn yr offis, yr oedd
wedi methu aros yno. Yn un peth, yr oedd yn mynnu gweld Wil
James, yn eistedd yn y gadair gyferbyn. Yr oedd hi'n mynd yn
ddadl o hyd rhwng Edward Vaughan a drychiolaeth Wil James,
a Wil James yn ennill bob tro. Fe'i cafodd Edward Vaughan ei
hun yn y doc, a Wil James yn farnwr. Yr oedd y peth yn mynd
yn fwrn arno. Wedyn, yr oedd yr hyn a ddigwyddodd y bore o'r
blaen . . .
   Yr ail bnawn wedi i Harri ddod adref o Fangor yr oedd
Edward Vaughan yn y gadlas (pan) glywodd lidiart y gadlas yn
agor. Trodd ei ben a gweld Robert Pugh y Trawscoed yn dod
drwyddi, a'i het ar ochr ei ben fel dyn newydd ymwthio trwy
wrych drain. Ni chyfarchodd mohono, hyd yn oed.
   ''Ble mae Harri?'' gofynnodd ar unwaith.
   ''Sut yr ydech chi, Robert Pugh?'' meddai Edward Vaughan,
yn dechrau'n gwrtais yn y dechrau.
   ''Na hidiwch sut yr ydw i. Ble mae Harri?''
   ''Mae Henri'' meddai gyda phwyslais ar iawn ynganu'r enw,
''mae Henri wedi mynd i Henberth i gyfarfod un o'i gyfeillion.
Welais mohono heddiw. Oes rhywbeth yn bod?''

---

ysblennydd: *splendid*
rhydd: *free*
lle mynnai: *wherever he wished,*
   (mynnu)
cyfrifon: *accounts*
drychiolaeth: *apparition*
barnwr: *judge*

yn fwrn: *a burden*
y gadlas: *the yard*
gwrych drain: *a hedge of thorns*
Ni chyfarchodd mohono: *He didn't*
   *greet him,* (cyfarch)
Na hidiwch: h.y. *Never mind*
ynganu: *to pronounce*

"Bod!" ffrwydrodd Robert Pugh, "Beth, ddwedech chi, Edward Vaughan, ydi hon?"

"Mi ddywedwn i, Robert Pugh, mai modrwy ydi hi. Y cwestiwn perthnasol, dybiwn i, ydi—beth amdani?"

Llyncodd Robert Pugh dalp o'i dymer, ac yna rhuodd,

"Mi fûm i am dair awr y bore 'ma yn y cae wrth y ffordd yn chwilio am hon. A'r ddau fab acw efo fi. Tri ohonon ni, Edward Vaughan, am dair awr!"

"Mae'n rhaid," meddai Edward Vaughan, "fod chwilio am fodrwy yn waith pur broffidiol, fod tri ffarmwr yn gallu treulio bore cyfan arno."

Ymsythodd Robert Pugh.

"Bydd," meddai, "yr ydw i'n disgwyl y bydd o'n broffidiol. Mi fydd hon yn dystiolaeth werth arian mewn achos brîtsh o' promis."

Yn sydyn, teimlodd Edward Vaughan fod y dydd yn oerach nag y bu.

"Wn i ddim o'r hanes, Robert Pugh. Welais i mo Harri heddiw. Beth sy wedi digwydd?"

"Neithiwr," meddai (Robert Pugh), gan wthio'i wefus allan yn fygythiol, "fe dorrodd Harri'r gyfamod â Lisabeth acw. Cyfamod, deallwch chi, oedd wedi sefyll am dair blynedd. Heb rybudd. Heb iddi gael cyfle i ame dim. A beth wnaeth y lodes wirion ond taflu'r fodrwy 'ma i'r cae. Hurt, meddech chi? Oedd. Ond doedd ei thad hi ddim mor hurt. Dyna, Edward Vaughan, deallwch chi, dyna pam y treulies i dair awr yn chwilio'r cae y bore 'ma. Mae hon yn dystiolaeth."

"Beth ydech chi am imi'i wneud?" (gofynnodd Edward Vaughan).

"Gwneud? Mae'n hollol amlwg beth yr ydw i am ei wneud os na thrwsir pethe?"

"Chodwch chi ddim brîtsh o' promis, Robert Pugh?"

---

ffrwydrodd R.B.: *R.B. exploded*, (ffrwydro)
perthnasol: *relevant*
dybiwn i: h.y. *I imagine*
pur broffidiol: *quite profitable*
ymsythodd R.B.: *R.B. straightened*, (ymsythu)

tystiolaeth: *evidence*
yn fygythiol: *threateningly*
cyfamod: *covenant, engagement*
ame: h.y. amau
lodes: *merch*
amlwg: *obvious*

"Dyna'n union wna i. Rhowch eich hun yn fy lle i. Beth ddywed y cymdogion pan ddaw'r hanes 'ma allan? Mi ddweda i wrthoch chi, os ca i. 'O ydi,' ddwedan nhw, 'mae mab Lleifior wedi rhoi merch y Trawscoed i fyny. Dydi brîd y Trawscoed ddim digon da i frîd Lleifior, welwch chi.' Ydw i'n mynd i sefyll i f'insyltio fel'na?"

"Rydech chi'n dychmygu, Robert Pugh."

"Yn dychmygu dim. Yr ydw i'n nabod pobol Dyffryn Aerwen yn rhy dda."

"Rydech chi'n gwneud mynydd o'r peth, Robert Pugh—"

"Mynydd? Mae'n debyg mai swp pridd y wadd o beth ydi fod Doctor Rushmere wedi rhoi'r gore i Greta?"

"Pwy ddwedodd fod Doctor Rushmere wedi rhoi'r gorau i Greta?"

"Mae pawb yn dweud. Dyna'r stori. Dyw o ddim yn beth neis i'w glywed, nac ydi, gŵr Lleifior?"

Nac oedd, doedd o ddim yn beth neis.

"Ac rwy'n siŵr," ebe Robert Pugh ymhellach, "na welwch chi ddim bai arna i yn f'amddiffyn fy hun rhag stori debyg. Rwy'n siŵr, Edward Vaughan, y gwnewch chi'ch eitha i gael Harri i weld rheswm. Fydd y bachgen ddim yn edifar. Chaiff o'r un wraig well na Lisabeth petae'n mynd drwy'r colege i gyd efo crib mân. Os methwch chi â pherswadio Harri, fedra i ddim ateb yrwan am y canlyniade. Pnawn da, Edward Vaughan."

Yn ei fyw, ni allai Edward Vaughan gael yr wyneb coch a'r llais cras o'i feddwl. Y bygwth cyfraith a'r stori am Dr. Rushmere a Greta. Yr oedd wedi cael sgwrs â Harri, sgwrs hir a thadol ac ymresymgar. Ni allai gael rheswm ohono dros dorri'i amod ond "Dyden ni ddim yn gweddu i'n gilydd." Ond yr oedd yn amau bod rheswm arall. Teimlodd Edward Vaughan fod bywyd, a fu mor garedig cyhyd, wedi cymryd tro aflawen. Yn

---

| | |
|---|---|
| brîd: *breed* | cras: *rough* |
| dychmygu: *to imagine* | bygwth: *to threaten* |
| swp pridd y wadd: h.y. *a mountain* | cyfraith: *law* |
|   *out of a molehill* | tadol: *fatherly* |
| y gwnewch chi'ch eitha: *that you'll do* | ymresymgar: *logical* |
|   *your best* | amod: h.y. *engagement* |
| yn edifar: h.y. *sorry* | gweddu: *to suit* |
| crib mân: *a fine comb* | cyhyd: *am gymaint o amser/mor hir* |
| yn ei fyw: *for the life of him* | aflawen: *anhapus* |

140

gyntaf, Wil James. Yn awr, y plant. Greta a'r Doctor. Harri a merch Robert Pugh. Wedi magu'ch plant ar hufen bywyd, yr oedd gennych hawl i ddisgwyl iddynt rhoi peth o'r hufen yn eich llestri chwithau yn eich hen ddyddiau.

Trodd Edward Vaughan a gweld Greta'n taro'i chylchgrawn ar lawr ac yn codi o'i chadair ac yn prysuro drwy'r parlwr.

Yr oedd Greta'n fwy blin wrthi'i hun nag wrth neb arall. Fel rheol, pan fyddai pob wyneb arall yn Lleifior yn hir, yr oedd hi'n gallu taflu'i chyrls melyn a chwerthin. Hi, meddai'r chwedl, oedd bywyd ac enaid y lle. Ond heddiw, yr oedd ei hwyneb hi cyhyd â'r lleill.

Un chwim i faddau oedd Greta. Ac eisoes yr oedd hi wedi maddau i Harri. Yr oeddynt yn frawd a chwaer. Ond nid oedd yn rhoi ar ddeall iddo fod maddeuant ar gael. Yr oedd yn rhy fuan. Dwy noson wedi'r helynt yr oedd wedi dweud wrtho,

"Fe glywaist am Robert Pugh yn mynd yn gynddeiriog efo 'Nhad?"

"Do. Fe gadwodd yr hen ŵr fi am ddwy awr solet yn yr offis neithiwr, yn rhoi disgrifiad manwl o Robert Pugh—ei wyneb o, ei lygaid o, ei lais o."

"Fu o'n trio dy berswadio di i ddod i delere â Lisabeth?"

"Do."

"Beth ddwedest ti?"

"Beth fedrwn i 'i ddweud?"

"Mae genn'ti gariad arall, Harri."

"Paid â phriodoli i eraill dy wendide di dy hun."

"Creulon. Pam y taflaist ti Lisabeth, 'te?"

Rhoddodd Harri'i lyfr i lawr.

"Os oes arnat ti eisie gwybod, Greta, dyma fo iti. Yr ydw i wedi glân alaru ar fywyd lord. Yr ydw i'n dweud wrthot ti, Greta, fod Lleifior a'r Trawscoed a'r Garnedd a Chastell Aram a phob ffarm debyg iddyn nhw drwy Gymru a Lloegr ac America yn mynd drwy'r minsar yn ystod yr ugain mlynedd nesa 'ma. Fe

---

taro: h.y. dodi

chwim: cyfle

maddeuant: *forgiveness*

helynt: *fuss,* trafferth

yn gynddeiriog: yn grac/flin iawn

telere: h.y. telerau, *terms*

priodoli: *to attribute*

wedi glân alaru ar: *got fed-up with*

141

fyddan naill ai'n perthyn i'r wladwriaeth neu wedi'u rhannu rhwng criw o dyddynwyr.''

''Comiwnist ydi hynna.''

''Reit lodes. Yr ydw i'n gomiwnydd.''

''Rwyt ti'n—*beth*!''

Llaciodd Harri'i gorff am funud cyn mynd rhagddo. Yr oedd wedi torri'r newydd i un o'r teulu, beth bynnag.

''Rwan. Mae'n rhaid i gomiwnydd briodi comiwnydd neu un sy'n debyg o ddod yn gomiwnydd. Neu fe chwalith y cartre. Achos nid credo ydi comwnyddiaeth, ond ffordd o fyw. Wyt ti'n meddwl y gwnâi Lisabeth gomiwnydd?''

''Na wnâi byth!'' ebe Greta. ''Mae hi wedi'i magu'n ormod o ledi.''

''Mae'n debyg dy fod ti wedi trio ennill Lisabeth?''

''Yn gomiwnydd?''

''Ie.''

''N-naddo.''

''Fe fuase Lisabeth wedi dod yn gomiwnist, dim ond er mwyn dy gadw di. Fe fuase wedi gwneud unrhyw beth i ti. Roedd hi'n dy garu di gymaint. Y gwir ydi, Harri, nad oedd arnat ti ddim eise'i hennill hi. A'r rheswm am hynny ydi'r llythyr gest ti ddoe, a sgrifen merch ar yr amlen. Paid â meddwl nad ydw i'n gweld. Ond wna i ddim holi.'' Cododd Greta pan welodd y gwrid yn pigo bochau Harri. Yna, cyn mynd, meddai, ''Fe wyddost, debyg, 'mod i wedi canslo'r parti?''

''Oedd raid iti?'' gofynnodd Harri.

''Pe cynhalien ni barti yma heb blant Trawscoed, fe fydden ni'n destun siarad yr ardal. Mi ddwedais wrthyn nhw fod Mam yn sâl.'' A gadawodd hi Harri y noson honno yn ei gadair.

Trodd yr ŵydd yn y stof fawr newydd. Doedd ganddi hi fawr o archwaeth at ŵydd. Fe fuasai ŵy wedi'i ferwi'n ginio mwy cydnaws â—. Clywodd gnoc ar y drws allan. Y postman, mwy na

---

gwladwriaeth: *state*

tyddynwyr: *small-holders*

fe chwalith y cartre: *the home will break-up*, (chwalu)

y gwnâi L.: *that L. would make*, (gwneud)

ledi: h.y. *lady*

gwrid: *blush*

debyg: h.y. siŵr o fod

pe cynhalien ni: petaen ni'n cynnal

testun siarad: *the subject of talk/gossip*

archwaeth at: *appetite for*

mwy cydnaws â: *more compatible with*

142

thebyg. Wrth fynd drwy'r neuadd gwelodd ei mam yn edrych yn ddisgwylgar tua'r drws.

Yr oedd Margaret Vaughan yn codi am ryw hyd bob dydd. Er nad oedd hi'n iawn o bell ffordd, yr oedd hi'n teimlo'n well nag y bu. Ond yr oedd Dr. Owen wedi rhybuddio'r teulu nad oedd hi, ar unrhyw gyfrif, i gael sioc o fath yn y byd. Fe allai sioc ei gyrru'n ôl i'w gwely, hwyrach am y tro olaf. Yr oedd hi'n amau bod Dr. Owen wedi rhoi rhybudd o'r fath; yr oedd wedi synhwyro bod ei gŵr a'r plant yn cadw pethau oddi wrthi. Fe ddeallodd fod Wil James wedi mynd o Leifior; pan ofynnodd hi pam, dweud a wnaethant ei fod wedi mynd ohono'i hun, a'i fod yn fwy na thebyg wedi cael lle arall. Ac ers wythnos yr oedd wedi synhwyro awyrgylch anniddan yn y tŷ, a mwy na hynny wedi synhwyro bod a wnelo (hynny) â Harri.

Dosbarthodd Greta'r cardiau.

"I chi, Mam; Karl; Mam; 'Nhad a Mam; 'Nhad a Mam; i mi; Harri; teulu Lleifior; Mam . . ."

Gan na chafodd Edward Vaughan ddim iddo'i hunan ond calendr neu ddau oddi wrth gwmnïau gwerthu blawd, i'w briod y daeth rhan helaeth y pentwr. Agorodd hi y rheini.

"Sali, Llanberis. Chware teg iddi am 'y nghofio i. Anne, Nottingham—O diar, chofiais i ddim amdani hi 'leni . . . rhaid imi anfon cerdyn blwyddyn newydd . . . Wel, chware teg i Mari 'nghyfnither . . . mae hi'n mynd i oed, hefyd . . . H'm, dyma lythyr. Oddi wrth bwy mae hwn, tybed? Marc post Llanaerwen, hefyd . . ."

O'i chlywed yn ddistaw, edrychodd Edward Vaughan arni a gweld yr ychydig liw a oedd ar ôl yn ei gruddiau yn treio ohonynt ac yn eu gadael fel y calch.

"Margaret," meddai, "beth sy'n bod?"

Gan obeithio'i bod wedi camddarllen, darllenodd Margaret Vaughan y llythyr eto.

---

yn ddisgwylgar: *expectantly*
ar unrhyw gyfrif: *on any account*
hwyrach (G.C.): efallai
synhwyro: *to sense*
awyrgylch: *atmosphere*
anniddan: *unpleasant*

bod a wnelo hynny â H.: *that that had to do with H.*
rhan helaeth: rhan fwyaf
yn treio: *ebbing*
calch: *lime*

Trawscoed,
Llanaerwen,
Henberth,
Rhagfyr 24.

Annwyl Mrs. Vaughan,

Rhag ofn nag ydyw eich teulu wedi dweud wrthych Wythnos i nos Wener diwethaf fe dorrodd Harry ei engagement ag Elizabeth. Mae yr eneth mewn cyflwr drwg iawn ac yr ydym yn gorfod ei watchio rhag ofn iddi wneud niwed iddi ei hun. Wrth gwrs yr ydym yn mynd i roi y peth yn llaw y twrne. Os digwyddith rhywbeth i Elizabeth fe fyddwn yn eich dal fel teulu yn gyfrifol. Rhag eich cywilydd.

Yr eiddoch,
ELEANOR PUGH.

"O Edward . . ." sibrydodd.

Cyffrodd Edward Vaughan.

"Henri! Karl!" gwaeddodd. Ond yr oedd Karl eisoes wrth ei chadair ac wedi rhoi stôl dan ei thraed a chlustog dan ei phen. Ond yr oedd hi'n anymwybodol. Rhuthrodd Greta i mewn wedi clywed y stŵr, ac wedi un gipolwg, cydiodd yn y sefyllfa.

"Ewch â hi i'r gwely ar unwaith," meddai. "Karl, chi ydi'r cryfa. Harri, ffonia di Dr. Owen."

Ni adawodd (Greta) ochor ei mam nes daeth hi ati'i hun. A rhyw hanner dod ati'i hun a wnaeth. Yr oedd ei llygaid yn bell, a phrin yr oedd hi'n nabod neb. Galwodd Greta ar Harri i fynd ati tra byddai hi'n rhoi'r cinio ar y bwrdd. Yna, gadawodd y dynion i fwyta'r cinio ac aeth yn ôl at ei mam.

Yr oedd y cinio'n odidog. Ond wedi chwarter awr o fwyta mewn distawrwydd, nid oedd platiaid yr un ohonynt fawr ddim llai.

"Y llythyr 'na," meddai Edward Vaughan o'r diwedd.

Nid atebodd neb mohono.

"Ddyle hi ddim bod wedi'i weld o," meddai wedyn.

---

cyflwr: *condition*
twrne/twrnai (G.C.): cyfreithiwr
rhag eich cywilydd: *for shame (you)!*
yn anymwybodol: *unconscious*
cipolwg: *glance*

nes daeth hi ati'i hun: *until she recovered*
godidog: ardderchog
fawr ddim llai: *hardly any less*

"Pe gwyddwn i beth oedd ynddo fe allwn fod wedi'i gymryd o a'i guddio."

"Doedd dim modd ichi wybod," meddai Karl. Distawrwydd eto am ychydig, yna dechreuodd Edward Vaughan drachefn.

"Dydw i ddim yn meddwl y galla i fadde peth fel hwnna byth. I neb. I'r ddynes yna am sgrifennu'r hyn a wnaeth hi . . . Ond wedyn, fuase hi ddim wedi'i sgrifennu—ddim wedi cael achos i'w sgrifennu—onibai—"

Trawodd Harri'i gyllell a'i fforc yn glep ar ei blât tri-chwarter llawn.

"Olreit!" gwaeddodd, a deigryn yn ei dagu. "Fi sy'n gyfrifol. Dwedwch o. Fi ydi llofrudd 'y mam—"

"Henri—!"

"Peidiwch ag ymddiheuro. Fedrwch chi ddim peidio â meddwl. Roeddwn i'n gallu gweld i'r dyfodol, wrth gwrs. Roedd arna'i eisie cael 'madael â Mam, felly mi beidiais i â charu Lisabeth, er mwyn imi gael rhoi'r gore iddi, er mwyn i'w mam hi sgrifennu llythyr cas, er mwyn i Mam gael sioc, er mwyn iddi—Dduw mawr!"

Yr oedd rhywun allan yn curo ar y drws. Agorodd y drws a daeth y rhywun i'r neuadd.

"Hylô!" gwaeddodd llais.

"Doctor Owen," meddai Edward Vaughan, ac aeth i'r neuadd at y meddyg. Cymerodd Edward Vaughan got y meddyg.

"Diar, diar, diar," ebe'r dyn bach crwn. "Ar Ddydd Nadolig o bob diwrnod. Chaiff dyn ddim llonydd i fwyta'i dwrci—"

"Dydi hi ddim yn dda o gwbwl, Doctor Owen—"

"E? Cweit so. Y bag."

A chan gipio'i fag o fysedd Edward Vaughan, saethodd y dyn bach i fyny'r grisiau fel ergyd o wn. Agorodd ddrws y llofft, ac wedi taro'i sbectol ddi-ffrâm ar ei drwyn, edrychodd ar Margaret Vaughan o'r drws.

"Brenin mawr!" meddai. Ac mewn chwinciaid yr oedd wrth y gwely. Rhoddodd ei gorn yn ei glustiau a gwrando ar ei chalon.

---

pe gwyddwn i: petawn i'n gwybod
modd: ffordd
drachefn: eto
madde/maddau: *to forgive*

onibai: *were it not*
tagu: *to choke*
cael 'madael â: *to get rid of*
corn: *stethoscope*

Byseddodd ei llygaid a'i chlustiau a phob man arall lle gallai fod sumptom, ac yna cadwodd ei bethau yn ei fag. Aethant i lawr y grisiau i'r parlwr mawr.

"Mr. Vaughan," meddai'r meddyg, "un peth y rhybuddiais i chi rhagddo oedd caniatáu i Mrs. Vaughan gael sioc o unrhyw fath. Yrwan! Atebwch i mi, heb flewyn ar eich tafod: beth, y bore 'ma, sy wedi rhoi sioc i Mrs. Vaughan?"

Cydiodd Edward Vaughan yn dynn yng nghefn cadair.

"Mae arna i ofn na alla i ddim dweud wrthoch chi, doctor," meddai o'r diwedd.

"E? Ddim dweud? Mr. Vaughan, yr ydech chi'n chware â bywyd eich gwraig. Alla i ddim prescreibio beth all achub ei bywyd hi—*all* ydw i'n ei ddweud, sylwch—os na fydda i'n gwybod beth oedd natur y sioc."

"Rhyw lythyr gafodd hi y bore 'ma."

"Mi fynna i weld y llythyr, plîs."

"Ond—ond llythyr preifat, doctor—"

"Mr. Vaughan. Doctor ydw i, nid bisibodi. Ar unwaith, plîs."

Ceisiodd Edward Vaughan gofio ymh'le y gwelsai'r llythyr ddiwethaf. Cofiodd i Greta'i gipio oddi arno yn y gegin.

"Greta," ebe'i thad, "deflaist ti'r llythyr gafodd dy fam y bore 'ma i'r tân? Roedd ar Doctor Owen eisie'i weld o."

Am eiliad, petrusodd Greta. Yna, tynnodd ddarn o bapur crympiog o boced ei brat, a'i estyn i'r meddyg.

"Thanciw, Greta."

Trawodd Dr. Owen ei sbectol ar ei drwyn a thynnu'r wyneb anharddaf posibl wrth ei ddarllen. Estynnodd ef yn ôl.

"Thanciw, Greta. A rwan, ewch o'r stafell, 'y mach i, tra bydda i'n cael gair â'ch tad."

Aeth Greta allan.

"Mr. Vaughan," ebe'r meddyg. "Hwyrach na wyddoch chi ddim, ond nid dyma'r tro cyntaf i Mrs. Robert Pugh y

---

y rhybuddiais i chi rhagddo: *I warned you about,* (rhybuddio)
caniatáu: *to allow*
heb flewyn ar eich tafod: h.y. *without holding back anything*

mi fynna i: *I insist,* (mynnu)
petrusodd G.: *G. hesitated*
brat: ffedog
anharddaf: *ugliest*

Trawscoed sgrifennu llythyr fel hwnna. Fe fygythiwyd cyfraith arni y tro hwnnw. A dim ond wedi i Robert Pugh grefu llawer, a thalu cryn swm o arian, os ydw i'n cofio, y tynnwyd y bygythiad yn ôl. Rwan, wn i ddim digon am y gyfraith i ddweud a ydi'r llythyr yna'n athrodus ai peidio. Bygythiwch gyfraith arni, p'un bynnag. Mae'r sort yna'n ddigon hawdd eu dychryn. 'Y ngwaith i, serch hynny, ydi trio cadw anadl einioes yn eich annwyl wraig. Fe ddaw Karl efo fi i mo'yn tabledi.''

Cyn gynted ag y caeodd y drws, trodd Edward Vaughan ac edrych i fyny tua'r llofft. Yr oedd arno ofn mynd i fyny ond aeth i fyny'n araf, ac wedi loetran ar y landing, agor ei drws. Prin yr oedd yn ei chlywed hi'n anadlu. Aeth ar flaenau'i draed at ei gwely a chymryd ei llaw yn ei ddwy law galed ei hun.

''Margaret, mae'n rhaid ichi fendio. Mae'n rhaid ichi.''

Aeth munud cyhyd ag awr heibio, ac yna agorodd hi ei llygaid. Am un foment fer yr oedd ofn ynddynt, ond wedi gweld ei wyneb ef uwch ei phen fe giliodd yr ofn. Caeodd ei llygaid drachefn. Cododd Edward Vaughan ei ben ac edrych drwy'r ffenest ar Leifior. Fe roesai Leifior bob acer am ei chael hi'n ôl yn iach fel yr oedd hi gynt.

---

fe fygythiwyd cyfraith: *law was threatened*, (bygwth)
crefu: *to plead*
cryn: *considerable*
athrodus: *libelous*
serch hynny: *nevertheless*

anadl einioes: *breath of life*
prin yr oedd: *hardly he was*
mendio (G.C.): gwella, *to mend*
cyhyd: mor hir
fe roesai: fe fyddai'n rhoi
cynt: o'r blaen

147

# Y DDEUNAWFED BENNOD

## I

Yr oedd (Harri) wedi wynebu'r gwyliau mwyaf diflas a wynebodd erioed. Yn awr yr oedd yn cefnu arnynt a'r trên yn ei ruthro o Bowys. Ar ei lin siglai llyfr cas melyn caled. Yr un llyfr ag oedd ar ei lin wrth ddod. Yn agored ar yr un dudalen. Yr oedd y gyfres gyfan o weithiau Lenin yn ei fag, heb eu dadbacio drwy gydol y gwyliau. Nid lle i fyfyrdod oedd Lleifior ar y Nadolig hwn. Yn sŵn beichio wylo ac yn aroglau salwch a rhwng hyrddiau o gweryla, ni allai'r meddwl mwyaf academaidd fynd drwy'r gyfrol gyntaf. Ac oni bai am y gyfrol gyntaf, mae'n bosibl y buasai wedi cymodi â'i dad.

Yr oedd Greta wedi erfyn arno gadw'i gomwnyddiaeth iddo'i hun. Yr oedd hi wedi dod yn weddol drwy'r sioc o gael brawd yn gomiwnydd. Wedi'r cyfan, ar bob mater o farn a chredo erioed, Harri oedd ei harweinydd hi.

Ond yr oedd wedi gofyn un peth i Harri. Wedi gofyn iddo gelu'i droedigaeth oddi wrth ei dad. Yr oedd ef wedi dioddef digon. Yr oedd Harri, gyda chymorth yr helbulon newydd, wedi addo.

Nid oedd ef a'i dad wedi torri gair â'i gilydd rhwng amser cinio Dydd Nadolig ac amser cinio drannoeth. Fe wyddai Harri fod ei dad yn dal i ddisgwyl iddo ymddiheuro ac nid oedd ef yn barod i ymddiheuro. Yr oedd Edward Vaughan yntau'n teimlo'i fod wedi gwneud cam â'r bachgen trwy awgrymu mai ef oedd yn gyfrifol am y sioc i'w fam Ond petai ef yn ymddiheuro, fe

---

cefnu: troi cefn
dadbacio: *to unpack*
drwy gydol: *throughout*
myfyrdod: *meditation*
beichio wylo: crio mawr
hyrddiau: h.y. *bouts*
cymodi: *to reconcile*
wedi erfyn arno: *had begged him*

credo: *creed*
celu: cuddio
troedigaeth: *conversion*
helbulon: *trafferthion*
wedi torri gair: wedi siarad
ymddiheuro: *to apologise*
gwneud cam: *to wrong*

148

fyddai'n gwneud peth nas gwnaethai erioed o'r blaen. Lle'r plant oedd ildio, nid lle rhieni.

Ac felly, ni bu ymddiheuro. Ond fe fu ymlacio. Aeth Harri'n ymwybodol mai'i dad oedd ei dad wedi'r cwbwl, a bod tad a phenteulu'n haeddu parch yn ei dŷ. Aeth Edward Vaughan yr un mor ymwybodol nad plentyn oedd Harri mwyach, ond dyn ifanc o farn, â gradd i'w enw, wedi dwyn clod i'w deulu a llithrodd y ddau i sgwrsio drachefn.

Yr oedd pethau'n gwella, ac ychydig wres yn dod yn ôl i'r sgwrs, a dyfnder. Ac fe fyddai'r tad a'r mab wedi'u hadfer i'w gilydd cyn i Harri ymadael oni bai am y ffrae newydd a gododd ar noson ola'r gwyliau.

Eistedd yr oedd Harri wrth dân y parlwr bach pan glywodd y drws yn agor a'i dad yn dod i mewn. Yn llaw ei dad yr oedd y gyfrol gyntaf o weithiau Lenin.

"Roedd ffenest dy lofft di'n clecian," meddai Edward Vaughan. "Mi es i mewn i'w chau hi rhag iddi styrbio dy fam. Mi welais hwn wrth dy wely di."

"Wel?" ebe Harri.

"Llyfr ar gomiwnyddiaeth, mae'n debyg, gan ei fod o gan Lenin."

"Ie."

"Pam rwyt ti'n ei ddarllen o?"

"Neno'r annwyl, 'Nhad, all dyn yn ei oed ac yn ei synnwyr ddim darllen beth fynn o?"

"Pam rwyt ti'n colli dy dymer?"

"Dydw i ddim yn colli 'nhymer."

"Wyt. Rwyt ti'n flin 'mod i wedi gweld hwn yn dy lofft di."

"Wel, ydw'n naturiol. Wedi'r cyfan, mae llofft dyn a phopeth sydd ynddi'n breifat—"

"Yr unig beth sy'n breifat ydi'r pethe y mae gan ddyn gywilydd ohonyn nhw."

"Does arna i ddim cywilydd 'mod i'n darllen Lenin—"

---

nas gwnaethai: nad oedd wedi
  gwneud
ildio: *to give in*
ymwybodol: *conscious*
penteulu: pen y teulu
wedi dwyn clod: *had brought credit*

wedi'u hadfer: *would have been
  restored/reconciled*
clecian: *to rattle*
beth fynn o: h.y. beth mae e eisiau
cywilydd: *shame*

149

"Pam?"

"Am mai Lenin oedd dyn mwya'r ganrif yma—"

Brathodd Harri'i dafod. Ond yr oedd yn rhy hwyr. Yr oedd ei gyffes allan. Rhoddodd Edward Vaughan y llyfr ar y bwrdd a sefyll gyferbyn â Harri, a'i ddwylo y tu ôl i'w gefn.

"Rwyt ti'n dweud," meddai, "fod dyn fu'n gyfrifol am gymaint o ddiodde yn ddyn mawr."

"Nid Lenin oedd yn gyfrifol am y diodde," meddai Harri. "Y cyfalafwyr oedd yn gyfrifol am y diodde."

"Fe fyddi'n dweud nesaf mai cyfalafwr ydw i."

"Dyna ydech chi."

"Wyt ti'n nghondemnio i am gasglu'r arian sy wedi rhoi d'ysgolion preifat a dy goleg iti, a phob cysur gefaist ti yn dy fywyd?"

"Ydw."

"Duw faddeuo iti."

A throdd Edward Vaughan a mynd i'r ffenest ac edrych allan i'r nos, fel petai'n gweld caeau Lleifior yn goch gan waed rhyfel cartref a gyneuwyd gan Harri.

Trodd at Harri drachefn.

"Fe wnei f'enw i'n yfflon. Pam na fuaset ti wedi ymuno â'r Blaid Genedlaethol, os oedd raid iti adael Rhyddfrydiaeth dy deulu? Mae 'na bobol ifanc ddigon call yn ymuno â honno heddiw. Ond Comiwnist!"

Yr oedd Harri'n dechrau edifaru erbyn hyn. Yr oedd ei dad wedi'i gynhyrfu.

"Peidiwch â'ch ypsetio'ch hun, 'Nhad, mae—"

"Ypsetio! Mae'n dda 'mod i wedi f'ypsetio, cyn i bethe fynd ddim pellach. Mae'n bwysig imi wybod pethe yma er mwyn y dyfodol. Ateb un cwestiwn imi eto. Wyddost ti faint ydi 'ngwerth i?"

"Na wn i, a fedra i ddim gweld beth sy â wnelo hynny â—"

---

brathodd H. (G.C.)/cnoiodd H (D.C.): *H. bit*
cyffes: *confession*
cyfalafwyr: *capitalists*
cysur: *comfort*
Duw faddeuo iti: *May God forgive you*
a gyneuwyd: *which were lit,* (cynnau)

yn yfflon: *in pieces/tatters*
y Blaid Genedlaethol: *the Nationalist Party*
Rhyddfrydiaeth: *Liberalism*
edifaru: *to repent*
wedi'i gynhyrfu: *agitated*
beth sy â wnelo hynny â: *what has that to do with*

150

"Mae'n iawn iti wybod, er mwyn iti weld maint y llanast yr wyt ti ar fin ei wneud. Rhwng popeth—yr ydw i'n werth rhywle o gwmpas deugain mil. Gelli, fe elli di synnu. Rwan. Yn ôl yr ewyllys yr ydw i wedi'i gwneud fe fydd y rhan ore o'r eiddo yma, cyn gynted ag y bydda i wedi 'nghladdu, yn dod i ti. Hynny yw, fe fyddi di'n gyfalafwr, yn gyfalafwr go fawr. Rwan, p'un ydi'r cryfa? Lenin, ynte pum-mil-ar-hugan o bunne?"

Teimlodd Harri nad oedd sedd ei gadair yn hanner digon dwfn. Fe roesai'r byd am allu mynd o'r golwg ynddi.

"Ond 'Nhad," meddai, "ydech chi ddim yn sylweddoli bod y byd yn mynd yn gomiwnyddol, ac y daw comwnyddiaeth yn fuan, fuan i'r wlad yma."

"Siarad yr wyt ti," meddai'i dad, "am gan mlynedd o rwan. Siarad yr ydw i am yr hyn sy'n weddill o'm hoes i fy hun ac am dy oes di. Beth wnei di â phum-mil-ar-hugain o bunne?"

"'Nhad—does dim rhaid imi ateb rwan . . . Rydech chi wedi'ch cynhyrfu . . . fe gawn ni siarad am hyn eto—"

"A hwyrach na chawn ni ddim. Mae'n bwysig imi wybod, achos yr ydw i'n mynd i weld 'y nhwrne fory. Os ydi f'arian i, a minne yn 'y medd, yn mynd i goffre'r Blaid Gomiwnyddol, mae'n well gen i'u rhoi nhw i gyd i Greta neu at gapel Bethel neu'u rhannu nhw rhwng y ddau ddwsin neiod a nithoedd sy genny. Rwan. Beth wnei di â nhw?"

Dyma'r creisis, meddai Harri wrtho'i hun.

"Fedra i mo'u cadw nhw," meddai.

"O'r gore." A heb air yn rhagor, cerddodd ei dad o'r ystafell.

Ni welodd Harri mo'i dad amser swper nac amser brecwast heddiw nac amser cinio. Aethai o Leifior heb ysgwyd llaw ag ef, heb hyd yn oed ei weld. Pan ofynnodd i Greta ymh'le'r oedd,

---

llanast: *mess*
ar fin: *on the point of*
ewyllys: *will*
eiddo: *property*
fe roesai'r byd: fe fyddai'n rhoi'r byd
o'r golwg: *out of sight*
sy'n weddill: *which is left*
a hwyrach na . . .: *and perhaps we won't*

'y nhwrne/fy nhwrnai (G.C.): fy nghyfreithiwr/*solicitor*
'y medd/fy medd: *my grave*
coffre/coffrau: *coffers*
neiod: *nephews*
nithoedd: *nieces*
aethai: roedd wedi mynd

151

dywedodd hi ei fod wedi mynd ben bore i Henberth. Harri'n unig a wyddai i beth.

Carlamodd y trên drwy'r wlad wen. Cydiodd Harri yn y gyfrol gyntaf o weithiau Lenin a'i rhoi'n ôl yn ei fag. Eisteddodd yn ôl yn ei sedd a syllu allan ar y farwolaeth hyd wyneb y tir.

## II

Nid oedd Gwylan yn yr orsaf yn ei gyfarfod, a phan aeth i'w llety tua naw o'r gloch nid oedd hi wedi cyrraedd. Teimlodd Harri siom. Yn ei llythyr diwethaf nid oedd wedi dweud pa bryd y byddai'n cyrraedd Bangor. Dim ond y byddai'n siŵr o'i gweld. Yr oedd Harri'n siomedig. Yr oedd angen Gwylan arno. Angen ei chadernid. Hi'n unig a allai'i gadw'n gomiwnydd a'i feddwl yn y gwewyr yr oedd. At hynny, yr oedd arno eisiau dweud wrthi mor ufudd y bu iddi, a'i fod wedi ymwadu â'i holl etifeddiaeth ariannol. Yr oedd yn rhaid iddo'i gweld.

Yn y gobaith, aeth i stafell yr Undeb fore trannoeth. Yno, unwaith eto, yr oedd howdidŵ fawr dechrau tymor. Gweiddi a chwerthin a chanu. I Harri, wedi ingoedd y gwyliau, yr oedd y cyfan yn wag. Yn arwynebol ac yn blentynnaidd. Yn ddim. Yr oedd fel petai, yn ystod y tair wythnos a aeth heibio, wedi tyfu i fyny'n sydyn, ac fel petai'n edrych ar blant yn chwarae.

Trodd Harri'i gefn ar yr olygfa a mynd yn araf tua'r drws. Newydd fynd drwy'r drws i'r coridor yr oedd pan welodd hi'n dod.

"Hylô, Gwylan."

"Hylô, Harri. Roeddwn i'n chwilio amdanoch chi. Mi fethais i â dod neithiwr. Roeddwn i mewn cyfarfod Llafur ym Mrynllecha', ac mi gollis y bws ola i Fangor. Sut ydach chi?"

"Yn llawer gwell wedi'ch gweld chi. Roeddwn i wedi mynd i godi pob math o fwganod."

---

ben bore: y peth cyntaf yn y bore
a wyddai: oedd yn gwybod
angen: eisiau
cadernid: *steadiness*
gwewyr: *anguish*
at hynny: *in addition to that*
ufudd: *obedient*

ymwadu: *to renounce*
etifeddiaeth: *inheritance*
ingoedd: *agonies*
arwynebol: *superficial*
codi pob math . . .: *to imagine all sorts of things*

152

"Oedd arnoch chi gymaint o isio 'ngweld i â hynny?"

"Mae genny gymaint eisie'i ddweud wrthoch chi."

"Beth am goffi?" ebe Gwylan.

"N-na. 'Da'i ddim i mewn yna eto. Mae—maen nhw'n rhy blentynnaidd."

Darllenodd Gwylan ei wyneb yn ofalus.

"Mae 'na rywbeth yn eich poeni chi, Harri."

"Na hidiwch am hynny rwan. Mae arna i eisie sgwrs â chi."

"Dowch i'r cysgod, 'ta."

Ac aethant i ddarn cysgodol o'r coridor.

"Wel, Harri? Sgwrsiwch."

Â'i llygaid duon wedi'u hoelio arno, gwrandawodd ar Harri'n adrodd stori Lisabeth a stori'i dad. Siaradodd Harri am hanner awr a hithau'n gwrando, heb ymyrryd. A phan dawodd, yr oedd yn ysgafnach dyn.

"Rydach chi'n ddyn dewr iawn, Harri."

Dewr? A oedd ef, mewn gwirionedd, yn ddewr? Dechreuodd feddwl ei fod.

"Yr ydach chi'n wynebu bywyd bellach yn ddyn sengal ac yn ddyn tlawd."

"Ond hynny sy'n iawn, yntê, Gwylan?"

"Ydach chi'n credu'i fod o'n iawn, Harri?"

"Wel, ydw, neno'r diar, neu fuaswn i ddim—"

"Rydw i'n fodlon, 'ta."

Ond fe dybiodd Harri fod rhyw betruso arni nas gwelsai o'r blaen. Dim ond am eiliad. Pan gododd hi'i llygaid duon drachefn yr oeddynt yn ddisglair. Tybiodd ef mai gan edmygedd.

## III

Ar yr un foment yr oedd Karl a Greta'n wynebu'i gilydd yng nghegin Lleifior. Yr oedd y cwmwl ar Leifior wedi duo. Y bore hwnnw yr oedd Margaret Vaughan wedi gwaelu'n sydyn. Ar y llofft uwchben clywai'r ddau gamau prysur Dr. Owen. Aeth

---

| | |
|---|---|
| na hidiwch: peidiwch â phoeni | nas gwelsai: nad oedd wedi gweld |
| wedi'u hoelio: *nailed* | edmygedd: *admiration* |
| heb ymyrryd: *without interrupting* | wedi gwaelu: *had deteriorated* |
| pctruso: *to hesitate* | |

Greta'n chwerw. Wedi misoedd o wylio a gofalu a rhedeg a cholli cwsg, yr oedd y diwedd yn ymyl, ond diwedd a oedd yn gwneud y cyfan yn ofer. Dywedodd yn oer,

"Fe ddaru chi anghofio gweddïo y bore 'ma, Karl."

Tywynnodd poen yn llygaid Karl, poen drosti hi yn ei chwerwedd.

"Naddo," meddai. "Mi weddïais i."

"Chafodd eich gweddi chi mo'i hateb."

"Do, rwyn meddwl."

"A beth oedd yr ateb?"

"Fe all eich mam wella ar ddau amod. Un, bod gennym ni ffydd. Y llall, ein bod yn cael y dyn iawn ati."

"Gawsoch chi wybod hefyd pwy oedd y dyn iawn?"

Nodiodd Karl yn araf, a syllu'n syth i'w llygaid. Cydiodd cryndod sydyn yn Greta.

Nodiodd Karl eto.

"Dr. Rushmere," meddai.

Beth bynnag oedd cymhelliad Greta i'w ddweud, fe'i dwedodd.

"Mae'n rhy hwyr. Hyd yn oed petai'n fodlon i ddod, ddôi o byth mewn pryd."

"Mae Duw'n helpu'r rhai sy'n ymdrechu."

Trodd Greta at y ffenestr. Yr oedd y dewis rhwng bywyd ei mam a Paul, neu Karl a—. Heb aros i'r meddwl orffen ffurfio, rhuthrodd o'r ystafell ac i fyny'r grisiau ac i'r llofft.

"Dr. Owen. Mae'n rhaid cael operêshon."

Syllodd y dyn bach arni, a rhoi'i sbectol ar ei drwyn i'w gweld yn well.

"Operêshon! 'Y ngeneth fach i, wyddoch chi beth ydech chi'n ddweud?"

"Gwn," ebe Greta. "Does dim rheswm fod Mam yn y fan yma'n gorwedd yr holl amser. Fe ddyle fod mewn ysbyty, ac fe ddylech chithe wybod hynny'n well na neb."

---

chwerw: *bitter*, (cf. chwerwedd—
   *bitterness*)
yn ofer: *in vain*
fe ddaru chi anghofio (G.C.): fe
   anghofioch chi
tywynnodd: disgleiriodd, (disgleirio)

amod: *condition*
ffydd: *faith*
cryndod: *trembling*
cymhelliad: *motive*
ddôi o byth: fyddai fe byth yn dod
ffurfio: *to form*

154

"Greta," ebe'i thad. "Dr. Owen ŵyr ore."

"Nonsens," ebe Greta. "Neu fe fydde Mam wedi dod drwyddi erbyn hyn, yn lle bod yn fan yma'n—yn—" A thorrodd i lawr yn lân.

Cafodd ei dagrau effaith ar ei thad.

"Hwyrach, doctor," meddai, "fod rhywbeth yn hyn mae'r lodes yn ei ddweud—"

"Ond Mr. Vaughan, mae—mae Mrs. Vaughan yn rhy wan o ddim rheswm i feddwl am y peth. Mae—wel, mae—"

Aeth Edward Vaughan yn gadarn.

"Oes gennoch chi, Dr. Owen, wrthwynebiad inni gael opiniwn arall?"

Syllodd y meddyg arno.

"Does genny ddim dewis," meddai, wedi mwy na hanner pwdu. Ac ychwanegodd yn sychlyd, "Pwy sy gennoch chi mewn golwg?"

"Dr. Paul Rushmere," meddai Greta fel cloch.

"Rushmere . . . Rushmere . . . chlywais i 'rioed mo'r enw," meddai'r meddyg. "Feri wel. Galwch amdano."

Ac wedi llusgo'i got uchaf amdano, aeth adref at ei ginio.

Ymhen awr o fewn pum munud yr oedd y *Gloria* wrth y drws. Dywedodd Paul mai dyna'r daith gyflymaf y bu arno erioed. Yr oedd yn amlwg mewn clamp o dymer. Ysgydwodd law ag Edward Vaughan, taflu hylo brysiog at Greta, a dweud,

"I'll see her at once."

Ffoniodd Greta Dr. Owen, ac aeth Edward Vaughan â Paul i fyny. Safodd Paul am funud cyfan yn edrych ar y ddrychiolaeth yn y gwely. Yna, siglodd ei ben yn araf. Yr oedd yn ei felltithio'i hun am ddod mor bell i ddim.

Archwiliodd hi'n frysiog.

"Six months ago, yes. Now, not a chance in a thousand." Trodd atynt. "It's no good telling you now what fools you've been. We all make mistakes at one time or another. But I wish to

---

ŵyr ore: sy'n gwybod orau
yn lân: *completely*
o ddim rheswm: *out of all reason*
yn gadarn: *firm*
gwrthwynebiad: *opposition*
pwdu: *to pout*

mewn golwg: h.y. *in mind*
mewn clamp o dymer: h.y. *in a*
   *terrible mood*
drychiolaeth: *apparition*
melltithio: *to curse*
archwiliodd: *he examined,* (archwilio)

God you could stand in my shoes for just one moment and feel how sorry I am.''

Gwyrodd Edward Vaughan ei ben gwyn. Gwasgodd Greta'i ffedog ar ei llygaid. Ar wahân i'w hwylo distaw hi, nid oedd smic yn y stafell drymaidd ond anadlu trafferthus y claf. Aeth munudau heibio, ac yna clywsant y drws allan yn agor ac yn cau a chamau cyflym Dr. Owen yn dod ar hyd y neuadd ac i fyny'r grisiau. Cododd Edward Vaughan i'w cyflwyno.

"Dr. Owen. Dr. Rushmere.''

"How d'you do?''

"How d'you do?''

Ysgwyd llaw, ac yna symudodd y ddau at y gwely.

"Have you examined her?'' gofynnodd Dr. Owen.

"Yes.''

"You find it a bad case, no doubt.''

"No doubt.''

Synhwyrodd Dr. Owen y sen yn llais y llall.

"You'd probably like a word in private.''

"Quite unnecessary,'' meddai Paul. "I've made my decision—with your consent, of course.''

"Yes?''

"I'm taking her to Liverpool.''

"I suppose you are serious?''

"Good heavens, man, what else can one be in such circumstances?''

"You don't, by any chance, contemplate operating?''

"That depends on how she responds.''

"You know that to move her may kill her?''

"She may as well die of boneshaking on the way as die here of neglect,'' ebe Paul fel cyllell.

"I'll take it, Mr. Vaughan and Dr. Owen, that i have your consent? I can assure you—and so, I think, can Dr. Owen—that it's the one and only chance.''

"Certainly, certainly,'' ebe Dr. Owen, mor sych ag y gallai swnio.

---

gwyrodd: plygodd, (gwyro)
smic: *a sound*
trymaidd: *close/heavy*

synhwyrodd Dr. O.: *Dr. O. sensed,*
(synhwyro)
sen: *snub*
swnio: *to sound*

"We're entirely in your hands, Paul," meddai Edward Vaughan.

Ac meddai Paul, gan edrych ym myw llygaid Edward Vaughan a thaflu llond llygad o her at Greta,

"I assure you, I wouldn't risk it for any one else living."

"We appreciate that, my boy, more than we can say," meddai Edward Vaughan yn ddwys. Safodd Greta â'i phen i lawr.

"Will you get me your ambulance, please?" meddai Paul wrth Dr. Owen.

Gan godi'i ysgwyddau, aeth y meddyg bach i lawr at y teleffon. Wedi teleffonio, cydiodd yn ei fag a tharo'i het am ei ben a throi at Edward Vaughan, a safai yn y neuadd.

"Wel, Mr. Vaughan," meddai, "mae'r cwbwl o 'nwylo i."

"Diolch ichi, Dr. Owen, am bopeth," ebe Edward Vaughan yn syml. Ac aeth Dr. Owen o Leifior, yn dyfalu beth oedd y berthynas rhwng y teulu a'r meddyg ifanc gwallgof o Lerpwl.

Gwnaeth Greta fwyd yn frysiog i Paul, a'i adael ef a'i thad yn y gegin i fwyta gyda'i gilydd. Ni allai lai na theimlo'n wag oddi mewn wrth weld Paul yn gwneud cyn lleied o sylw ohoni. Ond yr oedd yr un edrychiad a daflodd arni yn y llofft yn ddigon i ddweud wrthi mai hi oedd y pwysau yng nghlorian bywyd ei mam. Fe wyddai hefyd mai hi fyddai'r pris amdano ped arbedid ef.

---

ym myw llygaid E.V.: *in the pupil of E.V.'s eyes*
her: *challenge*
yn ddwys: *solemnly*
a safai: a oedd yn sefyll
dyfalu: *to guess*
gwallgof: *mad*

ni allai lai: *she couldn't but*
oddi mewn: *within*
clorian: *scales*
fe wyddai: roedd hi'n gwybod
ped arbedid ef: petai bywyd ei mam yn cael ei arbed/*spared*

157

# Y BEDWAREDD-BENNOD-AR-BYMTHEG

## I

Nid diota, fel y tybiai llawer, oedd unig achos y cochni yn wyneb Robert Pugh. Yr oedd hefyd yn dioddef gan ddiffyg treuliad. Ac fe aethai at Dr. Owen echnos i mofyn potel o ffisig gwyn.

Wrth roi'r botel yn ei law, dywedodd Dr. Owen yn sydyn,

"Clywed eich bod chi'n mynd i roi *breach of promise* ar deulu Lleifior, Mr. Pugh."

"Pwy ddywedodd?" ebe Robert Pugh yn swrth.

"Braint meddyg ydi casglu cyfrinache, a'i gyfrifoldeb o ydi'u cadw nhw. Rwy'n gobeithio'r enillwch chi, Mr. Pugh." Yr oedd yn amlwg fod rhywbeth wedi pigo'r meddyg bach. Ni chlywsai Robert Pugh erioed mohono'n yngan dim ond y gorau am deulu Lleifior. "Ond dowch imi'ch rhybuddio chi," ebe'r meddyg, yn troi ato'n sydyn. "Mae'n fwy na thebyg, os rhowch chi'r gyfraith ar Edward Vaughan, y bydd ynte'n rhoi cyfraith arnoch chi."

"Am beth?" ebe Robert Pugh, wedi deffro drwyddo.

"Am y llythyr anfonodd eich annwyl briod at Mrs. Vaughan. Roedd o'n llythyr go beryglus."

Trodd y coch dwfn ar wyneb Robert Pugh yn binc gwelw. Cofiodd yr achos arall bum mlynedd yn ôl, pan anfonodd hi'r llythyr mileinig at Roger Poynton o'r Amwythig ac fel y talodd ef, Robert Pugh, i hwnnw am ei gadw o'r llys a'i gadw'n ddistaw. Ni chafodd Dyffryn Aerwen wybod am hwnnw, neb ond Dr. Owen, am fod Robert Pugh wedi gofyn ei gyngor. Ond os dôi hwn i'r llys . . . Nid oedd Robert Pugh yn ffansïo talu arian mudandod i Edward Vaughan.

---

diota: yfed cwrw
tybiai: meddyliai, (tybio)
diffyg treuliad: *indigestion*
ffisig (G.C.): moddion (D.C.)
yn swrth: *abruptly*
braint: *privilege*

cyfrinach: *secret*
yngan: *to utter*
mileinig: *savage*
os dôi hwn: petai hwn yn dod
arian mudandod: *"hush money"*

Fe fu'n ffrae ar aelwyd y Trawscoed pan gyrhaeddodd Robert Pugh yn ôl o dŷ'r meddyg. Taranodd ef. Wylodd ei wraig. Swatiodd y plant. A phasiwyd i beidio â chrybwyll yr achos tor-amod oni symudai Lleifior yn gyntaf gydag achos y llythyr. Ond yr oedd ffyrdd eraill i ddifwyno urddas Lleifior.

Wedi cyrraedd Llanaerwen, parciodd ei gar o flaen y siop ddillad drws nesaf i siop Wilff. Uwchben y siop yr oedd enw'r perchennog: *J. Aerwennydd Francis, General Draper and Outfitter.* Taflodd Robert Pugh olwg frysiog i fyny'r stryd ac ar draws y groes i fod yn siŵr nad oedd neb o bwys o gwmpas, yna aeth i mewn i'r siop.

Yno, yn gwyro dros gatalog dillad merched yr oedd J. Aerwennydd Francis. Pan glywodd Robert Pugh yn nesáu, cododd ei ben ac edrych arno heb ddim diddordeb. Nid dyn i roi tân yn neb oedd Aerwennydd Francis.

"Sut ydech chi, Aerwennydd?" ebe Robert Pugh.

"Yn weddol, Pugh, ac ystyried 'mod i'n fy lladd fy hun â gwaith," meddai Aerwennydd. Ni chymerodd Robert Pugh sylw o'r celwydd.

"Wel, Aerwennydd," meddai, "yr ydw i wedi dod yma i wneud busnes â chi."

"Wel," meddai'r siopwr, ac arwydd o fywyd yn dod am y tro cyntaf i'w ddau lygad brown, "mi fydda i'n falch iawn o gael dyn mor gefnog yn gwsmer—"

"Y . . . na, nid busnes felly, Aerwennydd. Busnes-y-ychydig yn wahanol."

"Wel?" ebe'r siopwr, a'r arwydd bywyd wedi mynd o'i lygaid a'u gadael yn farw drachefn.

"Mae etholiad y Cyngor Sir i fod yn y Llan 'ma eleni, on'd ydi o, Aerwennydd?"

Nodiodd Aerwennydd yn gysglyd.

"Yr ydech chi'n sefyll fel arfer, Aerwennydd?"

Siglodd Aerwennydd ei ben yn araf.

---

| | |
|---|---|
| taranodd ef: *he thundered* | golwg frysiog: *a hurried glance* |
| swatiodd: cuddiodd, (swatio) | o bwys: *of importance* |
| crybwyll: *to mention* | yn gwyro: yn plygu |
| tor-amod: *breach of promise* | mor gefnog: *so well-off* |
| difwyno: *to ruin* | yn gysglyd: *sleepily* |
| urddas: *dignity* | |

"Nac ydw."

Caeodd ceg Robert Pugh ac agorodd ei lygad.

"Pam, yn enw'r coblyn?"

"Fe wyddoch chi pam, Pugh, cystal â minne. Mi sefais i ddwywaith cyn y rhyfel ac unwaith wedyn. A cholli bob tro. Mae'n amlwg fod yn well gan bobol yr ardal 'ma'r ffarmwr cefnog 'na o Leifior na siopwr bach cydwybodol o'r Llan sy'n barod i wneud ei ore iddyn nhw heb ei styried ei hun. Na, Pugh, Yr ydw i wedi dysgu un peth trwy brofiad chwerw. Nad oes ar Lanaerwen ddim eisie ymgeisydd Llafur."

Crebachodd ceg Robert Pugh yn wên anhyfryd. Fe wyddai nad oedd Aerwennydd ddim mwy o ddyn Llafur nag oedd ef.

"Os addawa i gefnogeth y ffermwyr ichi, wnewch chi sefyll?"

Daeth arwydd bywyd unwaith eto i lygaid y dilledydd.

"Cefnogaeth y ffermwyr? Does neb wedi gwneud mwy yn f'erbyn i bob tro y sefais i na'r ffermwyr."

"Wnân nhw ddim y tro yma, Aerwennydd."

Tybiodd Aerwennydd Francis, am y tro cynta'n ei fywyd, fod gŵr y Trawscoed yn werth cymryd diddordeb ynddo. Yr oedd ganddo syniadau diddorol o leiaf. Fe'i gwnaeth Robert Pugh ei hun yn fwy cysurus ar ei gadair galed.

"Dyma chi, Francis," meddai, "a dyma'r gwir. Mae rhai ohonon ni'i gymdogion wedi dod i'r penderfyniad ein bod ni wedi cael ein cynrychioli ar hyd y blynyddoedd gan ddyn annheilwng."

"Tad annwyl," ebe Aerwennydd yn ddigyffro, "faint o ferched ffarmwrs y mae mab Lleifior wedi gwneud tro sâl â nhw?"

Ymsythodd Robert Pugh ar ei gadair a'i wefusau'n crynu.

"Aerwennydd!" meddai. "Mi ddos i yma gan feddwl siarad â dyn."

---

yn enw'r coblyn: h.y. *for goodness sake!*

cydwybodol: *conscientious*

styried/ystyried: *to consider*

ymgeisydd: *candidate*

crebachodd ceg R.P.: *R.P.'s mouth shrank,* (crebachu)

os addawa i: *if I promise,* (addo)

cefnogaeth: *support*

dilledydd: *tailor.*

tybiodd: meddyliodd, (tybio)

cynrychioli: *to represent*

annheilwng: *unworthy*

ymsythodd R.P.: *R.P. straightened up,* (ymsythu)

"Gofyn cwestiwn wnes i. Mae'n ddrwg genny os twtsies i ddolur."

Setlodd Robert Pugh yn ôl ar ei gadair, yn flin wrtho'i hun am fod mor fyrbwyll.

"Mae'n olreit," meddai'n swrth. Aeth Aerwennydd rhagddo.

"Mi alla i ddeall, Pugh, pam yr ydech chi am gael ymadael â Vaughan. Ond sut y galla i fod yn siŵr fod y ffermwyr eraill—?"

"Gadewch chi hynny i mi," ebe Robert Pugh. "Mae genny gymaint o bwyse ymhlith ffermwyr yr ardal 'ma â Vaughan."

"Mae hynny'n iawn," meddai Aerwennydd. "Ond mae 'na beth arall. A hwnnw ydi arian. A bod yn onest, alla i ddim fforddio sefyll lecsiwn eto."

"Arwennydd," ebe Robert Pugh, "os sefwch chi, mi ro i ddecpunt at eich coste chi fy hun. Ac mi ga i'r ffermwyr eraill bob un i dalu'i siâr. Mi ofala i na fyddwch chi ddim yn eich colled o ddime."

"H'mm."

Yr oedd cael arian o ŵr y Trawscoed yn fuddugoliaeth mor annisgwyl nes bod y siopwr yn ei chael yn anodd i beidio â gwenu. Bu'n fud am ennyd, fel petai'n methu'n glir â phenderfynu. Yna, cododd ar ei draed.

"O'r gore, Pugh," meddai "mae hi'n fargen. Cewch chi'r gefnogaeth a'r arian, mi sefa inne'r lecsiwn."

"A'i hennill hi!" meddai Robert Pugh. Ysgydwodd law ar y fargen, a brasgamu'n swnllyd o'r siop. Aeth i'r car. Yr oedd ganddo un lle i alw ynddo eto.

Safodd y car gyferbyn â thŷ Wil James. Edrychodd i fyny tua'r tŷ. Yr oedd mwg yn codi o'r simne, a golau tân yn chware ar lenni budron y ffenest.

Agorwyd y drws gan Wil James ei hun.

---

os twtsies i: h.y. *if I touched,* os
   cyffyrddais i (twtsia/*to touch*)
yn flin (G.C.): yn grac (D.C.)
byrbwyll: *impetuous*
yn swrth: *sullenly*
fforddio: *to afford*
lecsiwn: *election*
siâr: rhan, h.y. *share*

buddugoliaeth: *victory*
annisgwyl: *unexpectedly*
mud: heb siarad
am ennyd: am ychydig o amser
cefnogaeth: *support*
brasgamu: *to stride*
budron (G.C.): brwnt (D.C.)

161

"Hylô, Wil, sut wyt ti? Ga i ddod i mewn am funud?"

"Ydi'n rhaid ichi?"

"Wel," ebe Robert Pugh, yn ceisio cadw'r wên ar ei wyneb, "mi fydd o fantais i ti os do i."

Pan glywodd Wil hynny, agorodd y drws led y pen a gollwng Robert Pugh i mewn. Syllodd Robert Pugh yn syn ar y llanast yn y gegin. Ar y bwrdd yr oedd tyrrau o lestri heb eu golchi a chwarter torthau'n llwydo, potiau jam hanner llawn a thuniau cig a ffrwythau gweigion o bob oed.

"Mae'n arw genny'n bod ni dipyn yn anhrefnus yma," ebe Wil. "Dydi'r wraig ddim gartre ar y funud. Ellwch chi ffeindio lle i iste?"

Nid yn hawdd, meddai Robert Pugh wrtho'i hun.

"Dal ar y dôl, Wil?" gofynnodd ymhen ychydig.

"Ydw," ebe Wil.

"Fuaset ti'n licio cael gwaith, Wil?" gofynnodd Robert Pugh.

"Yn y Trawscoed?"

"Ie."

"Wn i ddim."

Sugnodd Wil ei Wdbein am sbel yn fyfyrgar. O'r diwedd, dywedodd,

"Oes gennoch chi waith imi?"

"Wel . . . Fe allwn ni wneud â dyn go dda rwan."

Fe wyddai o'r gorau nad oedd Wil James yn 'ddyn go dda'. Ond nid at waith yr oedd arno'i eisiau. Disgwyliodd am yr ateb.

"Olreit," ebe Wil yn swta.

"Da iawn," ebe Robert Pugh.

"Ond—y—mae 'na un peth . . ."

"Unrhyw beth, was," meddai Robert Pugh, "os ydi o'n rhesymol."

"Mae arna i ofn y bydd raid imi fyw i mewn."

"Byw i mewn?"

"Ie. 'Dech chi'n gweld, rydw i'n gorfod clirio allan o'r tŷ 'ma cyn pen pythefnos. Mae Terence Siôn Mari'n priodi, ac am ei

---

| | |
|---|---|
| mantais: *advantage* | gweigion: h.y. gwag |
| led y pen: *open-wide* | iste: eistedd |
| tyrrau: *towers, heaps* | yn fyfyrgar: *studiously* |
| llwydo: *to become mouldy* | yn swta: *abruptly* |

162

fod o'n gweithio yn Lleifior, mae'r hen Vaughan wedi cael y cownsil i osod y tŷ yma iddo.''

"Hynny ydi, mae Vaughan, mewn ffordd, yn dy roi di allan?''

Yr oedd Robert Pugh yn falch o allu gyrru hoelen arall i arch gŵr Lleifior.

"Mae'n debyg y gellwch chi edrych arni fel'na,'' ebe Wil.

Amheuodd Robert Pugh yn fawr a fyddai'i wraig a Lisabeth yn fodlon cymryd gwas i gysgu yn y tŷ. Fodd bynnag, yr oedd yn rhaid cael Wil James i'r Trawscoed. Cododd.

"Y telere diweddara, Wil,'' meddai, "a chyflog mis ymlaen. Fe gei storio dy ddodrefn i gyd yn y bildins acw yn y Trawscoed, ac mi dala i dy rent di yma am y mis diwetha.''

"Diolch yn fawr,'' ebe Wil James. Mae'n debyg na chlywodd neb mohono'n diolch ers blynyddoedd.

"Dechre ddydd Llun, Wil,'' ebe Robert Pugh, ac aeth allan o'r tŷ ac i'w gar, wedi gwneud dwy goncwest werth wheil ac yn dechrau arogli rhosynnau ar bren dreiniog bywyd.


## II


Cododd Edward Vaughan ei gryman. Yr oedd y gwlân ar y gwrych cyll yn dweud bod ei ddefaid wedi ymwthio i'r ffordd, peth na wnaethai defaid Lleifior ers blynyddoedd.

Fodd bynnag, yr oedd wedi cael y defaid yn ôl i'r cae ac wedi cau pob bwlch yn y gwrych. Yr oedd yn nosi'n gyflym ac yr oedd arno eisiau'i de. Clywodd gerbyd yn dod i fyny'r ffordd, a safodd rhwng dwy goeden gyll i edrych. Daeth y car i'r golwg heibio i'r tro. Car mawr lliw hufen, ac wrth ei lyw, Robert Pugh y

---

gyrru hoelen arall i arch: *to put another nail in . . .'s coffin*
amheuodd R.P.: *R.P. doubted,* (amau)
telere/telerau: *terms, conditions*
diweddara: *latest*
bildins: h.y. *buildings*
gwerth wheil: *worth while*

dreiniog: *thorny*
cryman: *sickle*
gwrych: *hedge*
cyll: *hazel*
na wnaethai defaid: nad oedd defaid (Lleifior) wedi'i wneud
wrth ei lyw: h.y. yn gyrru

Trawscoed. Cododd Edward Vaughan ei law. Ond chwyrn-ellodd Robert Pugh heibio heb gymryd sylw, a mynd fel awel i fyny'r ffordd tua'r Trawscoed.

Ni allai Edward Vaughan beidio â'i holi'i hun, wrth droi tua Lleifior, beth oedd busnes Robert Pugh yn y Llan y pnawn hwnnw. Yr oedd ers dyddiau wedi disgwyl llythyr twrnai yn bygwth yr achos tor-amod. Yr oedd braidd yn od, wedi'r fath fygwth ar air ac mewn ysgrifen, na byddai rhywbeth wedi digwydd erbyn hyn. Wrth gwrs, os dôi, a phan ddôi, yr oedd yn barod amdano.

Yr oedd ei gyfreithiwr, Walter Gethin, cyn syched ag y gallai cyfreithwr fod ac yn sychach na llawer. Yr oedd Edward Vaughan, y diwrnod hwnnw bythefnos yn ôl yn ei swyddfa yn Henberth, wedi dangos iddo lythyr Mrs. Pugh. Ac yr oedd Walter Gethin, wedi'i gynghori i beidio â gwneud dim am ychydig. Ni ellid gwneud achos cryf iawn dros athrod yn y llythyr; gwell fyddai peidio â'i godi, dim ond fel croes-achos os dôi llythyr twrnai ar ran y Pughiaid yn bygwth achos tor-amod.

Yr oedd Edward Vaughan wedi bodloni, gan ymddiried yn Walter Gethin fel yr oedd ei dad wedi ymddiried yn nhad Walter Gethin o'i flaen. Ond yr oedd disgwyl yr achos tor-amod yn dechrau bwyta'i nerfau. Fe fuasai'n well ganddo'i weld yn dod er mwyn cael pen ar y cyfan. A pheth arall.

Wedi trafod y llythyr, dywedodd wrth Gethin fod arno eisiau newid ei ewyllys. Daethai'r cyfreithiwr â'r rholyn memrwn o ddrôr mewn cwpwrdd dur dan glo, a'i osod o'i flaen. Teipiodd y cyfreithiwr ar femrwn newydd y geiriau a oedd yn difreinio Harri, a'u rhoi o flaen Edward Vaughan i'w harwyddo. A'i fysedd yn crynu, arwyddodd yntau. Edrychodd ar ei law-ysgrifen. Yr oedd yn llawysgrifen hen ŵr. Clodd Gethin y memrwn newydd yn yr un drôr yn yr un cwpwrdd lle bu'r llall yn

chwyrnellodd R.P.: *R.P.*
  *whirled/whizzed,* (chwyrnellu)
twrnai(G.C.): *attorney,* cyfreithiwr
tor-amod: *breach of promise*
os dôi: petai'n dod
pan ddôi: pan fyddai'n dod
ni ellid gwneud: *one couldn't do,*
  (gallu gwneud)
athrod: *libel*

croes-achos: *counter-charge*
wedi bodloni: *satisfied*
gan ymddiried: *trusting*
pen: diwedd
daethai'r cyfreithiwr: roedd y
  cyfreithiwr wedi dod â
memrwn: *parchment*
difreinio: *to deprive*

164

gorwedd ar hyd y blynyddoedd. Aethai Edward Vaughan o'r swyddfa fel dyn newydd gyflawni llofruddiaeth.

Ac wrth gerdded heno tua Lleifior, ni allai, yn ei fyw, ddweud yn ddigon pendant wrth y ddaear wen dan ei draed mai ef oedd yn iawn. Wedi'r cwbwl, fe ddaeth cyfoeth ei dad iddo ef, ac nid oedd yn siŵr ei fod ef wedi gwneud â hwnnw yr hyn y buasai'i dad yn ei ddymuno. Yr oedd yn meddwl ei fod. Hwyrach y buasai'n well gadael swm o arian o dan amodau. Ond nid oedd hynny wedyn ddim tecach. Nid oedd gan dad hawl i orfodi'i argyhoeddiadau ar ei fab.

Daeth Edward Vaughan i olwg Lleifior. Yr oedd Lleifior yn wag, wedi bod yn wag ers pythefnos. Yr oedd Greta ynddo, a Karl, ond heb ei gariad ynddo ni fuasai waeth iddo fod yn adfail ddim.

Heno, yr oedd hi i fynd i'r theatr. Fe fu Pául ers pythefnos yn ceisio'i chryfhau, ac fe wyddai Edward Vaughan fod y bachgen wedi gwneud a allai. Fe wyddai hefyd fod dau sbesialydd arall wedi'i gynghori i beidio â rhoi'i gyllell arni, ond yr oedd ef wedi anghytuno. Gwell, meddai ef, oedd mentro a cholli na pheidio â mentro o gwbwl, yn enwedig os colli a wnâi p'un bynnag.

Yr oedd Edward Vaughan wedi gofyn i Paul a gâi ddod i'r ysbyty i aros tra parhâi'r operasiwn. Yr oedd Paul wedi gwrthod. Dywedodd wrtho am aros gartref i weithio, a gweithio mor galed ag a allai. Ond dywedodd wrtho hefyd am fod wrth y teleffon am wyth o'r gloch, a bod â'r car yn barod wrth y drws rhag ofn y byddai galw amdano i Lerpwl. A dyna'r cyfan y gallai'i wneud. Fe fyddai'r tair awr nesaf y peth agosaf i uffern y gallai fynd drwyddo ar y ddaear hon.

---

cyflawni: *to commit*
llofruddiaeth: *murder*
ni allai, yn ei fyw: *he couldn't, for the life of him*
tecach: *fairer*
gorfodi: *to impose*
argyhoeddiadau: *convictions*
ni fuasai waeth . . . h.y. *it might as well be . . .*
adfail: *a ruin*

a allai: yr hyn roedd e'n gallu'i wneud
cynghori: *to advize*
os colli a wnâi . . . : *if he'd lose*
P'un bynnag: beth bynnag
tra parhâi . . . : *whilst the operation continued,* (parhau)
mor galed ag a allai: *as hard as he could*

165

Cerddodd Karl yn wyllt o'r tŷ a rhedeg draw at y nant. Pe gallasai dŵr olchi pechod, fe fyddai wedi gorwedd ynddo a gadael iddo'i olchi bob giewyn.

Cododd drachefn. Nid oedd neb yn gwybod am ei bechod, na Greta, na'i thad, na neb arall byw ar y ddaear. Ond yr oedd Ef yn gwybod.

Cododd ei lygaid eto a syllu i'r sêr. Yr oedd Ef yn gweld popeth. Os felly, yr oedd Ef nid yn unig wedi gweld ei bechod, yr oedd wedi gweld y rheswm am ei bechod hefyd. Yr oedd Ef yn gwybod ei fod yn caru Greta. O Dduw, yr oedd yn ei charu! Ac yn y gegin, wrth edrych arni'n hwylio te, fe ddaeth y sicrwydd arteithiol na allai mo'i chael hi byth os llwyddai Paul Rushmere heno. Er nad oedd gan Greta lygedyn o gariad tuag ato, fe'i rhoddai'i hun iddo am ei bod hi'n ddyledus. Fe'i gorfodai'i thad hi i'w rhoi'i hun iddo.

Ac mewn moment o wewyr, yn ddall, yn gwbwl ddall gan gariad, yr oedd Karl wedi dymuno i Paul fethu. Wedi dyheu am i Margaret Vaughan farw o dan y gyllell, er mwyn i'w theulu gasáu Paul a dweud ei fod yn llofrudd a pheidio â gwneud dim ag ef mwy. Er mwyn i Greta fod yn rhydd ac yn ddiddyled, yn rhydd iddo ef, Karl, ei chymryd am byth ac am byth.

Pan ddaeth y sobri a'r sadio, aeth y gwaed yn oer yng ngwythiennau Karl. Yr oedd wedi'i ddal ei hun yn dymuno marwolaeth i un o foneddigesau'r ddaear. Yr oedd wedi meddwl llofruddiaeth. Yr oedd felly'n llofrudd. Dihangodd. Dihangodd am ei fywyd o'r gegin ac o'r tŷ lle gallodd feddwl y fath feddwl.

Disgynnodd Karl ar ei liniau ac ymladdodd am faddeuant. Bu yno am oes cyn i'r graig dorri oddi mewn iddo. Ac o'r diwedd,

---

| | |
|---|---|
| pe gallasai dŵr: petai dŵr yn gallu | gwewyr: *anguish* |
| pechod: *sin* | dyheu am: *to yearn for* |
| giewyn/gewyn: *sinew* | sobri: *to sober* |
| hwylio te: h.y. paratoi te | sadio: *to steady* |
| arteithiol: *tortureous* | gwythiennau: *veins* |
| llygedyn: h.y. ychydig bach bach | boneddigesau: *ladies* |
| dyledus: *obliged to* | dihangodd: *he escaped,* (dianc) |
| fe'i gorfodai'i thad: fe fyddai ei thad yn ei gorfodi/*to force* | maddeuant: *forgiveness* |

fe ddaeth y dagrau. Bwriodd ei ddwylo a'i wyneb i'r eira a'u dal yno nes oeddynt yn llosgi. Pan arafodd y storm, yr oedd y pechod wedi'i rwygo ohoni, gan adael dim ond briw ar ei ôl.

Pan gododd oddi ar ei liniau edrychodd i'r eira. Yno yr oedd ffurf dyn lle bu'n gorwedd, yn dywyll yn yr eira. Hwnnw oedd Karl y llofrudd, y carwr hunanol, dall. Yr oedd yn gadael y Karl hwnnw'n awr ac yn cerdded oddi wrtho. Fe ddiflannai'r Karl hwnnw pan ddiflannai'r eira. Fe wyddai'r Karl ar ei draed bellach beth yr oedd yn rhaid iddo'i wneud.

---

briw: *cut*
carwr: *lover*
hunanol: *selfish*

fe ddiflannai'r Karl hwnnw: *that Karl would disappear,* (diflannu)

# YR UGEINFED BENNOD

## I

Y noson yr oedd ei fam i fynd dan y gyllell yr oedd Harri yng nghinio'r Gymdeithas Sosialaidd. Ac yno yn erbyn ei ewyllys. Yr oedd Gwylan wedi erfyn arno. Yr oedd hi am iddo ddod heno am reswm arbennig iawn. Fe dybiodd Harri mai ceisio tynnu'i feddwl ef oddi ar ei bryder oedd ei hamcan hi.

Ond nid poeni am ei fam yn unig oedd yn peri bod ei ysbryd mor drwblus. Drwy gydol y pythefnos diwethaf, yr oedd bywyd coleg wedi mynd yn fwy ac yn fwy afreal. Fe fu'n eistedd am oriau yn yr Undeb, a'i waith yn disgwyl yn y llyfrgell, eistedd am oriau'n syllu ar yr wynebau anghyfrifol ac yn gwrando ar y lleisiau diddim, doeth.

"Bachan, smo ti wedi cysgu 'to?" daethai llais Gwdig o'r gwely arall neithiwr.

Deffrodd Harri'n chwys diferol.

"Cysgu? Oeddwn."

"Wel, diwedd, rwyt ti'n clebran yn ofndwy yn dy gwsg."

A throdd Gwdig i gysgu drachefn. Ond nid Harri. Gorweddodd ef am oriau'n trosi ac yn troi.

Cododd, a gwisgo amdano. Aeth i lawr y grisiau'n ddistaw, ac wedi gwisgo'i got fawr a'i grafat, mynd allan i'r golau lleuad oer. Cerddodd yn gyflym nes dod i olwg Menai. Ni allai ddal ei feddwl yn llonydd am funud. Meddyliodd un funud am ladrata car a gyrru i Lerpwl i fod yn ymyl ei fam; meddwl y funud nesaf am ei daflu'i hun oddi ar Bont y Borth i ddŵr Menai; meddwl wedyn am daflu'i waith ymchwil a mynd i weithio fel labrwr.

---

| | |
|---|---|
| ewyllys: *will* | anghyfrifol: *irresponsible* |
| wedi erfyn arno: *had begged him* | diddim: *empty* |
| pryder: gofid | doeth: *wise* |
| amcan: bwriad, intention | yn chwys diferol: *soaking with sweat* |
| peri: achosi | clebran: *to chatter* |
| mor drwblus: *so confused* | lladrata: dwyn/dwgyd |
| afreal: *unreal* | labrwr: *labourer* |

Mynd yn labrwr . . . Pam na fuasai'r peth wedi'i daro'n gynt?
Dyna'r ateb i'r dryswch i gyd. Ni allai dyn fod yn gomiwnydd
academaidd; yr oedd y peth yn baradocs. Ni allai gredu yn y
werin heb ymdoddi iddi. Synhwyrodd fod golau o'i gwmpas ar
wahân i olau'r lleuad. Trodd ei ben tua'r mynyddoedd. Yr oedd
y wawr yn torri. Trodd Harri'n ôl a cherdded yn bendant tua'i
lety.

Pan gyrhaeddodd ei lety at frecwast, fodd bynnag, fe roes
Gwdig y brêc yn o drwm ar ei fwriad.

"Rwy'n gwybod beth sy'n bod arnat ti," meddai. "Rwyt ti'n
gweithio'n rhy galed. Mae'r peth wedi mynd ar dy nerfe di.
Mynd yn labrwr, wir! Chlywais i erioed shwd ddwli. Aros di nes
byddi di'n Harri Vaughan, M.A., ac yn ddarlithydd yn y coleg
'ma dy hunan, fe fydd lliw gwahanol ar bethe."

"Ond does arna i ddim eisie bod yn Harri Vaughan, M.A.!"

"Gad dy nonsens," ebe Gwdig. "Clyw 'ma. Pe clywse dy fam
druan yn y'sbyty 'na yn Lloegr am hyn, fe fydde'n ddigon am ei
bywyd annwyl hi."

Oedd, yr oedd Gwdig wedi pylu sglein y weledigaeth. Ac fe
ddychwelodd meddwl Harri am weddill y dydd at ei fam.

Yn y cinio sosialaidd eisteddai Harri yn ymyl Gwylan, yn
ceisio gwrando arni'n sgwrsio. Yr oedd hi heno'n ffigur taclus,
trawiadol, wedi'i gwisgo'n syml mewn siwt ddu a choler wen. Yr
oedd hi'n tynnu llygad amryw. Er y baich ar ei feddwl fe sylwodd
Harri ar hynny, ac fe sylwodd ar beth arall. Yr oedd hi'n nerfus.
Yr oedd yn siŵr ei bod hi'n nerfus, o achos yr oedd hi'n siarad
mwy nag arfer, ac yr oedd ei llygaid duon yn rhy ddisglair ac yn
rhy aflonydd. Yr oedd Harri'n priodoli hynny i'w phryder am
lwyddiant y cinio. Hi oedd wedi trefnu'r cinio, o leiaf y bwyd, ac
yr oedd y trefniadau'n feistraidd. Yr oedd y fwydlen yn dda heb

---

wedi'i daro'n gynt: *had occurred to
   him sooner*
dryswch: *confusion*
ymdoddi: *to become part*
yn bendant: *positively*
yn drwm: *quite heavily*
bwriad: *intention*
dwli: *nonsense*
pe clywse dy fam: *petai dy fam yn
   clywed*

pylu: *to blunt*
sglein: *shine*
gweledigaeth: *vision*
trawiadol: *striking*
amryw: *llawer (o bobl)*
baich: *llwyth, burden*
aflonydd: *restless*
priodoli: *to attribute*
yn feistraidd: *masterly*
bwydlen: *menu*

fod yn foethus; yr oedd yn ginio y buasai gweithiwr yn ei fwyta fel dyn rhydd dan sofiet lewyrchus.

Fe'i cafodd Harri'i hun yn ei hedmygu. Drwy'r misoedd diwethaf, hi oedd wedi'i feithrin a'i aeddfedu i'r meddwl gwerin grymus a oedd ganddo'n awr. Yr oedd ei chael hi yn ei ymyl yn gadernid. Ac yr oedd yn siŵr y byddai hi, pan ddywedai wrthi ar ôl cinio, yn cymeradwyo'i fwriad newydd ef i fynd yn labrwr. Fe fyddai hi'n falch ohono.

Yr oedd y bwyta drosodd. Yr oedd Harri wedi gadael hanner ei fwyd ar ei blât, ond gwenodd Gwylan arno, cystal â dweud ei bod hi'n deall. Ac wedi'r bwyta, daeth yr anerchiadau.

Cododd Bill Kent oddi wrth ei fwrdd i gyflwyno'r gŵr gwadd. Trefnydd comwnyddol o Lundain oedd (ef)—gŵr byr, caled, a'i lais cyn galeted â'i olwg. Am dri chwarter awr union, trafododd dechneg streic ac etholiad ac ennill aelodau, a chyda geiriau a oedd yn llosgi ond eto heb wres, condemniodd slont gyfalafol y llywodraeth Lafur, ac apelio am ymdrech i gydio dwylo â phobol Rwsia, ac am fwy o ymdrech fyth. Yr oedd yn amlwg ei fod yn ddyn wedi arfer torri amser â chyllell, oherwydd ar ben tri chwarter awr i'r eiliad eisteddodd i lawr, yng nghanol cawod o gymeradwyaeth cyn galeted â'i araith.

Cododd Bill Kent drachefn, ac wedi ychydig eiriau dywedodd (bod) gan Miss Gwylan Thomas air i'w ddweud. Nid oedd ganddo ef syniad beth oedd y gair hwnnw, ond gan ei fod yn dod o enau Miss Thomas, merch yr oeddynt yn ei hedmygu mor fawr, yr oedd yn siŵr y byddai'n werth ei wrando.

Yr oedd y gymeradwyaeth i Gwylan yn hwy nag i'r gŵr gwadd. Fe wyddai Harri'i bod hi'n boblogaidd, ond ni wyddai ei bod mor boblogaidd â hyn. Ond yr oedd hi'n oedi (ac) yr oedd ei gwefusau'n crynu.

---

yn foethus: *luxurious*
llewyrchus: *prosperous*
edmygu: *to admire*
meithrin: *to nurture*
aeddfedu: *to ripen, to mature*
grymus: *cryf*
cadernid: *strength*
cymeradwyo: *to recommend*
anerchiadau: *speeches*

y gŵr gwadd: *the guest speaker*
techneg: *technique*
slont: *slant*
cyfalafol: *capitalist*
cymeradwyaeth: *applause*
araith: *speech*
yn hwy: yn hirach
oedi: *to hesitate/to delay*

"Up! Up! Speech!" gwaeddai'r myfyrwyr, gan ddal i guro dwylo a thraed.

A chan wasgu'i gwefusau'n dynn a chau'i dyrnau, fe gododd Gwylan.

"Dear friends . . ." dechreuodd, ac yr oedd cryndod yn ei llais.

"Comrades! Comrades!" gwaeddai'r myfyrwyr.

"Dear friends," meddai Gwylan drachefn, yn fwy crynedig eto ond yn fwy pendant. A'r tro hwn yr oedd y neuadd yn ddistaw. "You will probably never forgive me for what I am going to say tonight." Aeth y distawrwydd yn ddwysach. "Since I came to Bangor, I have led you to believe that I was an ardent worker for the people, and for the cause of Socialism. And so I have been . . . till now. But what I have to tell you tonight, with bitter regret, is . . . is that . . ." Yr oedd fel petai'r muriau a'r nenfwd yn dal eu hanadl. Yr oedd rhywbeth yn ei chadw rhag gorffen. Wedi saib fel oes, gydag ymdrech fawr, bwriodd y geiriau'n gyflym ohoni ac oddi wrthi: "I am renouncing Communism and all that it stands for. All I can say is . . . how sorry I am. That's all . . . there is to say . . ."

Yr oedd y neuadd fel y bedd. Trodd Gwylan yn sydyn at Harri a dweud,

"Dowch, Harri."

A cherddodd yn gyflym rhwng y byrddau gwynion, a'r rhesi ciniawyr yn syllu'n syfrdan ar ei hôl. Cerddodd i ben y neuadd a thrwy'r drysau dwbwl, a Harri'n ei dilyn.

"Be gynllwyn, Gwylan—?"

"Tewch, Harri," meddai hi, yn rhedeg yn ysgafn o'i flaen i lawr y grisiau carreg. "Dim rwan. Ewch i nôl eich cot. Mi'ch cwarfydda i chi ymhen deng munud wrth y porth."

---

dyrnau: *fists*
cryndod: *trembling*
crynedig: *trembling*
yn ddwysach: *more intense*
saib: *pause*
oes: *age*
y rhesi ciniawyr: *the rows of diners*

yn syfrdan: *stunned*
Be gynllwyn . . .? h.y. *what on earth . . .?*
tewch: h.y. peidiwch siarad
mi'ch cwarfydda i chi: h.y. *I'll meet you,* (cyfarfod/cwrdd)
porth: h.y. drws

171

Pan gyfarfu Harri â hi ymhen y deng munud yr oedd rhywbeth wedi digwydd ynddi. Craffodd am sbel i weld beth ydoedd. Yr oedd mwy o finlliw ar ei gwefusau, beth bynnag. Llawer mwy nag yr oedd hi'n arfer ei roi. Tybiodd hefyd ei bod wedi rhoi rhywbeth ar ei gruddiau i'w tywyllu. Ac yr oedd wedi llacio'i gwallt am ei phen; fe fyddai'n arfer ei rwymo'n bur dynn, ond yn awr yr oedd yn disgyn yn fodrwyau dros goler ei chot. A chodai persawr yn gryf oddi arno, persawr atgofus llythyrau'r haf. Teimlodd Harri ddychryn bach yn ei gerdded. Yr oedd hi'n wahanol, yn rhy wahanol i'r ferch dwt, ddiwastraff, a gerddodd o'i flaen allan o'r neuadd ginio.

"Pam rydych chi'n edrach arna'i, Harri?"

"Dim byd," ebe Harri, a throi oddi wrthi.

"Dowch," meddai hi, "fe awn ni i Goed Menai, a dydach chi ddim i ddweud yr un gair am beth ddigwyddodd heno nes cyrhaeddwn ni."

Yr oedd wedi naw o'r gloch. Ymesgusododd (Harri) a mynd i'r bwth teleffon ar fin y ffordd. Dywedodd y nyrs yn y pen arall nad oedd yr operasiwn drosodd. Ni allai roi dim newydd. Aeth Harri'n ôl at Gwylan.

Pan aethant at y lwcowt uwch afon Menai, rhedodd Gwylan o'i flaen ac i fyny'r grisiau a sefyll ar sylfaen goncrid y rheiliau.

"O Harri, Harri, Harri!" gwaeddodd. "Mae'n braf, braf cael y cwbwl drosodd!"

Yr eneth ysgol eto, meddai Harri wrtho'i hun. Beth yn y byd oedd wedi dod drosti? Fe fuasai ymddwyn fel hyn yn ddigon naturiol mewn merch arall, ond yr oedd mor gwbwl annaturiol ynddi hi.

"Dowch, Harri, yr ydan ni bron yno rwan." Ac wedi cydio yn ei law, dechreuodd hi redeg i lawr y ffordd a'i dynnu yntau i redeg gyda hi. Mae hyn yn gwbwl wirion, meddai Harri wrtho'i

---

pan gyfarfu H.: pan gwrddodd H., (cyfarfod/*to meet*)

craffodd: *he looked carefully*, (craffu)

minlliw: *lipstick*

tybiodd: *he imagined*, (tybio)

rhwymo: *to tie*

atgofus: *reminiscent*

dychryn: *fright*

fe fuasai ymddwyn fel hyn: *behaving like this would be*

cwbwl annaturiol: *totally unnatural*

cwbwl wirion: *yn hollol dwp*

hun. Dydw i ddim yn teimlo fel rhedeg, a ph'un bynnag, mae'n beth mor ddi-urddas. Tynnodd Gwylan ef ar ei hôl a phan ddaethant at y fainc gyntaf eisteddodd hi arni a'i dynnu ef i eistedd yn ei hymyl.

"Wel, rwan, Harri," meddai hi, "mae arnoch chi isio gwybod pam y dwedais i beth y dwedis i."

"Oes."

"Wyddoch chi ddim?"

"Na wn i, ar wyneb daear—"

"Gwrandwch, Harri. Mi fûm i'n gomiwnydd am fwy na thair blynedd. Popeth yn iawn. Mi ellais i siarad am chwyldro a rhyfel cartra a merthyrdod ac aberthu. Ond aberthais i ddim erioed fy hun. Ond dyma chi'n dwad i mewn i 'mywyd i, ac yn gwrando arna i ac yn llyncu 'ngeiriau i ac yn gweithredu arnyn nhw. Yn aberthu! Finna' heb aberthu dim erioed yn gwneud i chi aberthu popeth oedd gynnoch chi—eich cariad a'ch cyfoeth—"

"Ond dyna oedd yn *iawn*, Gwylan—"

"Rhoswch funud. Wedi imi glywed beth wnaethoch chi, sut brofiad ydach chi'n meddwl fu'r pythefnos dwytha 'ma i mi?"

"Gwylan, peidiwch â—"

"Mi fynna i orffen, Harri. O'r gora', meddwn i. Wna i ddim rhagor o lanast hefo'r gomiwnyddiaeth 'ma. Roedd y cinio heno'n gyfle rhagorol. Nid dweud wrth Bill Kent ac un neu ddau arall yn ddistaw slei, ond dweud wrth y cwbwl hefo'i gilydd. Ddywedais i ddim wrthoch chi cynt. Roeddwn i, am iddo ddod yn plesant syrpreis ichi. Mi wyddwn i, Harri druan, nad ydach chi ddim yn gomiwnydd, na fuoch chi ddim am funud—"

"Ond Gwylan, yr ydw i yn gomiwnydd—"

"Rydach chi wedi trio bod, i'm plesio i."

"Wel, wna i ddim gwadu nad dyna oedd o i ddechre. Ond mi ddo's, o dipyn i beth, i weld mai dyna oedd yn iawn."

"Harri! Dydach chi ddim yn credu. Meddwl yr ydach chi—"

Cododd Harri ar ei draed. Yr oedd ei waed yn twymo.

---

mor ddi-urddas: *so ungraceful*  
chwyldro: *revolution*  
merthyrdod: *martyrdom*  
aberthu: *to sacrifice*  
yn gweithredu arnyn nhw: *to act*  
  *upon them*

cyfoeth: *wealth*  
mi fynna i orffen: *I insist on finishing,*  
  (mynnu/*to insist*)  
llanast: *mess*  
rhagorol: *excellent*  
wna i ddim gwadu: *I won't deny*

173

"Rydw i wedi dod trwy boene meddwl mawr i'r lle'r ydw i'n sefyll rwan. Mae genny gredo o'r diwedd, wedi blynyddoedd o ymbalfalu, ac i chi'r ydw i ddiolch amdani. Os ydech chi yn dewis gwamalu rwan a throi'n ôl yn eich llwybre, ddo i ddim gyda chi. Yr ydw i'n glynu wrth Marcs, gwnewch chi fel y mynnoch chi."

Cododd hithau ar ei thraed a rhoi'i llaw ar ei fraich.

"Harri," meddai, ac yr oedd panig yn ei llais, "peidiwch. Mistêc ofnadwy ydi o. Fwriadwyd erioed monoch chi i fod yn gomiwnydd. Bonheddwr ydach chi, a bonheddwr mae'n rhaid ichi fod. Fedrwch chi byth gymysgu â'r teip sy'n gomwnyddion. Gwrandewch arna i, rydw i'n eu nabod nhw."

Syllodd Harri arni drwy'r gwyll, yn methu â'i chysylltu hi â'r hyn oedd hi ddoe, ac echddoe, a chwe mis yn ôl.

"Fedrwn i ddim, Gwylan, petai arna i eisie. Mae'n rhy hwyr. Rydw i wedi fforffedio fy etifeddiaeth."

"Ond fe'i cewch hi'n ôl, fe wyddoch yn iawn. Fydd eich tad ddim yn galed. Rwy'n siŵr na chymerodd o mo pum-mil-ar-hugain o bunna' oddi arnoch chi heb boeni'i enaid."

"Ond does genny ddim hawl arnyn nhw. Nid fi pia' nhw, fe ddwedsoch eich hun. Maen nhw'n siâr cryn ugain o ddynion."

"O, mi wn i 'mod i wedi dweud hynny unwaith. Ond fe ddwedsoch chi beth arall, a chi oedd yn iawn. Nad ydi cyfoeth ddim yn ddrwg os oes gan ei berchennog galon dda. Mae gynnoch chi galon dda, Harri."

"Oes genny?" Cododd Harri'i sgwyddau. "P'un bynnag, mae'r weledigaeth sosialaidd yn cerdded dros y byd, ac fe ddaw'r sofiet, a'u cymryd nhw oddi arna i, a 'nghosbi am eu bod nhw genny erioed."

"Peidiwch â thaflu 'ngeiriau i'n ôl i 'ngwyneb i!" Yr oedd Gwylan yn codi'i llais. "Rydw i'n hŷn heno, ac yn gallach.

---

credo: *creed, belief*
ymbalfalu: *teimlo'r ffordd*
gwamalu: *to waver*
glynu: *to stick*
fwriadwyd erioed monoch chi: *you were never intended*
bonheddwr: *gentleman*
y gwyll: *the dusk*
cysylltu: *to associate*

fforffedio: *to forfeit*
etifeddiaeth: *inheritance*
enaid: *soul*
hawl: *right*
siâr: *share*
cryn ugain: h.y. tua/bron ugain
gweledigaeth: *vision*
a 'nghosbi: *and punish me,* (cosbi)
callach: *wiser*

Chaiff Prydain yr un sofiet am gan mlynedd arall, os caiff hi byth. Mi gewch chi heddwch i fwynhau'ch arian, ac fe ellwch chi'u mwynhau nhw'n dda, a rhoi mwynhad i eraill hefyd.''

"I . . . bwy, er enghraifft?''

"Wel . . . i'ch gwraig, os priodwch chi.''

"Ond alla i ddim priodi. Mi rois i'r gore i 'nghariad, am i chi ofyn imi. Does genny neb.''

"Mi'ch prioda i chi, Harri, os gofynnwch chi imi.''

Petai mellten wedi'i phlannu'i hun i'r ddaear wrth ei draed, ni allai Harri fod wedi hurtio mwy. Wrth gwrs, fe ddylai fod wedi'i weld yn dod ers meitin . . . Dywedodd yn sychlyd, gan droi oddi wrthi,

"Petaech chi ugain mlynedd yn hŷn, fe fyddech wedi meddwl am ffordd gyfrwysach na honna.''

"Ond Harri,'' meddai hi, gan gydio'n dynn yn ei freichiau, "rydw i o ddifri. Mi wna i'ch priodi chi.''

"Dydw i'n ame dim,'' ebe Harri. "Rydech chi wedi clirio'r ffordd i chi'ch hun yn gampus. Y trwbwl ydi, na alla i ddim meddwl amdanoch chi fel merch i'w phriodi.''

"Pam?''

"Wel . . . yn un peth, dydw i erioed wedi'ch cusanu chi.''

"Cusanwch fi rwan.''

"Does arna i ddim eisie'ch cusanu chi.''

"Ond . . . roedd arnoch chi isio unwaith . . . y noson honno ar y pier—''

"Nid chi ydi'r unig un sy'n gallu newid, Gwylan.''

"Rydach chi'n methu,'' ebe Gwylan, ac yr oedd ei llais yn isel ac yn ddiarth. "Fe all dyn newid ei syniada'. Fedar o ddim newid ei gorff.''

"Peidiwch chi â bod—'' dechreuodd Harri. Ond yr oedd ei wefusau wedi'u cloi gan ei gwefusau hi. Ceisiodd ef ei gwthio oddi wrtho ac ymryddhau. Ond yn ofer. Yr oedd hi'n gafael fel llewes. Yn araf, tynnodd ef i lawr ar y fainc. Yno wedyn, ceisiodd

---

Chaiff Prydain . . .: *Britain will not have . . .*, (cael)

mi gewch chi: *you will have*

mellten: *a thunderbolt*

cyfrwysach: *more cynning*

ame/amau: *to doubt*

yn gampus: *yn ardderchog*

yn ddiarth/ddieithr: *strange*

Fedar o ddim (G.C.): *Dydy e ddim yn gallu/medru; all e ddim (D.C.)*

ymryddhau: *to free oneself*

yn ofer: *in vain*

175

Harri'i dynnu'i hun yn rhydd, ond syrthiodd y ddau dros y fainc i'r ddaear y tu cefn. Tynnodd hi ef arni a chloi'i choesau a'i breichiau amdano fel octopws am bysgodyn. Ymladdodd Harri am ei anadl a'i hunanfeddiant. Munud yn hwy ac fe fyddai'n ildio, ac nid oedd am ildio i'r ferch a falodd y ddelw a oedd ganddo ef ohoni. Ag un ymdrech orffwyll fe'i rhwygodd ei hun oddi arni a chodi ar ei draed, yn tagu am anadl.

"Felly," meddai, pan gafodd ddigon o'i wynt ato. "Eich edmygu chi wnes i, nid eich caru chi. A phan nad oes dim ar ôl i'w edmygu, does . . . wel, dim ar ôl. Jest . . . dim."

Trodd (Harri) yn sydyn a brasgamu oddi wrthi drwy'r coed. Llefodd hi ar ei ôl,

"Harri! Harri! . . .!"

Dechreuodd (Harri) redeg. Clywodd sŵn ei thraed hi yn y pellter yn rhedeg ac yn tripio ar y llwybyr anwastad, a'i llais yn dal i alw'i enw rhwng sgrech a sobian.

Ni pheidiodd â rhedeg nes cyrraedd ei lofft yn ei lety. Bolltiodd y drws a'i daflu'i hun ar ei wely i ennill ei wynt. Yn awr ac yn y man codai'i ben, gan feddwl ei fod yn clywed ei thraed hi'n dod i fyny'r grisiau ar ei ôl. Disgwyliai am ei chnoc ar y drws, a phan na ddôi, a phopeth yn dawel fel cynt, suddai'n ôl ar y gwely a'i nerfau'n deilchion. Yr oedd yn dyheu am glywed Gwdig yn dod i'r tŷ er mwyn iddo gael cwmni. Yr oedd yn bur siŵr erbyn hyn nad oedd neb ym Mangor yn ei ddeall ond Gwdig. Yfory, fe fyddai'n gadael Bangor. Ac yn gadael Gwdig. Hynny fyddai waethaf. Ond yr oedd yn rhaid iddo fynd. A chydio mewn caib a rhaw, a gweithio mewn gwirionedd am y tro cyntaf yn ei fywyd.

Cofiodd yn sydyn nad oedd wedi teleffonio drachefn i holi hynt ei fam. Ni feiddiai fynd allan o'r tŷ rhag iddo gwrdd â

---

hunanfeddiant: *self-possession*
yn hwy: *yn hirach*
ildio: *to yield*
a falodd y ddelw: *who shattered the image*, (malu)
gorffwyll: *mad*
tagu: *to choke*
edmygu: *to admire*
brasgamu: *to stride*
anwastad: *uneven*

pan na ddôi: pan fyddai (ei chnoc) hi ddim yn dod
deilchion: *shattered*
yn dyheu am: *to yearn for*
cydio: *to grasp, to hold*
caib: *mattock*
drachefn: eto
hynt: h.y. sut oedd
ni feiddiai: *he wouldn't dare*, (beiddio/meiddio)

Gwylan. Yr oedd yn well ganddo aros tan y bore heb wybod y gwaethaf na syllu byth eto i'r ddau lygad du a ddrylliodd ei ffydd.

Cododd oddi ar ei wely i ddechrau pacio'i bethau. Yr oedd wedi casglu cymaint drwy dair blynedd a hanner yn yr un llety. Fe fyddai wrthi drwy'r nos. Pentyrrodd y llyfrau a'r dillad a'r taclau ar lawr y llofft.

Ymhen hir a hwyr, clywodd Gwdig yn dod i'r tŷ. Dad-folltiodd y drws i'w ollwng i mewn i glywed y newydd.

---

a ddrylliodd: *which shatterred,*
  (dryllio)
ffydd: *faith*
taclau: pethau

ymhen hir a hwyr: ar ôl tipyn o
  amser
dad-folltiodd: *he unbolted,* (bolltio—*to*
  *bolt*)

# YR UNFED-BENNOD-AR-HUGAIN

## I

Y funud y daeth y newydd drwy'r teleffon fod yr operasiwn ar Margaret Vaughan yn llwyddiant, aeth Karl ar ei union i'w lofft. Y peth cyntaf a wnaeth oedd mynd ar ei liniau wrth ei wely i ddiolch am ei harbed. Yna, aeth ati i gasglu'i ychydig bethau ynghyd.

Neithiwr y bu hynny. Bore heddiw gofynnodd am ganiatâd i fynd i'r pentref. Prynodd hanner dwsin o bapurau newydd ac amserlen trên a daeth i fyny'n ôl, ac ar ôl cinio, mynd i'w lofft drachefn. Am ran helaeth o'r pnawn bu'n edrych drwy'r colofnau swyddi yn y papurau. Trawodd ei lygaid ar baragraff yn hysbysu bod ar ffarm laeth yn Suffolk angen dyn ifanc gyda phrofiad o ffarmio ac yn arbennig o weithio gyda gwartheg llaeth, ac nad oedd arno ofn gwaith caled. Fe fyddent yn gwerthfawrogi tystebau. Sgrifennodd ar unwaith, a mynd i chwilio am Edward Vaughan i ofyn am dysteb. Daeth o hyd iddo yn yr offis.

"Yn gadael!"

Eisteddodd Edward Vaughan yn araf yn ei gadair y tu ôl i'w ddesg. Dyma ergyd arall.

"Ond Karl, 'y machgen i, pam? Ydech chi ddim yn hapus yma?"

"Rwyf wedi bod yn hapusach yma nag y bûm yn unman er cyn y rhyfel."

"Ond—garech chi gael mwy o gyflog?"

"Rwyf eisoes yn cael mwy na'm haeddiant."

"Nonsens. Karl. Mi ddyblwn i'ch cyflog chi—"

---

am ei harbed: *for saving her*
caniatâd: *permission*
amserlen: *timetable*
am ran helaeth: *for the most part*
hysbysu: *to inform*
angen: eisiau

gwerthfawrogi: *to appreciate*
tystebau: *testimonials*
ergyd: *blow*
garech chi?: hoffech chi?
na'm haeddiant: *than what I deserve*

"Wnewch chi ddim hynny, Mr. Vaughan. Mae'n rhaid imi fynd."

"Dydw i ddim yn eich deall chi, Karl." Dododd Edward Vaughan ei benelinoedd ar y ddesg a gwyro 'mlaen. "Nid gwas ydech chi yn Lleifior. Yr ydw i'n edrych arnoch chi fel mab. Ellwch chi ddim edrych arna i fel tad a dweud wrtha i pam y daethoch chi i'r penderfyniad yma?"

Cododd Karl ei ben.

"Rwy'n caru Greta."

"Yn . . .?"

Amheuodd Edward Vaughan nad oedd wedi clywed yn iawn. Ond yr oedd y geiriau'n ddigon clir.

"Ydi hi'n eich . . . yn teimlo'r un fath tuag atoch chi?"

"Mae arnaf ofn ei bod."

"Mi wela."

Astudiodd Edward Vaughan ei ddesg am ennyd, yn ceisio rhoi darnau'i feddwl yn ôl wrth ei gilydd. Yna, yr oedd yn ddyn busnes drachefn.

"Yn wyneb hynny, Karl, yr ydech chi'n gwneud y peth gore. Mi . . . mi wna i destimonial ichi mewn pryd i'r post. Pa bryd y byddwch chi'n mynd?"

"Cyn gynted ag y daw ateb o Suffolk, os bydd yn ffafriol."

Nodiodd Edward Vaughan. Cododd Karl a symud tua'r drws.

"Y . . . Karl."

"Mr. Vaughan?"

"Ffeindiwch pa fancie sy'n y lle y byddwch chi'n mynd, a dewiswch eich banc. Mi ro i fil o bunne ynddo, fel gwerthfawrogiad o'ch gwaith chi, ichi gael cychwyn iawn."

Ar wyneb Karl yr oedd y peth agosaf i wg a welsai Edward Vaughan arno erioed.

"Os ydych am imi'ch cofio fel cyfaill caredig, Mr. Vaughan, wnewch chi ddim o'r fath. Does dim eisie ichi dalu imi am fynd."

---

gwyro: plygu  
Amheuodd E.V.: *E.V. doubted,*  
   (amau)  
pa fancie: *which banks*

gwerthfawrogiad: *appreciation*  
gwg: *frown*

Ac aeth Karl allan, gan ei adael yn ddryslyd yn ei gadair. Drwy'r drws yr oedd yn dal i syllu arno, fe aethai un o'r eneidiau glanaf y bu'n fraint iddo'i gyfarfod drwy gydol ei oes. Fe fyddai Lleifior yn wag heb Karl. Ac fe fyddai'r gwaith yn fynydd.

Clywodd gynnwrf sydyn yn y neuadd. Yr oedd lleisiau yno, yn uchel. Adnabu un o'r lleisiau. Yr oedd Henri wedi dod adref. Nid oedd wedi anfon gair i ddweud ei fod yn dod. Yr oedd yn beth diarth iddo ddod fel hyn ar ganol tymor, heb fod achos. Gwir nad oedd ei fam allan o berygl eto, ond yr oedd y newydd yn ddigon da—

Agorodd y drws a daeth Harri i mewn.

"Helô, 'Nhad?"

"Wel, Henri?"

Yr oedd Edward Vaughan yn ei chael hi'n anodd edrych yn syth i'w wyneb.

"Newydd da am Mam."

"Newydd da iawn."

Yr oedd gên Harri'n gadarn, fel dyn wedi dod o hyd i'w bersonoliaeth.

"Clywed eich bod chi'n gyrru Karl oddi yma."

"Does neb yn ei yrru odd'yma. Mynd ohono'i hun mae'r bachgen."

"Does dim rhaid iddo fynd."

"Mae'n well iddo fynd."

"Mae'n well iddo fynd, gan fod . . ."

"Gan ei fod o'n caru Greta?"

"Ie."

"Fe all ei phriodi hi."

"Paid â siarad yn ynfyd, Henri. Mae'r peth yn amhosibl—"

"Ydi o ddim yn ddigon da iddi?"

"Wel . . . ydi, petai pethe'n gyfartal—"

"Fel beth?"

---

dryslyd: *confused*
syllu: *to stare*
eneidiau: *souls*
glanaf: *purest*
braint: *privilege*
gydol ei oes: *throughout his life*
cynnwrf: *commotion*
adnabu: *he recognized,* (adnabu)

diarth: dieithr, *strange*
gên: *chin*
gyrru (G.C.): anfon, hala (D.C.)
mynd ohono'i hun: *going of his own accord*
yn ynfyd: yn ddwl
yn gyfartal: *equal*

"Wel, does ganddo ddim teulu, na chefndir, na modd—"

"Mae hynny'n gondemniad arno, debyg."

"Dim o dy gomwnyddiaeth di, Henri. Mae'n rhaid i mi edrych ar ôl fy safle fy hun, a safle Greta, p'un a wyt ti'n cytuno ai peidio. P'un bynnag, mae Karl yn . . . yn estron."

"Dim mwy o estron na Paul Rushmere."

"O?" Cododd Edward Vaughan ei aeliau. "Rwyt ti wedi mynd yn genedlaetholwr Cymreig, wedi'r cwbwl."

"Dydw i ddim mymryn o genedlaethwr. Ond mae'r peth yn amlwg, dybiwn i. Ein diffiniad arferol ni o Gymro, p'un a ydi o'n iawn ai peidio, ydi dyn sy'n siarad Cymraeg. Yn ôl y diffiniad hwnnw mae Karl yn Gymro da. Ar rai ystyron, yn Gymro gwell na chi a fi. Faint o Gymraeg fedar Paul Rushmere?"

"Fynna i ddim o'r dadle 'ma, Henri!" Yr oedd Edward Vaughan ar ei draed ac yr oedd ei wyneb yn writgoch. "Mae'n dyled ni fel teulu'n ddifesur i Paul, ac fe wyddost ti hynny cystal â minne."

"Ydech chi'n siŵr mai i Paul y mae'ch dyled chi?"

"Beth wyt ti'n feddwl wrth hynna?" ebe'i dad.

"Ydech chi'n siwr mai cyllell Paul achubodd fywyd Mam, ac nid gweddïe Karl?"

"Fedri di ddim profi," meddai, "fod gweddi'n achub bywyd, ond fe ellir profi bod operasiwn yn llwyddiant."

"Ffeithie *versus* ffydd," ebe Harri.

"Dyna ddigon ar hynna," meddai Edward Vaughan.

"Pam y dost ti adre?"

"Rydw i wedi gorffen yn y coleg."

Cydiodd Edward Vaughan yng nghefn ei gadair i'w sadio'i hun.

"Gorffen yn y coleg! Wedi dy droi allan yr wyt ti?"

---

modd: *means,* h.y. arian
condemniad: *condemnation*
safle: *position*
p'un . . . ai peidio: *whether you agree or not*
aeliau: *brows*
cenedlaetholwr: *nationalist*
mymryn o: *a bit of*
dybiwn i: *h.y. I'd maintain*

p'un a . . .: *whether it's correct or not*
(a) fedar: mae (P.R.) yn medru/gallu
fynna i ddim . . .: h.y. *I don't want any of this arguing*
yn ddifesur: *immeasurable*
fe ellir profi: *one can prove*
sadio: *to steady*

"Rhag eich c'wilydd chi'n meddwl y fath beth," ebe Harri'n ffug-gyhuddo. "Wedi blino dysgu."

Wel, meddai Edward Vaughan wrtho'i hun, mae'n debyg fod modd i lanc gael syrffed ar addysg.

"Beth wyt ti'n bwriadu'i wneud?" gofynnodd. "Mae'na ddigon o waith iti yn Lleifior."

Ffugiodd Harri syndod.

"O? Yn siŵr, chymerech chi'r un comiwnydd ar eich ffarm."

"Paid â chellwair. Rydw i'n fodlon dygymod â'r pethe yna os gweithi di. Mi gei dy gyflog fel pob un, a fe ŵyr pawb fod cyflog Lleifior yn uwch na chyflog yr un ffarm arall o fewn ugain milltir."

"Dim diolch. Rwy'n mynd i weithio ar y ffordd."

Yr oedd y saib yn drydanol.

"Wyt ti wedi 'madael â dy synhwyre, Henri?"

"Newydd ddod iddyn nhw. Rydw i'n mynd i weld y fforman heno."

"Ond . . . beth wyt ti'n feddwl ddywed pobol yr ardal 'ma pan welan nhw fab Lleifior, o bawb, yn gweithio ar y ffordd efo criw o labrwrs?"

"Fe gân ddweud beth fynnan nhw. Mae'n hen bryd rhoi urddas ar lafur, a'r unig ffordd i'w roi ydi i fechgyn fel fi, sy wedi cael addysg, fynd i wneud gwaith y mae pobol wedi arfer edrych i lawr eu trwyne arno."

"Cer yn ddigon pell o Ddyffryn Aerwen i'w wneud o."

"I arbed eich enw da chi? I'r gwrthwyneb. Nid fel rhywun— rywun y bydda i'n labro ar y ffordd, ond fel mab Lleifior yn syth o'r coleg. Mae'n bwysig imi'i wneud o yn yr ardal yma, lle mae

---

rhag eich c'wilydd (cywilydd): *shame on you*
yn ffug-gyhuddo: *pretending to accuse*
syrffed: *gormod*
ffugiodd H. syndod: *H. pretended to be surprised*
chymerech chi'r: *you wouldn't accept/take,* (cymryd)
paid â chellwair: *don't joke*
dygymod: *to put up with*
fe ŵyr pawb: *mae pawb yn gwybod*

saib: *pause*
Wyt ti wedi . . .?: h.y. *Have you taken leave of your senses*
Fe gân ddweud: *They can say,* (cael dweud)
beth fynnan nhw: h.y. *whatever they wish*
rhoi urddas ar lafur: *to put dignity on labour*
arbed: *to save*
i'r gwrthwyneb: *to the contrary*

pawb yn fy nabod i. P'un bynnag, mae'na le gwag yn y gang yn barod imi.''

Yr oedd Edward Vaughan yn sefyll wrth y ffenest yn edrych allan. Dyma'i blant, hyd yn oed yn helpu'r dynged oedd yn ei dorri. Trodd at Harri.

"O'r gore," meddai. "Ti sy'n dewis. Ond y funud y byddi di'n gwneud cytundeb â'r fforman, mae dy bethe di i gyd yn symud o'r tŷ 'ma. Fyddi di ddim yn fab i mi.''

"Digon teg," ebe Harri. "Ond mae 'na un peth genny i'w wneud cyn mynd. Rydw i'n dal i f'ystyried fy hun yn frawd i Greta. Ac mi wna i f'eitha i'w helpu hi i briodi'r dyn y mae hi'n ei garu, a neb ond hwnnw, hyd yn oed petai raid imi'i helpu hi i ddianc efo fo.''

Yr oedd gwefusau Edward Vaughan yn leision gan gynddaredd.

"Cer allan o'r ystafell 'ma," meddai'n isel. "Wyt ti'n 'y nghlywed i, cer allan!''

II

Am y tro cyntaf erioed ni ofynnodd Robert Pugh i Edward Vaughan anfon dyn i helpu gyda'r dyrnu yn y Trawscoed. Fel rheol, fe fyddai Edward Vaughan yn anfon, nid un, ond dau, ac weithiau fe fyddai'n dod ei hunan, er mwyn y sgwrs. Gyda gwaith dau ddiwrnod o ddyrnu yn y Trawscoed yr oedd Robert Pugh wedi'i chael hi'n anodd cael digon o ddynion heb fynd ar ofyn Lleifior, ac wedi gorfod mynd ymhellach i chwilio nag yr aethai erioed o'r blaen, yn enwedig gan fod llai o weision ar y ffermydd i gyd bellach nag a fyddai ddeng mlynedd yn ôl.

Yr oedd Robert Pugh wedi gofyn i'r ffermwyr ddod eu hunain yr ail ddiwrnod. (A dyna paham) fod dwsin o ffermwyr, neu'u meibion, ar wahân i ddau was neu dri, o gylch y byrddau yng nghegin y Trawscoed ar yr ail ddiwrnod dyrnu.

---

tynged: *fate*
f'eitha: h.y. fy ngorau
yn leision: h.y. glas
gan gynddaredd. *with anger*

y dyrnu: *the threshing*
ar ofyn: h.y. i geisio cael help
nag yr aethai: nag yr oedd wedi mynd

Eisteddodd y pymthengwr yn swnllyd wrth y ddau fwrdd mawr, (ac) aethant ati, fel milwyr ar eu cythlwng, i gyfeiliant cyllell a ffyrc, ac am rai munudau nid oedd gair drwy'r lle. Ond yn y man, cododd John Ifans, Castell Aram ei ben, a gweld Lisabeth yn sefyll wrth y stof.

"Dydi Lisabeth fach ddim yn edrych yn dda," meddai.

Trodd Lisabeth i ffwrdd yn sydyn. Yr oedd hi'n flin wrth John Ifans am grybwyll y peth. Ond ymestynnodd ei thad nes llenwi pen y bwrdd. Yr oedd y pwnc wedi'i agor, ac yr oedd ef yn barod amdano.

"Nac ydi, John Ifans," meddai, "dydi hi ddim wedi bod yn dda ers pum wythnos bellach."

"Rhoswch chi," ebe Davies, Hafod Encid, dyn bach a oedd yn fusneslyd, ac yn well ganddo sgandal na dim ar y ddaear, "nid tua'r adeg yna y gwnaeth mab Lleifior dro sâl â hi?"

"Synnu na fuasech chi wedi codi britsh o' promis, Pugh," ebe Hughes, Lluest-y-Wennol.

"Wel," ebe Robert Pugh, "mi fuase llawer un wedi gwneud. Ond dda gen i mo'r hen ymgyfreithio 'ma rhwng cymdogion. Mae'n dangos yn fychan iawn."

"Rydech chi'n hollol iawn, Pugh," ebe John Ifans. "Yn hollol iawn. Roeddech chi'n fawrfrydig er hynny."

"Oeddech wir, Pugh, oeddech wir . . ." cododd corws o leisiau o'r ddau fwrdd.

"Ond hwyrach nad oes dim llawer o Gymraeg rhyngoch chi a gŵr Lleifior ers hynny?" meddai Davies, Hafod Encid, yn gwybod yn iawn nad oedd.

"O'm rhan i," meddai Robert Pugh, "fe fydde popeth fel arfer, beth bynnag fu rhwng y plant, yntê. Ond yn rhyfedd iawn, rydw i wedi pasio Vaughan droeon ar y ffordd ers hynny, a dweud 'Bore Da' neu 'Nos Da'. Troi'i ben i ffwrdd y mae o bob tro. Fel petawn i'n faw."

---

| | |
|---|---|
| ar eu cythlwng: *starving* | yr hen ymgyfreithio 'ma: h.y. *all this* |
| i gyfeiliant: *to the accompaniment* | *resorting to the courts* |
| am grybwyll: am sôn | yn fawrfrydig: yn hael, *generous* |
| ymestynnodd ei thad: *her father* | corws o leisiau: *a chorus of voices* |
| *stretched,* (ymestyn) | hwyrach (G.C.): efallai |
| tro sâl: *a bad turn* | o'm rhan i: h.y. *as far as I'm concerned* |
| dda gen i: h.y. dydw i ddim yn hoffi | droeon: nifer o weithiau |
| | baw: *dirt* |

"Rhyfedd iawn," ebe John Ifans, "Vaughan, Lleifior, o bawb."

"Roeddwn i'n credu bob amser fod Vaughan yn un o oreuon y ddaear. Ond stori wahanol iawn sy gen Wil James 'ma, wedi bod yn gweithio yno," (ebe Robert Pugh).

Trodd y ffermwyr wrth fwrdd Robert Pugh i edrych dros eu hysgwydd ar Wil James wrth y bwrdd arall. Pan oedd y lleill yn edrych i ffwrdd, gollyngodd Robert Pugh winc ar Wil James, yn arwydd iddo ddechrau ar ei stwff.

"Mi adawes i'r lle," dechreuodd Wil James yn gwynfannus. "Allwn i ddim diodde'r cythrel."

"O? o?" ebe'r ffermwyr i gyd, gan roi'u cyllell a'u ffyrc i lawr am sbel i wrando. Yr oedd hon yn un o funudau aur bywyd Wil James. Ni chafodd erioed gynulleidfa mor niferus nac ychwaith mor ddeallus.

"Fûm i ddim yno flwyddyn. Ond dyna'r flwyddyn waetha aeth dros 'y mhen i erioed. Yn un peth mi fu bron imi lwgu. Doedd dim digon o fwyd ar blât dyn i fwydo cyw deuddydd. Roedd o'n grwgnach talu cyflog i ddyn. Mi fûm i heb 'y nhâl ofyrteim cynhaea am fisoedd."

Yr oedd y bwyta wedi hen beidio erbyn hyn. Twymodd Wil James i'w bregeth.

"Ond 'taech chi'n gweld y sylw'r oedd o'n ei roi i'r Jyrman 'na. O duwc annwyl, roedd hwnnw fel brenin yno. Rhyw greadur fu'n paffio yn erbyn ein bechgyn ni am flynyddoedd. Mi ddwedodd hwnnw wrtha i 'i hun ei fod o wedi saethu dros bum cant o blydi British. Ond hwnnw oedd y dyn gen Vaughan."

Yr oedd rhai o'r ffermwyr yn mwmial yn fygythiol erbyn hyn.

"Ond y peth ddigiodd fi," ebe Wil James, "oedd y pethe'r oedd o'n eu dweud am ffermwyr Dyffryn Aerwen. Fedrech chi, Tomos Davies, ddim ffarmio. Roeddech chi, Robert Hughes, yn llwgu'ch cryduried. Roeddech chi, John Ifans, yn ormod o

---

yn gwynfannus: *moaning*
y cythrel (cythraul): *the devil*
niferus: *numerous*
mi fu bron imi lwgu: *I almost starved to death*
yn grwgnach: yn cwyno
cynhaea: *harvest*

mwmial: *to mumble*
yn fygythiol: *threateningly*
(a) ddigiodd fi: *which disappointed me,* (digio)
llwgu: *to starve*
cryduried: *h.y. creaduriaid, creatures*

ddyn i'ch sgidie. Chithe, Hugh Williams, yn yfed fel pysgodyn. A chithe, Richard Jones, wedi gwneud mwy o droeon sâl nag y gallech chi'u cyfri'ch hun. Ac am y pethe ddwedodd o am Robert Pugh 'ma—liciwn i mo'u hadrodd nhw wrth fwrdd cinio.''

Gwthiodd John Ifans lawes ei got i'w geg rhag chwerthin yn uchel. Fe garai ef wybod pa faint o Edward Vaughan oedd yn y cyhuddiadau, a pha faint o Wil James. Fe fu Wil James yn gweithio iddo ef yng Nghastell Aram am rai blynyddoedd, ac yr oedd wedi dysgu'r adeg honno fod tipyn o lastig yn ei osodiadau.

''A meddwl bod dyn fel'na wedi'n cynrychioli ni ar hyd y blynyddoedd ar y Cyngor Sir!'' meddai Davies, Hafod Encid, yn wenfflam.

''Mae o'n sefyll lecsiwn eleni, o'nd ydi o?'' meddai Robert Pugh yn ddiniwed.

''Fotia'i ddim iddo,'' meddai Hughes, Lluest-y-Wennol yn swrth.

''Na finne.'' meddai Hugh Williams, y Cefn Uchaf.

''Na finne,'' meddai Richard Jones y Garnedd.

A'r cinio drosodd, gwyliodd Robert Pugh y ffermwyr (yn gadael). Dyna gryn ddeg o ffermwyr na phleidleisient i Vaughan pan ddôi mis Mai, ynghyd â'u teuluoedd, a'u hanner wedi digio digon i fynd i'r drafferth i bleidleisio i Aerwennydd. Dyna gryn bymtheg ar hugain o bleidleisiau'n llai i ŵr Lleifior ar un ergyd. Diolch i Wil James.

III

''Llymed o ddŵr, Marged,'' ebe John Morris o'r gwely.

Estynnodd Marged ddiod iddo, a gollwng i'r gwydryn un o'r tabledi'r oedd Dr. Owen wedi'u gadael iddi roi i'w thad pan fyddai'n methu cysgu.

''Marged . . .''

---

cyhuddiadau: *accusations*
gosodiadau: *statements*
cynrychioli: *to represent*
yn wenfflam: h.y. yn grac iawn
yn ddiniwed: *innocently*
yn swrth: *abruptly*
cryn ddeg: *almost ten*

na phleidleisient: *who would not vote,*
(pleidleisio)
pan ddôi: pan fyddai (mis Mai) yn dod
wedi digio: *been offended*
ar un ergyd: *with one blow*
llymed/llymaid: ychydig o ddiod

Yr oedd y sibrwd yn boenus i'w wrando.

"Rydw i yma, 'Nhad."

"Rwyt ti'n eneth dda . . . yn debyg, debyg i dy fam . . ."

"Trïwch gysgu, 'Nhad bach." Yr oedd lwmp yng ngwddw Marged. Yr oedd hithau'n cofio'i mam yn rhy dda.

"Petase . . . tase rhywbeth yn . . . digwydd . . . mi liciwn i feddwl . . . bod genn'ti rywun . . . i edrych ar d'ôl . . ."

"Mae rhywun siŵr o wneud, 'Nhad."

"Da'r lodes. Roeddwn i'n gobeithio bod genn'ti rywun . . ."

Brathodd Marged ei gwefus. Does ganddi neb. Dim golwg, dim gobaith am neb. Ond beth arall ddywedai hi? Yr oeddech yn gorfod dweud cymaint o anwiredd wrth gleifion.

". . . bod genn'ti rywun . . . i . . . i . . ."

A syrthiodd ei thad am ychydig eto i gwsg anesmwyth. Cododd Marged a cherdded yn ddistaw at y ffenest. Allan, yr oedd plu eira mawr yn disgyn ac eisoes wedi gwynnu'r caeau ac wyneb y ffordd a thoau'r tai. Edrychai'r darn pentref a welai o'r ffenest fel cerdyn Nadolig. Clywodd wiced yr ardd yn agor. Yr oedd rhywun yn dod at y tŷ; dyn tal, pennoeth, mewn cot fawr dywyll, a'i wallt yn wyn gan eira, ac ôl ei draed yn ddwy rês o farciau duon yn yr eira tenau o'r wiced at y drws. Clywodd ef yn curo'n ysgafn ar y drws.

Aeth Marged yn ysgafn drwy'r llofft ac i lawr y grisiau. Pan agorodd y drws, rhoes ei llaw'n sydyn ar ei gwefusau. o'i blaen safai Harri Vaughan, Lleifior.

"O . . . Mr. Vaughan—"

"P'nawn da, Miss Morris. Ga i ddod i mewn am funud?"

"O cewch . . . cewch, siŵr, . . . dowch drwodd i'r rŵm ffrynt."

"Na, ddo i ddim i'r stafell ffrynt, os esgusodwch chi fi. Mi . . mi ddo i i'r gegin, os ca i."

"Ffordd yma 'te, Mr. Vaughan."

Ac aeth o'i flaen i'r gegin. Safodd hi wrth y bwrdd â'i dwylo 'mhleth, yn rhy gymysglyd i ddweud dim. Yn y man, dywedodd (Harri),

---

Da'r lodes: h.y. *Good girl*

Brathodd (G.C.): Cnoiodd (D.C.), (brathu)

anwiredd: celwydd

plu eira: *snowflakes*

eisoes: yn barod

rhoes: h.y. rhoiodd

'mhleth/ymhleth: *folded*

yn y man: *presently*

"Ga i eistedd, Miss Morris?"

"O cewch . . . mae'n arw genny . . . eisteddwch yma . . ."

Aeth Marged yn fwy cymysglyd fyth. "Gymerwch chi gwpaned o de . . .?"

"Dim diolch," ebe Harri. "Sut mae'ch tad?"

"Dydi o ddim yn dda," ebe Marged.

"O . . . mae'n ddrwg genny glywed. Wel, i ddweud pam y dos i yma. Yr ydw i wedi gorffen yn y coleg, ac rydw i wedi penderfynu cymryd rhyw waith. Ac mi ddos yma i egluro ichi, rhag ofn ichi feddwl 'mod i'n ceisio mynd â lle'ch tad."

"Lle 'Nhad?"

"Ie . . . 'dech chi'n gweld . . . yr ydw i wedi bod efo Jac Bennett y fforman neithiwr ac wedi cael gwaith ar y ffordd."

"Gweithio ar y *ffordd*? Chi, Mr. Vaughan?"

"Pam?" ebe Harri. "Mae genny ddwy law, fel y gwelwch chi, a dwy droed, fel pawb arall, ceg, dwy glust, dau lygad—hynny ydi, yr ydw i'n ddyn normal, naturiol."

"Ond gŵr bonheddig—"

"Dyna'r cwbwl y dos i yma i'w ddweud. 'Mod i am gymryd lle'ch tad ar y ffordd nes bydd o'n ddigon da i weithio'i hunan. Roeddwn i'n meddwl mai teg oedd dod yma i ddweud, rhag ofn ichi glywed gan rywun arall, a meddwl 'mod i'n cymryd mantais ar waeledd eich tad i fynd â'i le."

"Ie siŵr, Mr. Vaughan . . . Diolch yn fawr," ebe Marged.

Cododd Harri, a rhoi'i law y tu mewn i'w got a thynnu'i waled allan.

"Cyn imi fynd, Miss Morris, mi garwn ichi gymryd hwn. Hanner y cyflog ga i'r wythnos nesa. Yn fwy cywir, hanner cyflog eich tad." Ac estynnodd iddi dri phapur punt.

"O na, chymera'i monyn nhw," ebe Marged. "Wna i ddim cyffwrdd â nhw—dydi o ddim yn iawn—"

"Mae'n hollol iawn," ebe Harri, gan daro'r nodau ar y bwrdd. "Does gen i mo'u hangen nhw. Mae'n well iddyn nhw

---

mae'n arw genny: h.y. mae'n
  flin/ddrwg gen i
egluro: *to explain*
gŵr bonheddig: *gentleman*
cymryd mantais ar: *to take advantage
  of*

gwaeledd: salwch
taro: dodi
nodau: *notes*
angen: eisiau

188

fod lle gallan nhw fod o ryw ddefnydd. P'nawn da, Miss Morris.''

"Pnawn da . . . a . . . diolch . . .''

Gwyliodd Marged ef yn mynd drwy'r wiced i'r ffordd a'i chalon yn curo'n gwbwl afresymol. Caeodd y drws yn anfodlon, a dychwelyd yn araf i'r gegin. Cododd y tri phapur punt oddi ar y bwrdd, a'u cusanu, bob yn un ac un.


## IV


Brasgamodd Harri drwy'r pentref. Yr oedd y sicrwydd newydd ei fod o'r diwedd yn dda i rywbeth yn araf fwyta'r blinder o'i gyfansoddiad. Ond pan gyrhaeddodd fuarth Lleifior, safodd yn stond. Yr oedd ei dad a Terence yn dod allan o'r tŷ a chwpwrdd llawn o lyfrau rhyngddynt. Adnabu Harri'r cwpwrdd fel un o'i gypyrddau ef. Rhoesant ef i lawr yn yr eira gyda sypyn o bethau eraill Harri a mynd yn ôl i'r tŷ i gyrchu rhagor. Ni wyddai Harri beth i'w wneud, pa un ai colli'i dymer ynteu chwerthin. Yr oedd y peth mor hyll. Yr oedd ei dad wedi clywed eisoes, o rywle, ei fod ef wedi cytuno â Jac Bennett.

Pan ddaeth ei dad a Terence o'r tŷ drachefn, yn cario'r gist yr arferai'i fam gadw'i ddillad ynddi, cerddodd Harri atynt.

"Esgusodwch fi, syr," ebe Harri. Edrychodd ei dad arno am y tro cyntaf, nid i'w wyneb, ond tua'i goler. "Tybed a fyddai'n ormod gofyn am ganiatâd i ddefnyddio'r teleffon?"

"I beth?"

"Yn hytrch na gadael y pethe yma i'w cladddu dan eira, lle bydde perygl i chi, syr, faglu ynddyn nhw heb eu gweld a

---

defnydd: *use*
yn gwbl afresymol: *totally unreasonably*
yn anfodlon: *unwillingly*
Brasgamodd H.: Cerddodd H. â
  chamau mawr
sicrwydd: *certainty*
cyfansoddiad: *constitution*
adnabu H.: *H. recognized,*
  (ad)nabyddodd, (adnabod)
Rhoesant ef: *They put it,* (rhoi)

sypyn: *bundle*
i gyrchu: i 'nôl
pa un ai: *whether*
ynteu: neu
drachefn: eto
yr arferai'i fam: roedd ei fam yn
  arfer
yn hytrach na: *rather than*
baglu: *trip*

thorri'ch coes, hwyrach y bydde'n llawn cystal imi geisio lorri i'w mofyn nhw i le cymharol ddiogel, o leia.''

Trodd ei dad ar ei sawdl heb air a mynd i'r tŷ. Dilynodd Harri ef a theleffonio at Rogers y Glo. Addawodd Rogers ddod i fyny ymhen yr awr. Ac yntau'n rhoi'r derbynnydd yn ei le, fe welodd Harri fod Karl yn dod i lawr y grisiau yn cario'i fag. Gwasgodd ei wefusau. Daeth Karl yn araf ato a rhoi'i fag ar lawr.

''Rydech chi'n benderfynol o fynd, Karl?''

''Yn benderfynol, Harri.''

''Er gwybod nad oes dim rhaid ichi?''

''Mae yn rhaid.''

Trodd Harri'n gyflym oddi wrtho. Fe wyddai fod dagrau'n ymwthio i'w lygaid, ac ni fynnai i Karl eu gweld.

''Gadewch imi ddiolch ichi, Harri, o ddyfnder fy nghalon,'' ebe Karl.

Trodd Harri ato drachefn.

''Am beth?'' gwaeddodd. ''Y bachgen gwirion, am beth? Dydw i wedi gallu gwneud dim, na dweud dim, y gellwch chi ddiolch amdano. Mi fuaswn i'n fodlon rhoi 'mywyd, Karl, i chi a Greta gael y bywyd na all byth berthyn i neb ond i chi'ch dau.''

''Am hynny'r wyf yn diolch ichi, Harri,'' ebe Karl. ''Am eich ewyllys.''

Crymodd Harri'i ben a chnoi'i wefusau.

''Sgrifennwch ata i, Karl,'' meddai, heb godi'i ben.

''Mi wnaf,'' meddai Karl. ''Yn fuan.''

''Sut yr ewch chi at y trên?''

''Mae'ch tad, yn garedig, yn mynd â mi yn y car i Henberth.''

''Yn garedig!'' ebe Harri'n isel.

''Mae'ch tad yn garedig, Harri,'' ebe Karl. ''Mae'n dymuno, â'i holl galon, am fod yn garedig. Amgylchidau sydd weithiau'n ein gorfodi i fod yn greulon.''

Agorodd drws y gegin, ac yn y drws safai Greta. Yr oedd ei hwyneb yn wyn fel lliain. Fel petai corwynt o'r tu ôl iddi,

---

i'w mofyn: i'w 'nôl nhw
cymharol: *comparatively*
derbynnydd: *receiver*
fe wyddai: roedd yn gwybod
yn ymwthio: yn gwthio
ni fynnai: h.y. doedd e ddim eisiau
gwirion: h.y. twp

na all . . .: *that can not belong to anyone*
ewyllys: *will*
crymodd: plygodd, (crymu)
amgylchiadau: *circumstances*
gorfodi: *to force*
corwynt: *whirlwind*

190

rhuthrodd ar Karl a thaflu'i breichiau am ei wddw a bwrw'i phen ar ei ysgwydd.

"Karl, Karl, Karl!"

Dechreuodd Karl anwesu'i gwallt, yn fwy fel tad nag fel cariad.

"Yr ydw i'n barod, Karl."

Yr oedd Edward Vaughan yn sefyll yn y drws, a'i gôt fawr amdano. Allan, ar y dreif, yr oedd y car, a'i beiriant yn troi, yn barod i fynd. Gwthiodd Karl Greta'n dyner oddi wrtho, ac estyn ei law i Harri. Gafaelodd Harri ynddi, ond nid oedd nerth yn ei fysedd. Yna, estynnodd Karl ei law i Greta. Cododd Greta'i llaw tuag ati, ond cyn ei chyffwrdd, trodd, a rhedeg i'r gegin, a'r drws yn cau gyda chlep ar ei hôl. Brysiodd Karl allan at y car.

Safodd Harri'n hir, yn edrych ar y drws yr aethai Karl drwyddo. Nid oedd dim i'w glywed yn y neuadd ond tipian trwm y cloc mawr, a Greta'n beichio wylo yn y gegin.

---

anwesu: *to fondle*                    beichio wylo: *to sob*
clep: *slam*
yr aethai: (y drws) yr oedd K. wedi
    mynd

# YR-AIL-BENNOD-AR-BYMTHEG

## I

Wrth lusgo'i draed tua Brynyfed ar ddiwedd ei wythnos gyntaf ar y ffordd, yr oedd Harri'n siŵr na allai wynebu wythnos arall arni. Yr oedd ei gymalau bnawn Sadwrn fel petaent wedi'u llwytho â phlwm.

Y gwaith cyntaf a gafodd y gang Ddydd Llun oedd torri eira. Yr oedd wedi bwrw eira'n gyson dros y Sul, a phan beidiodd â bwrw fe ddechreuodd chwythu, nes bod ffyrdd bach y wlad wedi'u cau hyd bennau'r gwrychoedd gan luwchfeydd.

Yr oedd Harri ar groes Llanaerwen cyn wyth. Y cyntaf i gyrraedd ar ei ôl oedd Jac Bennett. Daeth y lleill bob yn un ac un, ac yn olaf o'r cwbwl, Joni Watkins a Thwm Ellis. Edrychodd y ddau hynny ar Harri'n syn.

"Duwc annwyl, Lleifior," ebe Joni Watkin, gan rwbio sedd ei drywsus melfared, "beth wyt ti'n ei wneud yma?"

"Mae o wedi dod i weithio ar y ffordd," ebe Jac Bennett.

"Ac mi gofiest beth ddwedes i wrthot ti, do?" ebe Joni Watkin, yn troi'n ôl at Harri. "Duwc annwyl, doedd dim eisie iti 'nghymeryd i o ddifri, boi bach. Mi laddi dy hun."

"Dyna ddigon rŵan, lads," ebe Jac Bennett, ym mwynhau'r pryfocio cystal â neb, ond yn cofio cystal â hynny mai ef oedd y fforman. "Does 'na'r un lorri i fynd â ni heddiw. Rhaid inni'i cherdded hi cyn belled â thŷ Loti Jones."

A chychwynnodd y cerdded. Wedi cyrraedd bwthyn Loti Jones, a'r eira at hanner ei ffenestri isaf, eisteddodd y dynion ar eu sodlau i gymryd cwpanaid o de bob un o'i thermos. Ac yna, cydio yn eu rhawiau a dechrau rhofio.

O hynny hyd y gwpanaid unarddeg, fe fu'r bore i Harri fel diwrnod. Pa un a oedd y dynion yn rhofio'n galetach er mwyn

---

| | |
|---|---|
| cymalau: *joints* | lluwchfeydd: *drifts* |
| plwm: *lead* | melfared: *corduroy* |
| yn gyson: *constantly* | mi laddi: *you'll kill,* (lladd) |
| peidiodd: stopiodd | rhofio: *to shovel* |
| gwrychoedd: cloddiau, *hedges* | pa un: whether |

ceisio'i flino ef ai peidio, ni wyddai, ond yr oeddynt yn rhofio'n galed. Droeon, fe ddisgynnodd rhawiaid rhywun am ei ben a'i sgwyddau ef, a'r dynion yn chwerthin. Fe geisiodd yntau chwerthin gyda hwy a mwynhau'i anghysur ei hun cystal â hwythau, ond yr oedd yn mynd yn anos, anos bob tro. Ac wedi cael cyfeirio ato droeon fel 'Vaughan', a'r 'stiwdent', fe ddechreuodd Joni Watkin ei alw "Y B.A. Blydi Aristocrat".

Dau yn unig a'i cadwodd rhag taflu'i raw i mewn ar y noson gyntaf a ffarwelio â'r gang. Jac Bennett y fforman, a gadwodd chware teg iddo unwaith neu ddwy pan drodd y chwarae'n rhy chwerw. A William Lewis, yr hynaf o'r criw, na chlywodd un reg ar ei wefus na'i glywed yn chwerthin unwaith am ben stori faswedd.

Ac oherwydd Jac Bennett a William Lewis, fe aeth Harri drannoeth a thrennydd, a thradwy, pob dydd yn gopi ffoto-graffig o'r dydd o'i flaen, yr un sgwrs, yr un chwerwedd, yr un profi arno ef. A'r pnawn Sadwrn hwn, wrth gerdded tua'r *Hand,* yr oedd Harri'n amau'n fawr a âi ef yn ôl atynt fore Llun ai peidio.

Pan aeth i'r *Hand,* yr oedd dau lythyr yn disgwyl wrtho. Un oddi wrth Karl, yn dweud ei fod wedi cyrraedd ei le yn Suffolk yn ddiogel, ac wedi dechrau ar ei waith. Yr oedd yn credu y byddai'n fodlon ar ei le. Byr oedd y llythyr; fe ddarllenodd Harri fwy rhwng y llinellau nag oedd ynddynt. Yr oedd y llythyr arall oddi wrth Gwylan. Nid oedd hi mewn gwirionedd wedi peidio â bod yn gomiwnydd. Wedi ceisio'i blesio ef yr oedd trwy ddangos ei fod ef yn cyfri mwy iddi nag unrhyw ddogma. Erfyniai arno ddod yn ôl i Fangor am sgwrs.

Syllodd Harri'n hir i'r tân ym mharlwr yr *Hand,* a'r llythyr yn llipa yn ei law. Ceisiodd ail-greu Gwylan iddo'i hun fel yr oedd ef yn arfer ei hedmygu a'i hanner-addoli. Yr oedd yn sicir erbyn hyn mai Gwylan y noson olaf oedd yr Wylan wir. Yn araf ac yn

---

ai peidio: *or not*
droeon: nifer o weithiau
rhawiaid: *shovelful*
anghysur: *discomfort*
yn anos: yn fwy anodd
rheg: *swear word*
stori faswedd: *blue joke*
drannoeth: y dydd nesaf

trennydd: y dydd ar ôl hwnnw
tradwy: y dydd ar ôl hwnnw wedyn
amau: *to doubt*
a âi ef: *whether he'd go,* (mynd)
Erfyniai arno: *She begged him,* (erfyn ar)
llipa: *limp*

fyfyriol, estynnodd y llythyr bob yn ddalen i'r tân. Cyrliodd y fflamau am y dalennau a'u cofleidio.

Wedi bod yn y baddon a chael cinio, yr oedd yn teimlo beth yn ysgafnach. Gwisgodd ei got fawr a daliodd y bws i Lanaerwen, a oedd wedi ail-ddechrau rhedeg hyd y ffordd lithrig y diwrnod cynt. Disgynnodd cyn cyrraedd Llanaerwen, ac aeth i fyny tua thai cyngor Maes Powys.

Pan gurodd ar y drws, daeth Marged i'w agor ar ei hunion. Yr oedd ei hwyneb bach del yn welw ac yr oedd lludded yn ei llygaid. Fe wyddai Harri, heb ofyn, fod ei thad wedi gwaelu.

"Fe ddaeth Dr. Owen yma y bore 'ma," ebe Marged, "ac mae Mr. Williams y gweinidog efo fo rŵan."

"Mi wela," meddai Harri, gan eistedd wrth dân y gegin. "Oes yna . . . oes rhyw obaith?"

Siglodd Marged ei phen yn araf, a chrynodd dau ddeigryn ar ei hamrannau. Daeth awydd sydyn ar Harri i gydio ynddi a thynnu'i phen ar ei ysgwydd a'i chysuro. Yr oedd hi mor ifanc ac mor ddiamddiffyn, ac mor flinedig.

"Dyma . . . dyma hanner cyflog eich tad am yr wythnos nesaf," meddai, gan roi tri phapur punt ar y bwrdd fel y tro o'r blaen. Protestiodd Marged unwaith eto, ond yn ofer.

"A hefyd, Miss Morris," meddai, "wel mi wn i nad dyma'r adeg i ofyn, a chithe yng nghanol eich helbul, ond . . . yr ydw i am ofyn cymwynas."

"Unrhyw beth y galla'i wneud," sibrydodd Marged, a'i llygaid yn lledu. Un o Vaughaniaid Lleifior yn gofyn cymwynas ganddi hi, beth nesaf?

"'Dech chi'n gweld . . . dydi hi ddim yn dda iawn ar y funud rhyngof i a 'nheulu. Ac yr ydw i wedi gorfod lletya ar hyd yr wythnos yma yn yr *Hand* . . . Wel, mae'r *Hand* yn iawn, wrth gwrs, yn ddigon cysurus a phopeth felly. Ond wyddoch chi, dydw i ddim yn rhyw gartrefol iawn mewn tafarn. I dorri'r stori'n fyr, Miss Morris, rydw i'n chwilio am lety." Cododd ei lygaid a'u hoelio arni. "Fedrwch chi 'nghymryd i yma?"

---

| | |
|---|---|
| cofleidio: *to embrace* | cysuro: *to comfort* |
| baddon: *bath* | diamddiffyn: *defenceless* |
| ar ei hunion: *yn syth* | yn ofer: *in vain* |
| lludded: *blinder* | helbul: *problemau* |
| wedi gwaelu: *wedi gwaethygu* | cymwynas: *favour* |
| amrannau: *eyelashes* | hoelio: *to nail* |

"O . . .!" Ni allai (Marged) wneud dim ond sefyll yno, a'i llygaid a'i gwefusau'n grwn.

"Mi wn i, Miss Morris, fod gennoch chi fwy na llond eich dwylo o waith," ebe Harri'n frwd, "ond mi'ch helpa i chi—rwy'n addo—ac mi eistedda i efo'ch tad bob yn ail noson i chi gael cysgu, ac mi fyddaf wrth law i—wel, i mofyn y doctor neu beth bynnag fydd eisie, ac—fe fydd yr arian yn dipyn bach o help i chi tra—tra bydd pethe fel y maen nhw."

Eisteddodd Marged yn araf ar gadair. Yr oedd meddwl am gael Harri Vaughan mor agos ati ddydd ar ôl dydd yn fwy nag y gallai'i ddal ar y funud. Nid oedd yn bosibl ei fod ef yn gwybod am ei dyheu adolesent hi amdano ar hyd y blynyddoedd, neu ni buasai mor fachgennaidd frwd. Ac fe fyddai'i gael mor agos nes gallai glywed ei lais bob nos a bore a chyffwrdd ag ef wrth basio yn y lobi yn rhy greulon.

"Fedra i ddim, Mr. Vaughan," meddai. "Mae genny ofn na allwn i mo'ch gwneud chi'n ddigon cyfforddus yma—"

"Clywch, Miss Morris. Tri pheth sy arna i eisie. Gwely i gysgu ynddo. Tamaid o fwyd plaen deirgwaith y dydd. A 'ngalw i'n Harri." Cododd Marged ei golygon yn sydyn. "Am ddim ond y tri chysur yma mi dala i ddwy bunt a chweugain yr wythnos—rhagor, os byddwch chi'n teimlo nad ydi o ddim yn ddigon. Rŵan—oes gennoch chi rywbeth yn f'erbyn i?"

"O . . . o nac oes, dim—"

"O'r gore." Cododd Harri. "Mi ddo i â 'mhethe yma heno, os ca i. Yr ydw i wedi storio'r rhan fwyaf ohonyn nhw yn Henberth. Ac os byddwch chi heb gael amser i wneud gwely imi, fe'i gwnaf o fy hun pan ddo i i mewn. Rŵan, yr ydw i'n mynd i siop Wilff i mofyn sigarets. Oes 'na rywbeth garech chi'i gael?"

"Na, dim diolch."

"Rhywbeth i wneud diod o lemwn i'ch tad? *Squash*?"

Cofiodd Marged am y noson y gwelodd ef yn siop Wilff o'r blaen. Yr oedd yntau'n cofio hefyd. Chwarddodd y ddau.

"O'r gore 'te," meddai Marged.

"Mi ddof â *squash*," ebe Harri. "Ac . . . fe'ch gwela i chi heno, Marged."

---

yn frwd: *enthusiastically*      golygon:h.y. llygaid
dyheu: *yearning*

195

Safodd Marged yn syllu arno'n mynd. Yr oedd wedi'i galw wrth ei henw bedydd. Ni welodd hi erioed ddim yn yr enw "Marged" tan y funud hon. Trodd yn ôl i'r gegin, wedi ysgafnu drwyddi. Fe allai weini'n fwy dyfal ac yn fwy caruaidd ar ei thad yn awr, gyda rhywun yn gwmni yn y tŷ, a chyfle i gysgu bob yn ail noson. O achos fe wyddai y byddai Harri Vaughan—Harri, bellach—cystal â'i air.

## II

Dair wythnos yn ddiweddarach fe ddaeth Margaret Vaughan adref o'r ysbyty. Daethant â hi mewn ambiwlans, ond yn arwain yr ambiwlans oedd Paul yn y *Gloria*, yn gyrru tua Lleifior fel petai'n mynd adref. Felly y teimlai ar y funud hon, felly'n union. Yr oedd yn siŵr y byddai croeso'n ei aros yn Lleifior, croeso tebyg i hwnnw a gafodd Crist pan gyflwynodd Lasarus yn ôl i'w chwiorydd, yn fyw.

Yr oedd y *Gloria* fel petai'n gwingo dan ei law a'i droed, eisiau mynd, a mynd, a mynd. Ond yr oedd yn rhaid ei gadw'n ôl. Yr oedd yn rhaid iddo gadw'r ambiwlans yn y drych o'i flaen, ac yr oedd yn rhaid i'r ambiwlans gadw'n rhesymol araf. Ynddo ef yr oedd y trysor.

Pan oedd yn gyrru drwy'r llidiardau gwynion i fyny'r dreif at y tŷ, aeth calon Paul i guro'n gynhyrfus. Estynnodd ei ben drwy'r ffenest wrth dynnu'r car at ddrws y tŷ. Nid oedd neb yn y drws. Siom am eiliad, siom chwerw. Yna, agorodd y drws, a daeth Edward Vaughan allan.

Tybiodd Paul ei fod wedi heneiddio, wedi torri. Wedi cael ei briod o berygl, ni bu yn yr ysbyty unwaith. Gan ei bod hi'n gwella'n foddhaol, yr oedd Paul wedi dweud wrtho ar y teleffon nad oedd angen iddo ddod. Yr oedd ef yn edrych ar ôl Mrs. Vaughan yn burion, ac yn treulio oriau bob dydd yn ei chwmni, gan fod ganddi ward iddi'i hun.

---

wedi ysgafnu drwyddi: h.y. yn
   teimlo'n llawer hapusach
gweini: *to tend*
dyfal: *diligent*
yn union: *exactly*
gwingo: *to writhe*

llidiardau: gatiau
cynhyrfus: yn gyffrous
Tybiodd P.: Meddyliodd P.
heneiddio: mynd yn henach
angen: eisiau
yn burion:h.y. yn iawn

Ysgafnodd Paul ychydig wrth weld gwên yn torri dros wyneb hagr, hardd. Daeth Edward Vaughan i lawr y grisiau ato a chymryd ei law yn ei law fawr, galed ei hun.

"I don't know how to thank you, my boy. If you understood Welsh, I would tell you, as one of our poets said, 'Ti wyddost beth ddywed fy nghalon'."

"I don't need to know any Welsh to understand your handshake, sir," ebe Paul. "And now, I'm sure you'll want to see your bride."

Aethant ill dau at yr ambiwlans lle'r oedd y nyrs a'r gyrrwr yn gosod Margaret Vaughan ar y cludydd. Yr oedd hi wedi dechrau codi yn yr ysbyty, ac wedi dechrau cerdded, ond yr oedd Paul wedi dweud y byddai'n rhaid ei chario i fyny grisiau Lleifior, a'i chadw yn ei gwely am ychydig ddyddiau o orffwys.

"'Nghariad i . . ."

"Edward . . ."

Plygodd ef a'i chusanu ar ei gwefusau. Cusan llanc i'w gariad ddeunaw oed. Trodd Edward Vaughan a Margaret Vaughan eu llygaid (ar Paul) ac meddai hi,

"Dyma'r dyn sy gennoch chi i ddiolch iddo am achub 'y mywyd i."

Nodiodd Edward Vaughan a dweud, "Mi wn i." Ac yr oedd ei lygaid yn llawn.

Teimlodd Paul yn gynnes, braf oddi mewn. Yr oedd rhai ugeiniau wedi diolch iddo fel hyn erioed, ond nid oedd eu diolch wedi golygu dim iddo. Yr oedd y diolch hwn yn bopeth. Am y foment hon yr oedd wedi breuddwydio ers wythnosau. Ond yr oedd y foment yn anghyflawn.

"Where is Greta?"

Tybiodd iddo weld cysgod yn croesi wyneb Edward Vaughan. Dychymyg, wrth gwrs. Dywedodd ei thad ei bod yn y tŷ yn rhywle. Ac wedi gweld Margaret Vaughan yn ddiogel ar y cludydd rhwng y gyrrwr a'i gŵr, aeth Paul i'r tŷ i chwilio.

Daeth o hyd i Greta yn y stafell ginio yn paratoi bwyd. Yna,

---

hagr: *haggard*
hardd: golygus
ill dau: y ddau ohonyn nhw
cludydd: *stretcher*

ugeiniau: *scores*
golygu: *to mean*
anghyflawn: *incomplete*
dychymyg: *imagination*

cododd hi'i golygon a'i weld. Yr oedd Greta'n deneuach, ac yn welwach. Aeth ymlaen ati.

"Gret darling, I've come."

"Yes . . . how are you, Paul?"

Yr oedd ei llais mor ddi-liw â'i hwyneb. Cymerodd ef hi i'w freichiau a'i chusanu. Ni wrthsafodd hi na'r cofleidio na'r cusanu, ond nid oedd ynddi ddim brwdfrydedd chwaith.

"Gret . . . aren't you glad to see me?"

"Of course I am."

"You make no effort to show it."

"I'm sorry, Paul."

"I suppose you're tired."

"Yes . . . I suppose so."

Gollyngodd ef hi, a dal y ffrwyn ar y cariad a oedd yn curo ynddo. Fe fuasai'n caru Greta petai wedi'i cherfio mewn mynor. Dywedodd y byddai'n rhaid rhoi tonig iddi. Dywedodd ymhellach ei fod wedi dod â thonig iddi, ond na roddai mohono tan ar ôl swper. Yr oedd braidd yn gryf. Gwenodd yn llydan. Lledodd gwefusau gwelwon Greta ychydig, ond nid gwên mohoni. Gofynnodd Paul onid oedd hi am ddod i weld ei mam.

Gyda'r ochenaid leiaf yn y byd, gadawodd Greta'r bwrdd a dod gydag ef i'r neuadd lle'r oedd ei chludwyr yn cychwyn â Margaret Vaughan i fyny'r grisiau. Safodd y cludwyr wrth ei chlywed yn dod. Aeth Greta a sefyll uwchben ei mam. Neidiodd calon Paul. Yr olwg yn llygaid Greta . . . Fe allasai dyn feddwl ei bod yn gas wrth ei mam am ddod yn ôl i Leifior yn fyw. Fe'i pinsiodd Paul ei hun. Yr oedd yn dychmygu gormod heno, gormod o lawer. Yr oedd llygaid Greta'n dyner yn awr, ac yn gloywi gan ddagrau fel y plygodd hithau i gusanu'i mam.

Dilynodd Greta i fyny'r grisiau, i roi'i mam yn ei gwely. Wedi i'r lleill adael y llofft rhoddodd Greta'r golau am ei bod yn

---

golygon:h.y. llygaid  
yn welwach: *paler*  
ni wrthsafodd hi: *she did not resist,*  
  (gwrthsefyll)  
na'r . . . na'r: *neither . . . nor*  
y cofleidio: *the embracing*  
brwdfrydedd: *enthusiasm*  
a dal y ffrwyn: *and kept in check*

cerfio: *to carve*  
mynor: *marble*  
onid oedd hi am: *didn't she want*  
ochenaid: *sigh*  
cludwyr: *(stretcher) bearers*  
golwg: *look*  
dychmygu: *to imagine*  
gloywi: disgleirio

198

tywyllu, a throi i edrych ar ei mam yn eistedd yn ei gwely. Y peth cyntaf a ddywedodd oedd,

"Greta fach, cer i ddweud wrth Karl y buaswn i'n hoffi'i weld o."

Trodd Greta oddi wrthi a syllu allan dros y caeau wedi'u gadael yn llwyd ac yn wlybion gan wythnosau o eira.

"Feder Karl ddim dod ar y funud, Mam."

"Ddim dod? Wrth gwrs y gall o ddod. Fe ddaw i fyny cyn gynted ag y clyw 'mod i wedi dod adre."

Brathodd Greta'i gwefus, a'i chefn o hyd at ei mam.

"Ddaw Karl ddim ar hyn o bryd, Mam."

"Beth wyt ti'n feddwl, 'nghariad i? Wyt ti ddim yn trio cuddio rhywbeth, wyt ti? Ble mae Karl?"

Pan allod Greta siarad, clywodd ei llais yn dynn yn ei gwddw.

"Dydi Karl ddim yma."

"Ddim yma? Ond ble mae o wedi mynd? Fuase fo byth yn gadael Lleifior heb ddweud gwdbei wrtha i. Roedden ni'n gymaint o ffrindie."

"Mae o . . . mae o yn Lloegr," ebe Greta, "ar ffarm laeth fawr, mewn lle da—" Craciodd ei llais a bu'n rhaid iddi dewi. Trodd i ffwrdd eto, rhag i'w mam weld y glaw yn ei llygaid.

"Rydw i'n methu deall," ebe Margaret Vaughan. "Beth ddigwyddodd? Ddaru chi ffraeo efo fo, un ohonoch chi?"

"Peidiwch â holi rhagor rŵan, Mam. Fe gewch yr hanes gan 'Nhad, rwy'n siŵr."

Gwyliodd Greta'i mam yn nrych y wardrob. Estynnodd ei llaw at y bwrdd wrth y gwely a chymryd oddi arno yr astell lyfr a wnaethai Karl iddi pan aeth hi'n wael gyntaf.

"Roeddwn i'n meddwl hefyd," meddai eto ymhen tipyn, "y buase Harri wedi dod adre o Fangor heno, os oedd o'n gwybod 'mod i'n dod."

"Fe ddaw cyn gynted ag y gall o, mi wn," meddai Greta. Pe

---

Feder K. ddim: Dydy K. ddim yn
   gallu, (medru)
tewi: stopio siarad
Ddaru chi ffraeo? (G.C.):
   Wnaethoch chi ffraeo?

astell lyfr: h.y. *book stand*
a wnaethai K.: yr oedd K. wedi'i
   wneud
Pe gwyddai'i mam: Petai ei mam yn
   gwybod

gwyddai'i mam fod Harri mor agos ac eto'n cadw draw, fe fyddai'n ddigon i'w gyrru'n ôl i'r bedd y daethai oddi ar ei ymyl.

"Dyna chi rŵan, Mam. Gorffwyswch am dipyn. Mi ddo i â'ch te chi yn y munud. Rhaid imi fynd i fwydo'r bobol ddaeth â chi. Maen nhw ar frys i fynd, rwy'n siŵr."

Gwenodd ei mam arni fel yr aeth drwy'r drws. Fe wnâi Greta wraig fach ddigon teilwng i'r bachgen a achubodd ei bywyd hi.

Wedi i bobol yr ambiwlans fynd ac iddynt hwythau orffen eu te, aeth Edward Vaughan allan i odro, a gadael Greta a Paul gyda'i gilydd yn y parlwr mawr.

"Your father never used to have to milk, did he?" ebe Paul, yn sefyll â'i gefn at y tân.

Dywedodd Greta nad oedd, ond fod pethau wedi newid yn Lleifior. Yr oedd Wil James wedi mynd.

"James? Oh, yes, I remember. The yokel type."

"And Karl has gone."

"The German? And high time he went, too. I didn't care to see him about the place."

Bu agos i Greta sgrechian. Yr oedd ar fin dweud gair o blaid Karl, ond pa les? Yr oedd yn rhy hwyr i ddweud dim bellach. Ni allai ond drifftio bellach.

"Your father ought not to have to work at his time of life. With his means, he ought to have a dozen men working for him. He can get them, surely."

Eglurodd Greta nad oedd dynion yn hawdd eu cael. Yr oedd dyn yn dod yr wythnos nesaf, er na wyddai hi pa fath ddyn ydoedd.

Yna, meddai Paul, fe ddylai reteirio. Yr oedd yn wrthun fod yn rhaid i Edward Vaughan ei feichio'i hun â lle o faint Lleifior, a chanddo ddigon o fodd i ymddeol ugain gwaith drosodd. Yr hyn yr oedd arno'i angen oedd tŷ cyfleus mewn lle cyfleus. Gyda'i ddylanwad ef, fe allai Paul gael tŷ da iddo yn Lerpwl.

---

y daethai: yr oedd hi wedi dod
teilwng: *worthy*
godro: *to milk*
o blaid: *in favour of*
pa les: *what good*

er na wyddai: er doedd hi ddim yn gwybod
yn wrthun: *ridiculous*
ei feichio'i hun: *to burden himself*
modd: *means*

Lerpwl! Yr oedd Greta wedi troi ar y soffa ac yn rhythu arno mewn dychryn.

"Why not?" ebe Paul.

Dywedodd Greta na fuasai'i thad byth yn gadael Dyffryn Aerwen.

"Why not again?"

Fe fuasai'n torri'i galon.

"Break his heart? Good heavens, why should he?"

Ceisiodd Greta egluro bod y fath bethau â chapel a chymdogaeth dda a'r iaith Gymraeg yn golygu llawer i ddyn a oedd wedi'i fagu arnynt.

"Stuff and nonsense! I never heard the like. What a man needs at the end of his day is health and care and comfort. He can dispense with the rest. Welsh language, indeed!" Cerddodd Paul yn drwm at y ffenest bellaf. Ac yna dweud,

"I will. I'll get him a house in Liverpool."

"But why Liverpool?" gofynnodd Greta.

Brasgamodd Paul yn gyflym tuag ati ac eistedd ar fraich y soffa yn ei hymyl.

"I'll tell you why, my darling," meddai. "It's because Liverpool is going to be our home, yours and mine—"

"But—"

"No, don't say it. And your dear parents will want to be near you."

O boced ei wasgod tynnodd Paul flwch bach lledr. Agorodd ef gyda chlic, ac yn y sgwâr bychan o felfed glas fflachiodd un o'r modrwyau harddaf a welsai Greta erioed. Aeth â'i hanadl am rai eiliadau. Ynddi yr oedd un diemwnt wedi'i osod mewn cylch o ddiemwntau llai. Rhaid ei bod wedi costio canpunt, o leiaf. Petai wedi fflachio arni o law rhywun arall, fe fuasai Greta wedi syrthio mewn cymaint cariad â hi ag â'r llaw oedd yn ei dal. Ond fel yr oedd . . .

"This, Greta, is all yours," meddai Paul, a'i lygaid fel petaent am fwyta'i llygaid hi. "You will marry me, won't you?"

Beth allai hi'i ddweud? Doedd ganddi ddim dewis. Fe wyddai

---

rhythu: *to stare*      golygu: *to mean*
dychryn: ofn mawr      aeth â'i hanadl: *it took her breath away*
cymdogaeth: *neighbourhood*

mai hi oedd offrwm diolch ei theulu i'r dyn hwn. Hwyrach y dôi hi i garu Paul rhyw ddydd . . .

"Yes, Paul. "

Cyn gynted ag yr oedd y geiriau o'i genau, llithrodd ef ati oddi ar fraich y soffa, cymryd ei llaw a gwthio'r fodrwy ar ei thrydydd bys. Fflachiodd y diemwntau fel tân yn y golau, a chlywodd Greta wefusau Paul yn gwasgu'i gwefusau hi yn erbyn ei dannedd, a'i freichiau'n cau amdani am byth. Safodd ar ei draed.

"We must tell them, my dear. No, wait a minute. We must have something more definite to tell. When shall it be, Gret? Let's make it a May wedding, shall we? That will only mean three months of waiting. You'll have to meet my parents first, of course. You'll be surprised to hear that my father came to see your mother one day. And d'you know what he said? That she was the first really decent Welshwoman he'd ever met, and that if her daughter was anything like her, she'd do." A chwarddodd yn fachgennaidd.

Ond ni chwarddodd Greta. Yn hytrach, dywedodd yn dawel,

"I shall forgive you this once, Paul. But in future I shall consider all such quips at the expense of my people to be in very bad taste."

Sobrodd Paul. Yr oedd rhywbeth yn ei lais, rhyw eco o'r Greta annibynnol gynt, yn rhybudd iddo droedio'n ofalus o gylch ei gwreiddiau hi. I dynnu'i meddwl oddi ar y peth, gofynnodd,

"When is Henry coming home?"

Dywedodd Greta'i fod wedi gadael y coleg ac yn gweithio ar y ffordd.

"He's doing—what!" Edrychodd Paul fel dyn â bwled yn ei berfedd. "That brother of yours must be mad. A university graduate working on the road with a lot of navvies. Great Scot! You'll be telling me next that he's a communist."

"He is."

---

offrwm: *sacrifice*
hwyrach (G.C.): efallai
y dôi hi: y byddai hi'n dod
sobrodd P.: *P. sobered,* (sobri)
annibynnol: *independent*

gynt: o'r hen amser
rhybudd: *a warning*
troedio: *camu*
perfedd: *entrails*

202

"Oh . . . he is."

Aeth wyneb Paul mor welw mewn eiliad ag y bu'i hwyneb hi ers wythnosau.

"What does your father think of this . . . this perfectly-timed development?"

"They've broken off all diplomatic relations."

"I should think so, my word."

Dywedodd Greta fod Paul yn rhydd i dorri'u dyweddiad os dymunai.

"No . . . no, of course not. Don't be ridiculous, child. You can't help it. No one can. It's just . . . unfortunate, that's all. However, we'll have to pretend that your brother doesn't exist."

"You may, if you wish," ebe Greta. "It would be asking too much of me."

Pan ddaeth Edward Vaughan i mewn, safodd Paul ar ei draed a thynnu Greta i sefyll yn ei ymyl. Yr oedd yn gwenu'n llydan. Gofynnodd i Edward Vaughan ddod i fyny'r grisiau. Aeth y tri i fyny ac ar hyd y landing, a churodd Paul yn ysgafn ar ddrws Margaret Vaughan.

"Dowch i mewn."

Aeth y tri i mewn i'w stafell. Sylwodd Greta fod ei mam yn darllen, a bod ei llyfr ar yr astell a wnaethai Karl.

"My dear Mr. and Mrs. Vaughan." Yr oedd Paul yn gwbwl hunanfeddiannol. "I have the best news it shall ever be my good fortune to tell. Greta and I, subject to your consent which I know will be forthcoming, are engaged to be married."

Yn ei llawenydd gwthiodd Margaret Vaughan astell Karl oddi wrthi, a disgynnodd honno gyda chlebar ar lawr y llofft. Estynnodd ei breichiau at Greta.

"'Y mhlentyn i!" meddai, a'i llygaid fel sêr. Aeth Greta ati a gadael i'w breichiau'i hanwesu, a rhoi cusan cwta diangerdd ar y talcen sidan.

Cydiodd Edward Vaughan yn llaw Paul a'i gwasgu.

---

yn rhydd: *free*
dyweddiad: *engagement*
yn gwbwl: *totally*
hunanfeddiannol: *self-possessed*
llawenydd: hapusrwydd

clebar: h.y. *bang*
anwesu: *to cuddle*
cwta: byr
· diangerdd: *without passion*

"I'm proud to give my consent," meddai, "and prouder to have a man of your distinction for a son."

Yna, estynnodd ei freichiau i gofleidio Greta. Ond pan gofleidiodd hi yr oedd corff Greta'n gwbwl lipa, a'i hwyneb yn ddifynegiant fel wyneb delw. Ac fe wyddai'i thad, yn yr eiliad honno, na roddai un-haf-ar-hugain arall mo'r rhosynnau'n ôl ar fochau'i lodes ef.

## III

Drannoeth dyweddïo Greta, yr oedd ei brawd yn y newyddion. Holl siarad Llanaerwen oedd fod Harri Vaughan, Lleifior, yn un o'r pedwar oedd yn cludo arch John Morris i'r fynwent. Erioed ni chlywsai neb am un o fyddigions yr ardal yn rhoi'i ysgwydd dan arch gweithiwr.

(Wrth adael y fynwent) yr oedd dwy fodryb i Marged, chwaer i'w thad a chwaer i'w mam, yn ymresymu â hi. Yr oedd chwaer ei thad am iddi fynd i fyw ati hi, chwaer ei mam am iddi fynd ati hithau.

"Fedra i ddim dod at yr un ohonoch chi," ebe Marged, "mae genny lodjar."

"Mab Lleifior?" ebe chwaer ei mam. "Does dim rhaid iti aros er ei fwyn o. Mae ganddo fo ddigon o fodd a digon o le i fynd."

"Peth arall, Marged," ebe chwaer ei thad, "dydi o ddim yn beth neis, ddim yn beth neis o gwbwl, fod genn'ti ddyn ifanc yn byw yn y tŷ a thithe'n sengal. Mi fydd pobol yn siŵr o siarad."

"Fe gân siarad," ebe Marged, yn twymo. "Mae Mr. Vaughan yn talu'n anrhydeddus am ei le. Cha i ddim gwaith

---

cofleidio: *to embrace*
llipa: *limp*
difynegiant: *expressionless*
delw: *idol, statue*
na roddai . . .: *that another 21 summers
    would not put . . .*
lodes: *merch*
drannoeth: y dydd wedyn
cludo: cario

arch: coffin
ni chlywsai neb: doedd neb wedi
    clywed
byddigions: h.y. gwŷr bonheddig
ymresymu: *to reason*
er ei fwyn o: *for his sake*
modd: *means*
Fe gân siarad: h.y. *Let them talk*
yn anrhydeddus: *honourably*

ddaw â digon o arian imi allu byw arno am hir, a 'Nhad heb fod yn gweithio ers blwyddyn. Mae tâl Mr. Vaughan yn help mawr imi at fyw.''

"Wel, ti sy'n gwybod," ebe chwaer ei thad, yn sniffian yn hyglyw. "Ond paid â dweud na rybuddies i monot ti."

"A chofia," ebe chwaer ei mam, "os bydd pethe'n mynd o chwith a bod arnat ti eisie cartre, fydd drws tŷ ni ddim ar gau."

Diolchodd Marged i'r ddwy am eu mawr ofal amdani, ac aeth i lawr y llwybyr at Harri. Cerddodd Harri a hithau allan trwy borth y fynwent, a'r gynulleidfa'n syllu ar eu hôl. Yr oedd pobol wedi dechrau siarad eisoes.

(a) ddaw â: *(which) will bring*    mynd o chwith: *to go wrong*
yn hyglyw: yn uchel a chlir

# Y DRYDEDD-BENNOD-AR-HUGAIN

## I

Trodd (Terence) oddi ar y ffordd a mynd drwy'r wiced ysgafn ac i fyny'r grisiau concrid i'w dŷ. Pan agorodd y drws, daeth bref i'w gyfarfod o'r pram ar yr aelwyd lle'r oedd baban mis oed dan lwyth o sioliau a ffedogau. Ar lein linyn uwchben yr aelwyd hongiai rhes o glytiau'n sychu, ac yr oedd aroglau babandod lond y tŷ. Taflodd Terence ei got i gornel ac eistedd wrth y bwrdd lle'r oedd pot jam ac ychydig frechdanau a thebot o de claear.

"Sheila!"

Ymhen hir a hwyr daeth Sheila i lawr. Trodd Terence ati.

"Pincio'r wyt ti'r slwt, a finne'n disgwyl am 'y nhe?"

"Petaswn i ddim yn pincio, ti fuase'r cynta i ddweud nad oeddwn i ddim ffit i 'ngweld mewn cegin."

"Cyfra ddeg bob tro cyn f'ateb i'n ôl," ebe Terence yn chwyrn. "Mi dalith iti gofio mai fi ydi'r mistar yn y tŷ yma."

Safodd Sheila ar ganol y llawr a'i dyrnau ar ei chluniau, a rhythu arno.

"Hy!" meddai. Ond cyn iddi ddweud rhagor, brefodd y babi, ac aeth at y pram i wthio dymi i'w geg.

"Mae'r te 'ma'n oer," meddai Terence ymhen tipyn.

"Does dim dŵr poeth gei di rŵan," meddai Sheila.

"Ond mae'r tecell 'na'n ferw dân."

"Mae genny eisie'r dŵr yna i roi bath i Angela."

"Gobeithio y boddi di hi."

Trodd Terence ei ben a gweld Sheila'n rhythu arno â llafn ym mhob llygad.

"Rydw i'n ei feddwl o," ebe Terence. "Doedd arna'i mo'i heisie hi."

---

| | |
|---|---|
| bref: cri | pincio: *to put on make-up* |
| yr aelwyd: *the hearth* | slwt: *slut* |
| sioliau: *shawls* | cyfra: h.y. rhifa, *count*, (cyfrif) |
| ffedogau: *aprons* | yn chwyrn: *fiercely* |
| clytiau: *nappies* | cluniau: *hips* |
| ymhen hir a hwyr: *eventually* | llafn: *blade, dagger* |

"Rhag c'wilydd iti'n siarad fel'na am dy blentyn dy hun!"

"Sut y gwn i mai 'mhlentyn i ydi hi?"

"Terence! Mae pawb yn dweud ei bod hi'r un ffunud â ti."

"Mi fasen yn dweud ei bod hi'n debyg i mi petae hi'n gyw eliffant. Edrych lle mae hi wedi'n landio ni. Ti'n cadw tŷ cyn dysgu sut i gadw tŷ, a finne'n gorfod dy gadw di a hithe cyn bod yn ddigon hen i 'ngalw'n hun yn ddyn."

"Arnat ti'r oedd y bai na fuaset ti wedi 'mharchu i'n well," ebe Sheila'n danbaid.

"Pam na fuaset tithe'n hawlio parch 'te?" ebe Terence.

"A pham na fuaset ti wedi cadw draw ar ôl dechre cadw draw? Mi fuaswn i wedi dod yn ddyn da 'tawn i wedi cael llonydd. Roeddwn i wedi rhoi'r ddiod i fyny ac wedi dechre mynd i gapel cyn i hyn ddigwydd."

"Dydw i ddim yn dy rwystro di fynd i gapel rŵan."

"Pwy gymer fy sort i mewn capel?"

"Mae hynny'n wir."

"Damio di a dy 'hynny'n wir'!"

Yr oedd Terence ar ei draed a'i gorff yn ysgwyd gan dymer na wyddai'i bod ganddo cyn priodi.

"Paid ti â fy rhegi i, mêt," ebe Sheila rhwng ei dannedd.

"Mi rega i pwy fynna i lle mynna i pan fynna i. A chei di na neb arall mo'n rhwystro i. Wyt ti'n clywed? Gwna de poeth imi!"

"Gwna dy de dy hun!"

"Mi ro i nwylo arnat ti os na wnei di."

"Croeso iti drio."

"Reit."

A chychwynnodd Terence tuag ati â'i ddyrnau ynghau. Ond safodd ar hanner y ffordd. Yr oedd rhywun yn curo ar y drws. Aeth Terence i agor y drws. Ar y trothwy safai Wil James.

---

| | |
|---|---|
| Rhag c'wilydd (cywilydd) iti: *Shame on you* | parch: *respect* |
| Sut y gwn i: Sut rydw i'n gwybod | rhwystro: *to prevent* |
| yr un ffunud: h.y. *spitting image* | Mi rega i: *I'll swear,* (rhegi) |
| cyw eliffant: h.y. eliffant bach | pwy fynna i: *whoever I wish,* (mynnu) |
| parchu: to respect | dyrnau: *fists* |
| yn danbaid: *intensely* | trothwy: *threshold* |
| hawlio: *to demand* | safai W.J.: roedd W.J. yn sefyll |

"O, helô, Wil, ti sy 'ma? Tyrd i mewn."

"Diolch, Terence," ebe Wil, a daeth i'r gegin. "Helô, Sheila. Meddwl y buaswn i'n taro i mewn i'r hen gartre," meddai Wil, "i edrych oedd o wedi newid rhywfaint. Mi ddwedwn i fod yr awyrgylch yn dal rhywbeth yn debyg."

Cododd Sheila'r baban o'i gerbyd a mynd ag ef i fyny i'r llofft.

"Y bywyd priodasol yn gwneud yn o dda efo ti, Terence?" ebe Wil yn greulon.

Fe wyddai Terence fod Wil wrth ei fodd. Yr oedd wedi rhybuddio cymaint arno. Disgwyliodd Terence, â'i geg yn sych, am y geiriau melfed, "Mi ddwedes i wrthot ti, Terence, on'd do?" Ond ni ddaethant. Yr oedd Wil James yn ormod o artist mewn cieidd-dra.

"Mae 'na gyfarfod go dda yn y Llan 'ma heno," ebe Wil. "Fe liciwn iti ddod."

"O?"

"Cyfarfod lecsiwn. Aerwennydd y drepar yn siarad yn erbyn Vaughan Lleifior."

"Fedra i ddim mynd i gyfarfod yn erbyn 'y mistar fy hun," ebe Terence.

"Tri pheint o stowt, Terence bach," ebe Wil James, "ac mi ddôi. Piti dy fod ti'n rhy ifanc i fotio hefyd."

Taniodd Wil James Wdbein. Tynnodd Terence grystyn drwy'i ddannedd, a'i dynnu drachefn, rhag gorfod dweud dim. Toc, rhoes y gorau i'r crystyn a gwthio'r llestri oddi wrtho. Aeth i'r drôr a thynnu allan ei bapurau pêl-droed. Taenodd hwy ar y bwrdd.

"Wyt ti wedi gwneud dy bŵls am yr wsnos yma, Wil?"

"Do." Fe'i llusgodd Wil James ei hun ar ei draed a gwyro gyda Terence dros y papurau.

"Beth sy genn'ti?"

Ar y funud honno daeth Sheila i lawr.

"Terence!" gwaeddodd. "Yr hen bapure ffwtbol 'na eto. Rho nhw yn y tân, dyna'u lle nhw. Taflu'n pres prin ni fel hyn bob wythnos!"

---

taro i mewn: *to drop in*
awyrgylch: *atmosphere*
cerbyd: *h.y. pram*
cieidd-dra: *cruelty, brutality*
mi ddôi: *you will come,* (dod)

crystyn: *a crust*
rhoes y gorau i'r crystyn: *h.y.*
   stopiodd fwyta'r crystyn
taenodd hwy: *he spread them,* (taenu)
gwyro: *plygu*

Pletiodd Terence ei wefusau. Pam na chaeai hi'i cheg? Rhoddodd Terence y papurau'n ôl yn y drôr â'i chloi.

"Ie," meddai Sheila, "cloi hi rhag ofn i lygod fynd iddi."

Methodd Terence â dal.

"Ddisgrifiest ti 'rioed monot dy hun yn well," meddai.

"Wyt ti'n barod, Terence?" gofynnodd Wil yn fwyn.

"O?" meddai Sheila. "Allan i wario rhagor, debyg?"

"Ie," ebe Terence. "I agor fy stumog yn barod am glamp o swper fydd yn gwneud i fyny am y frechdan jam yr ydw i wedi byw arni ers wythnos."

Trawodd Wil James a Terence eu capiau ar ochr eu pennau, ac aethant allan, ill dau, i'r *Crown*.


## II

Yr oedd y cyfarfod yn mynd yn dda.

"Ac mi heria i undyn," ebe Aerwennydd, gan daro'i ddwrn ar y bwrdd ar y llwyfan, "i ddweud nad ydw i wedi gwneud fy ngorau i'r Llan yma bob cyfle gefais i . . ."

Curodd amryw ddwylo yn y cefn. Trodd Robert Pugh i weld pwy oeddynt. Ie, bois y bysus, gryn bedwar ohonynt, Huw Siani o'r tai cyngor a oedd yn borter ar stesion Henberth, Joni Watkins a Thwm Ellis, a hanner dwsin o weision ffermydd, Wil James a Terence yn eu plith, yn amlwg wedi cael diferyn dros ben.

"Fynnwn i er dim," llefodd Aerwennydd, "daflu anfri ar y dyn fu'n eich cynrychioli chi ar y Cyngor Sir er pan oedd y rhan fwyaf ohonoch chi'n blant." Chwarddodd amryw.

"Ond nid taflu anfri ar ddyn ydi dweud ei fod o'n hen."

"Clywch, clywch!" ebe llais Wil James o'r cefn.

---

pletiodd T.: *T. pleated*, (pletio)
Pam na chaeai: *Why wouldn't she shut*, (cau)
debyg: h.y. siŵr o fod
ill dau: y ddau ohonyn nhw
mi heria: *I'll challenge*, (herio)
dwrn: *fist*
amryw: nifer

cryn: tua
yn eu plith: yn eu canol/*midst*
yn amlwg: *obviously*
diferyn dros ben: *a drop too much*
Fynnwn i er dim: h.y. *I wouldn't wish for the life of me*, (mynnu)
taflu anfri: *to cast disrespect*
cynrychioli: *to represent*

209

"... Yr hyn yr ydw i'n ei bwyso arnoch chi, gyfeillion, yw fod arnoch chi angen dyn i'ch cynrychioli sy'n fodlon symud gyda'r oes."

Cawod o guro dwylo'n awr. Chwiliodd Robert Pugh bennau'r gynulleidfa i weld pwy oedd yn cymeradwyo gynhesaf. Yr oedd pethau'n mynd yn iawn.

"Fe wyddoch," ebe Aerwennydd, wedi cymryd dracht o'r gwydriaid dŵr ar y bwrdd, "fe wyddoch i gyd i ba blaid yr ydw i'n perthyn."

"Hiar, hiar!" gwaeddodd bois y bysus.

"Ond nid mater plaid ydi etholiad Cyngor Sir. Fe geisiodd 'y ngwrthwynebydd ar y llwyfan yma neithiwr ei wneud yn hynny. 'Rhaid,' meddai, 'rhaid i Ryddfrydiaeth fyw'. Ond gyfeillion, yr ydw i'n cytuno. Yr ydw innau am i Ryddfrydiaeth fyw!"

Yma, curodd y ffermwyr eu dwylo yn nerthol, a rhai o fasnachwyr a hen ferched y pentref gyda hwy.

"... Nid fel plaid," ebe Aerwennydd, gan syllu'n bryderus tua'r cefn, "nid fel plaid, ond fel polisi llydan, eang, radicalaidd, gwerinol, iach!"

Unodd y ddwyblaid yn y neuadd mewn dadwrdd traed a dwylo byddarol, a gollyngodd Aerwennydd anadliad o ryddhad. Crwydrodd llygaid Robert Pugh eto dros y pennau i'w fodloni'i hun fod pob copa yn y gynulleidfa'n gytûn yn y gymeradwyaeth. Yna, glynodd ei anadl yn ei wddw. Yn eistedd â'i lygaid tywyll ynghlwm wrth wyneb Aerwennydd, yr oedd Harri Vaughan. Fe glywsai Robert Pugh ei fod wedi gadael y coleg a'i fod yn labro ar y ffordd, y ffŵl ag yr oedd, ond nid oedd wedi meddwl mwy am y peth. Yr oedd yn amlwg wedi dod yma heno i geisio malu

---

pwyso: *to emphasize, to press*
cymeradwyo: *to applaud*
plaid: *party*
gwrthwynebydd: *opponent*
Rhyddfrydiaeth: *Liberalism*
yn nerthol: yn gryf
masnachwyr: pobl â busnes
syllu: edrych
yn bryderus: yn ofidus
gwerinol: yn perthyn i'r bobl
Unodd ...: *The 2 parties united*, (uno)

dadwrdd: sŵn mawr
byddarol: *deafening*
gollyngodd ...: *A. sighed a sigh of relief*
i'w fodloni'i hun: *to satisfy himself*
pob copa: h.y. pawb
cymeradwyaeth: *applause*
glynodd ei anadl: *his breath/sigh stuck,* (glynu)
malu: *to smash*

gwrthwynebydd ei dad. Ac fe allai. Pa fats fyddai siopwr hunan-ddiwylliedig yn erbyn gŵr gradd ifanc yn ffres o'r coleg? Daeth i'w feddwl gael rhywun i anfon neges i Harri, yn dweud fod galw amdano y tu allan i'r neuadd, a chael Wil James ac un neu ddau arall yno'n barod i'w roi'n anymwybodol nes byddai'r cyfarfod drosodd. Ond cyfarfu'i lygaid â llygaid Roberts y plismon wrth y drws.

Yr oedd Aerwennydd yn tynnu tua'r terfyn.

"Ac felly," meddai, "mi wn, gyfeillion annwyl, o'ch nabod chi ar hyd fy oes, na fyddwch chi ddim yn ôl yfory o roi'ch croes ar gyfer enw'r ieuengaf o'r ddau ymgeisydd sy'n benderfynol o ddod â chyfnod newydd i Dyffryn Aerwen. Dyna, 'nghyfeillion i, yr ydw i, yn ei gynnig i chi."

Ac eisteddodd i lawr yn sŵn taran o gymeradwyo. Wedi i'r daran ostegu, cododd Jac Bennett, a ddewiswyd, fel is-gadeirydd cangen leol y Blaid Lafur, i lywyddu'r cyfarfod, a gofyn a oedd gan rywun gwestiwn y carai'i ofyn i'r ymgeisydd. Bu tawelwch llethol am ysbaid. Yna, fe gododd Harri. Aeth murmur drwy'r gynulleidfa.

"Gwell iti iste i lawr, Harri bach," daeth llais Wil James yn dew o'r cefn.

"Mistar Cadeirydd," ebe Harri'n glir. "Yr ydw i wedi clywed heno," meddai Harri, "un o'r areithiau tanbeitiaf a glywais i erioed. Ac yr ydw i'n cytuno'n helaeth â hi, ar wahân i'r rhannau hynny ohoni oedd yn rhy bersonol i mi allu'i mwynhau. Y cwestiwn i mi heno, fodd bynnag, ydi hwn: gan ba un o'r ddau ymgeisydd y mae'r polisi iachaf ar gyfer Dyffryn Aerwen heddiw? Yr oeddwn i yma neithiwr yn gwrando ar 'y Nhad. Does yr un o'r ddau bolisi'n mynd yn ddigon pell i'm boddio i. Ond pa un o'r ddau sy'n dod agosaf at hynny? Yr ydw

---

gwrthwynebydd: *opponent*
mats: *match*
hunan-ddiwylliedig: h.y. *self-educated*
anymwybodol: *unconscious*
terfyn: diwedd
yn ôl: h.y. *reluctant*
ymgeisydd: *candidate*
gostegu: tawelu

llywyddu: *to preside*
llethol: *oppressive*
am ysbaid: am ychydig bach o amser
areithiau: *speeches*
tanbeitiaf: *most fiery*
yn helaeth: *to a great extent*
i'm boddio i: *to please me*

211

i wedi dod i'r casgliad mai'r polisi sy debycaf o'n dwyn ni at y byd yr ydw i am ei weld, ydi polisi Mr. Aerwennydd Francis. Iddo fo yr ydw i am bleidleisio fory. Ac fe fydd yn siom fawr—fawr iawn—i mi os na rowch chi, bobol Dyffryn Aerwen, Mr. Francis i mewn.''

Mewn distawrwydd trydanol yr eisteddodd Harri. Yr oedd pawb yn rhy bensyfrdan i wybod beth i'w feddwl. Yr oedd Wil James wedi hen dawelu, ac yr oedd Robert Pugh yn gwyro 'mlaen dros ei fol, a'i geg yn llydan agored.

Yn sydyn, gwaeddodd Joni Watkin o'r cefn, ''Gwd lad, Harri!''

Trodd Robert Pugh i rythu arno, a phan dorrodd bois y bysus a Huw Siani a'r dynion ffordd i guro dwylo, cipiodd ei het oddi rhwng ei draed ac ymwthio allan rhwng y rhesi cadeiriau i gael awyr iach cyn gynted ag y gallai.

Yr oedd Harri Lleifior wedi'i drechu eto. Yr oedd wedi credu y byddai, trwy faeddu Edward Vaughan, yn baeddu Harri. Ac eisiau maeddu Harri oedd ganddo. Harri oedd yr un a roes ruddiau llwydion i Lisabeth. Ond yr oedd wedi gweithio, wedi sisial, wedi breibio, ar hyd y misoedd diwethaf, i gyrraedd yr union amcan yr oedd ar Harri eisiau'i gyrraedd. Yr oedd wedi chwarae i'w ddwylo fel ffŵl.


### III


Edrychodd Marged ar gloc y gegin. Ugain munud i ddeg, a Harri heb ddod i mewn. Beth ar y ddaear mewn cyfarfod politics oedd yn ei gadw mor hwyr? Gydag ochenaid, trodd drachefn ar y llythyr yr oedd yn ei sgrifennu at chwaer ei mam.

''. . . Felly, Modryb,'' ysgrifennodd yn araf, mewn ysgrifen dlos ond braidd yn blentynnaidd, ''byddaf yn cloi y drws yma

---

casgliad: *conclusion*
sy debycaf: *which is most likely*
o'n dwyn ni: *of taking us*
pensyfrdan: *stunned*
rhythu: *to stare*
cipiodd: *he snatched*, (cipio)
trechu: *to defeat*

baeddu/maeddu: curo
a roes: a roiodd, (rhoi)
sisial: *to whisper*
breibio: *to bribe*
ochenaid: *a sigh*
drachefn: *eto*
tlos: tlws, pert

am y tro olaf ac yn dyfod atoch wythnos i heddiw. Rhaid imi roi wythnos o *notice* i Mr. Vaughan. Dyna paham na allaf ddyfod yn gynt.

Cofion annwyl atoch,<br>
Marged.''

Gydag ochenaid arall rhoddodd y llythyr mewn amlen, a'i gau. Edrychodd arno'n gorwedd ar y bwrdd. Yr oedd pob llythyren ynddo wedi bod yn ing iddi, ond doedd dim arall i'w wneud. Yr oedd yn rhaid i Harri fynd.

Fe fyddai bywyd yn wag hebddo. Yr oedd wedi mynd i wrando am ei draed ar y llofft yn y bore pan oedd hi i lawr yn ffrio brecwast, ac am ei ''Helô 'ma'' yn y drws wrth ddod adre'n y pnawn. Ac yr oedd yn ffrind. Yr oedd yn talu tair-a-chweugain bob wythnos iddi rhag iddi fynd allan i weithio. Yr oedd hynny'n gwneud y tro i dalu'r rhent ac i dalu am fwyd iddynt ill dau. Ond fe fyddai'n rhaid iddi gael dillad rywbryd, ac o ble y dôi'r pres i dalu am y rheini? Ni allai fynd allan i weithio heb ei frifo, ac fe fyddai'n rhaid iddi fynd allan i weithio. Yn hytrach na'i frifo, yr oedd yn well iddo fynd.

Fe wyddai, er hynny, mai'i gadw a wnâi oni bai am yr hyn a glywodd yn ystod y pnawn. Ni allai'i gadw wedi clywed hynny. Hynny, yn fwy na dim, a wnaeth iddi sgrifennu'r llythyr at ei modryb.

Yr oedd y tecell yn berwi am y pedwerydd tro, a chydag un ochenaid eto, cododd Marged i'w dynnu. Ond ar hynny, clywodd y drws yn agor a Harri'n dod i mewn. Safodd yno, a winc yn ei lygad.

''Helô, Miss Morris.''

''Harri, lle buoch chi mor hir? Rydw i wedi bod yn poeni rhag ofn ichi fynd i drwbwl efo'r hen bolitics 'na.''

''Dydi gwragedd tŷ lodjin ddim yn arfer poeni llawer am eu lodjars.''

---

dyfod: dod  
ing: poen mawr  
tair-a-chweugain: £3.50  
ill dau: y ddau ohonyn nhw  
y dôi'r pres: y byddai'r arian yn dod

brifo: rhoi poen  
yn hytrach na: *rather than*  
a wnâi: y byddai hi'n ei wneud  
oni bai: *were it not for*

Fe'i clywodd Marged ei hun yn gwrido, a throdd i dywallt cynnwys y tecell amyneddgar i'r tebot. Aeth Harri drwodd i'r lobi i dynnu'i got, a daeth yn ôl. Gwelodd y llythyr ar y bwrdd.

"O, wedi bod yn ysgrifennu at eich modryb, mi wela. Ddaru chi 'nghofio i ati?"

Cymerodd Marged arni beidio â chlywed. Eisteddodd Harri wrth y bwrdd ac ymosod ar ei swper, ond yr oedd ei lygaid yn cribio'r ystafell.

"Marged."

"Ie?"

"Diolch ichi am drwsio fy sanne i."

"O . . . doedd fawr o waith . . ."

Gwridodd Marged yn ddyfnach. Yna, trodd at Harri'n sydyn. Yr oedd yn rhaid cael y gwaethaf allan, costied a gostio.

"Harri . . ."

"Wel?" meddai ef, heb droi'i ben, a'i geg yn llawn.

"Rydw i'n . . . rydw i'n rhoi wythnos o notis ichi."

"Wythnos o notis! Yr arswyd annwyl, beth ydw i wedi'i wneud rwan?"

"Harri . . . Harri, mae pobol yn siarad."

"Wrth gwrs fod pobol yn siarad. Beth arall sy ganddyn nhw i'w wneud? Am beth maen nhw'n siarad?"

"Amdanoch chi a fi."

"Wel . . ." Eisteddodd Marged. "Roeddwn i'n mynd ar draws y groes y pnawn'ma, ac mi basiais i Mrs. Evans y Saer a Mrs. Jenkins, Aerwen View, ac wedi imi basio, medde Mrs. Jenkins—yn ddigon uchel i mi glywed—'Dyna ichi siampl i ferched ifanc y lle 'ma, Mrs. Evans—Marged fach 'na—hi a mab Lleifior yn byw efo'i gilydd yn y tŷ 'na a'r ddau'n ddi-briod.' 'Ie,' medde Mrs. Evans, 'mi fydd 'na rywun mewn trwbwl yn y tŷ yna cyn bo hir . . .'"

"Gwarchod pawb," ebe Harri.

"Alla i mo'i sefyll o, Harri!"

Syllodd Harri arni ac yna ar y llythyr ar y bwrdd.

---

gwrido: *to blush*
tywallt (G.C.): arllwys (D.C.)
Cymerodd M. arni: *M. pretended,*
  (cymryd ar)
cribio: *to comb*

costied a gostio: *whatever it might cost*
Yr arswyd annwyl: h.y. *Good grief!*
  cf. Gwarchod pawb!
Alla i mo'i sefyll o: *I can't stand it*

"Ac felly," meddai, "rydech chi wedi sgrifennu at eich modryb yn dweud eich bod chi'n mynd ati i fyw wedi'r cwbwl."

"Ydw."

"Mi wela. Rydech chi'n berffaith siŵr, Marged?"

"O beth?"

"Eich bod chi am imi fynd?"

"Ydw, Harri."

"O'r gore. Mi af odd'yma. Ac fe gewch chithe fynd at eich modryb. Ar un amod."

"Beth?"

"Eich bod chi'n 'y mhriodi i galan gaea nesa."

Aeth y lliw o wyneb Marged, a suddodd yn ôl i'w chadair.

"Harri . . . peidiwch â gwneud sbort ohono i . . . plîs . . ."

Cododd Harri ar ei draed.

"Sbort!" rhuodd. "Ai sbort ydi dyn yn cynnig ei galon i fenyw am dragwyddoldeb?"

A dechreuodd Harri fesur hyd y gegin â chamau trymion. Syllodd Marged arno ag arswyd lond ei llygaid.

"Mae pobol yn siarad, yden nhw?" chwythodd Harri. "O'r gore. Fe rown rywbeth iddyn nhw siarad amdano."

"Marged," meddai, "prioda fi'r aur."

A chyn iddi sylweddoli, yr oedd yn ei freichiau ac yr oedd ei wefusau'n boethion ar ei gwefusau hi. Pan gafodd ei gwefusau'n rhydd, meddai,

"Harri . . . wyddoch chi ddim beth ydech chi'n ddweud—"

"Na wn i?"

"Wnawn ni byth mo'r tro i'n gilydd, chi a fi—"

"Pam?"

"Feder un sy wedi'i fagu mewn lle fel Lleifior ac wedi cael yr holl addysg . . . ddim byw efo fy sort i. Ryden ni'n perthyn i ddau fyd gwahanol."

"Mi wn i beth ydw i'n ei wneud, Marged. Rydw i wedi canlyn merch oedd wedi'i magu'n gyfoethog fel fi. Ac rydw i wedi

---

amod: *condition*
calan gaea: 1 Tachwedd
rhuodd: *he roared*, (rhuo)
tragwyddoldeb: *eternity*
trymion: trwm
arswyd: ofn mawr
yn boethion: yn dwym

Wnawn ni byth mo'r tro: *We'll never do for one another*
Feder un . . . ddim: dydy un ddim yn medru/gallu
canlyn merch: caru merch, h.y. mynd allan gyda merch

215

canlyn merch gafodd gymaint o addysg â fi. Syrthio'n fflat wnaeth y ddwy garwriaeth honno. Feder dyn ddim byw efo arian yn unig nac efo addysg yn unig. Mae'n rhaid iddo gael gwraig. Un nad ydi ddim yn rhy isel ganddo drwsio'i sannau o a gwneud y deisen y mae o'n ei hoffi, a phoeni amdano pan fydd o allan yn hwyr y nos. Dyna pam y byddi di'n Marged Vaughan cyn y gweli di Nadolig arall.''

---

carwriaeth: *courtship*

Fedr dyn ddim: dydy dyn ddim yn medru/gallu

isel: *humble*

cyn y gweli: *before you will see,* (gweld)

# Y BEDWAREDD-BENNOD-AR-HUGAIN

## I

Yr oedd y pleidleisio drosodd ers tro, a thyrfa fechan yn ysgol Llanaerwen yn disgwyl y cyfrif. Yr oedd ffermwyr rhan ucha'r Dyffryn yno, ond yn lle tyrru o gwmpas Edward Vaughan fel y gwnaethent ar ddiwedd pob etholiad o'r blaen, yr oeddynt yn sefyll yn dwrr gyda'i gilydd wrth y drws, yn cadw mor bell oddi wrtho ag y gallent. Ni fynnai'r un ohonynt i Edward Vaughan wybod ei fod wedi pleidleisio'n ei erbyn am y tro cyntaf erioed, ond yr oedd pob un yn anghyfforddus o siŵr fod Edward Vaughan yn gallu darllen ei feddwl.

"Maen nhw'n dweud fod y fotio wedi bod yn drwm," meddai Davies, Hafod Encid.

'Mi glywes,'' ebe Hughes, Lluest-y-Wennol.

"Yn drwm iawn, maen nhw'n dweud," meddai Davies eto.

"Prun eith i mewn, tybed?" meddai Lewis Bevan y Cefn Isaf am y deuddegfed tro, er mwyn dweud rhywbeth.

"Mi fydd yn o dynn, gewch chi weld," ebe Hugh Williams y Cefn Uchaf.

"Bydd," meddai'r lleill i gyd ar unwaith.

"Mae Castell Aram wedi fotio iddo, mae'n amlwg," meddai Davies.

Yr oedd John Ifans, Castell Aram, yn sgwrsio ag Edward Vaughan dan un o'r ffenestri.

"Rhyfedd iawn," ebe Hugh Williams, "a Vaughan wedi dweud ei fod o'n rhy fawr i'w sgidie."

"Os dwedodd o hefyd," meddai Hughes, Llues-y-Wennol.

"Ydech chi'n ame, Hughes?" gofynnodd Lewis Bevan yn anesmwyth.

---

cyfrif: *count*
tyrru: casglu
fel y gwnaethent: fel y bydden
  nhw'n arfer gwneud
yn dwrr: yn dyrfa

Ni fynnai'r un ohonynt: *Not one of*
  *them would wish,* (mynnu)
Prun eith: h.y. Pa un aiff
ame/amau: *to doubt*
yn anesmwyth: *uncomfortable*

217

"Ydw," meddai Hughes. "Does gennon ni ddim ond gair Wil James ddiwrnod dyrnu yn y Trawscoed fod Vaughan wedi dweud y pethe 'na amdanon ni i gyd."

Syllodd y lleill yn syn ar Hughes, a phosibilrwydd cynllwyn yn dechrau gwawrio arnynt am y tro cyntaf.

"Gyda llaw," ebe Davies ymhen tipyn, "welodd rhywun ohonoch chi Pugh y Trawscoed yn fotio yma heddiw?"

Na, doedd yr un ohonynt wedi'i weld.

"Ydi o ddim yn ymddangos yn od i chi," meddai.

"Ar aelwyd Pugh y diwrnod dyrnu hwnnw y daru ni benderfynu sut i fotio heddiw i gyd. Roedd o'n edrych yn rhyfedd i mi y diwrnod hwnnw gymaint o ffarmwrs oedd yno, yn lle'n bod ni i gyd wedi anfon ein gweision. Ddaru o'ch gwadd chi yno i weld rhyw ddefaid ecstra-special oedd ganddo?"

"Do, mi ddaru sôn am ddefaid wrtha i," meddai Hugh Williams.

"Gwartheg llaeth wrtha inne," meddai Jones y Garnedd.

"Diar mi," meddai Davies, "fe fuon ni'n ddwl, gyfeillion. Roedd Pugh a'i fys yn daclus ar wendid pob un ohonon ni."

Yr oedd Edward Vaughan wedi gadael John Ifans ac wedi croesi'r stafell i siarad ag Aerwennydd. Yr oedd hynny'n arfer ganddo yn ystod y cyfrif bob amser.

Aerwennydd oedd y nerfusaf o'r ddau. Yr oedd wedi smocio'n ddiderfyn drwy'r dydd. Yr oedd buddugoliaeth y tro hwn yn nes ato nag y bu erioed o'r blaen, os oedd y pethau y bu Robert Pugh yn eu dweud yn wir.

"Mi garwn i ddweud, Aerwennydd," meddai Edward Vaughan, "beth bynnag a ddigwydd, na theimla i ddim gwahanol tuag atoch chi."

"Mi alla inne ddweud yr un fath," ebe Aerwennydd. Ond wrth ei ddweud, yr oedd yn meddwl: ond fe elli dy baratoi dy hun

---

diwrnod dyrnu: *threshing day*
cynllwyn: *conspiracy*
gwawrio: *to dawn*
y daru ni benderfynu (G.C.): h.y. y penderfynon ni
Ddaru o'ch gwadd chi . . .? (G.C.):
   *Did he invite you . . .?*
   (gwahodd—*to invite*)

gwartheg llaeth: *milking cattle*
yn ddiderfyn: heb stop
buddugoliaeth: *victory*

am sioc. Fe synni gymaint yn llai fydd dy bleidleisiau di y tro yma—os ydi'r sgemar Pugh yna'n dweud y gwir.

"Mae'r pôl wedi bod yn drwm," ebe Aerwennydd.

"Clod, hwyrach, i'r cyfarfod campus gawsoch chi neithiwr," meddai Edward Vaughan.

Am Harri y meddyliodd y ddau, ond ni chrybwyllwyd mo'i enw. Yr oedd gormod o gwrteisi hyd yn oed yn Aerwennydd i roi dolur i dad. Fe wyddai, er hynny, fod cefnogaeth Harri Vaughan neithiwr yn siŵr o fod wedi chwyddo'i bleidlais ef.

Ar hynny, daeth Harri i mewn. Symudodd y ffermwyr o'r drws i wneud llwybyr iddo. Daeth Harri ymlaen yn araf nes sefyll o fewn chwe cham i'w dad, a chyfarfu'u llygaid.

Er mwyn gweld beth a ddigwyddai, gadawodd Aerwennydd Edward Vaughan a mynd at un o'r tyrrau pobol i sgwrsio. Gwelodd Edward Vaughan beth oedd wedi digwydd. Yr oedd Harri ac yntau'n sefyll, bob un ar ei ben ei hun, nepell oddi wrth ei gilydd, ar ganol y llawr, a phawb arall yn eu gwylio mewn distawrwydd. Ond gan na chymerodd ef erioed mo'i goncro gan sefyllfa, aeth yn ei flaen at Harri.

"Wel, Henri," meddai, "sut yr wyt ti?"

"Yn bur dda, 'Nhad, sut yr ydech chi?"

"Cystal, o ran fy iechyd, ag y bûm i ers blynyddoedd."

"Rydech chi'n edrych yn eitha da."

"A thithe, os ca i ddweud. Bywyd yn yr awyr agored yn dygymod â ti, mae'n amlwg."

Erbyn hyn, a'u chwilfrydedd wedi'i siomi, yr oedd y tyrrau pobol yn troi drachefn i sgwrsio â'i gilydd. Doedd dim deunydd drama yma wedi'r cwbl. Yr oedd Edward Vaughan yn deall dynion yn ddigon da. Wedi cael eu cefnau, meddai wrth Harri, â'i lais yn is,

"Mi glywais iti siarad neithiwr."

---

Fe synni: *you will be surprised,* (synnu)

sgemar: h.y. *schemer*

clod: *praise*

hwyrach (G.C.): efallai

ni chrybwyllwyd mo'i enw: *his name wasn't mentioned,* (crybwyll—*to mention*)

dolur: poen

ar hynny: y funud honno

cyfarfu: *cwrddodd,* (cyfarfod)

tyrrau pobol: *crowds of people*

nepell: heb fod yn bell

yn bur dda: yn eithaf da

os ca i ddweud: *if I may say,* (cael dweud)

yn dygymod â: yn cytuno â

chwilfrydedd: *curiosity*

"Allwn i ddim disgwyl i chi fadde peth felly," ebe Harri.

"I'r gwrthwyneb. Doedd genny ddim hawl i ddisgwyl iti wneud yn amgenach. Dim ond Vaughan yn Nyffryn Aerwen fuase'n ddigon gwrol i godi ar ei draed i ddweud i bwy'r oedd ei bleidlais o'n mynd."

Ceisiodd Harri ddarllen wyneb Edward Vaughan. Doedd arno ddim cysgod coegni. Mae'n rhaid ei fod yn credu'r hyn a ddywedodd.

"Mi glywaist, mae'n debyg, fod Greta wedi priodi?"

Cododd Harri'i ben eto.

"Chlywais i'r un gair."

"Mae'n amlwg nad wyt ti byth yn darllen papur newydd nac yn gwrando ar siarad pobol," ebe Edward Vaughan.

"Nac ydw," ebe Harri. "Ond feddyliais i erioed y priodai Greta heb anfon gwahoddiad i'w brawd."

"Yr oedd hi am dy wahodd di. Fi a'i cynghorodd hi i beidio."

Nodiodd Harri'n araf.

"Mi wela," meddai. "Hwyrach mai camgymeriad, er hynny, oedd penderfynu cymaint dros Greta."

"Hwyrach," ebe Edward Vaughan. Ac er lleied ydoedd, fe glywodd Harri'r cryndod yn ei lais. Yn sydyn, dywedodd Harri,

"Rydw inne'n priodi hefyd."

Syllodd Edward Vaughan arno.

"Pwy?"

"Merch y tŷ lle'r ydw i'n lletya."

"Gorfod priodi'r wyt ti?"

"Fuase hynny'n debyg o ddigwydd i un o Vaughaniaid Lleifior?"

"Dim os ydy hi'n ferch o'r un dosbarth â Vaughaniaid Lleifior."

Gwelodd Harri fod ei dad yn dal i roi pawb mewn dosbarth.

---

madde/maddau: *to forgive*
i'r gwrthwyneb: h.y. *to the contrary*
hawl: *right*
yn amgenach: yn wahanol
gwrol: dewr
coegni: *sarcasm*
y priodai Greta: y byddai Greta'n priodi

hwyrach (G.C.): efallai
er lleied: *despite how little*
cryndod: *quivering*
Gorfod priodi: *Being forced to get married*
yn debyg: *likely*

Ond cofiodd nad oedd ei dad yn nabod Marged, mwy nag oedd yntau hyd bedwar mis yn ôl. Dywedodd yn gwta,

"Dydw i ddim yn priodi tan galan gaea. Tynnwch eich casgliade'ch hun."

Gostyngodd Edward Vaughan ei olygon.

"Mae dy fam yn holi amdanat ti. Mi anfonodd neges iti, os gwelwn i di. Fe ddywedodd, beth bynnag am dy dad, ei bod hi'n dal yn fam iti." Brathodd Harri'i wefus. Trodd Edward Vaughan a cherdded i ffwrdd.

Yr oedd y cyfrifwyr yn dod o'r ystafell nesaf. Daeth ust sydyn ar y tyrrau pobol. Trodd pawb ei wyneb tua desg y Sgŵl. Safodd Owen Breese i gyhoeddi'r ffigurau.

"Edward Llewelyn Vaughan . . . 652
James Aerwennydd Francis . . . 663"

Gollyngodd bois y bysus a Huw Siani fonllef gynddeiriog. Am funud gyfan buont yn taflu'u capiau i'r awyr ac yn dawnsio yn nwylo'i gilydd, nes iddynt sylweddoli mai hwy yn unig yn y stafell oedd yn dangos unrhyw frwdfrydedd. Yr oedd pawb arall yn gwbwl fud. Yr oedd pennod wedi cau yn hanes Dyffryn Aerwen.

Cerddodd Edward Vaughan ar ei union at Aerwennydd a gwasgu'i law yn gynnes.

"Pob rhwyddineb, 'machgen i," meddai. Ac yr oedd pawb yn gwbwl siŵr ei fod yn ddidwyll.

Gofynnodd i'r ddau ymgeisydd ddweud gair. Dywedodd Aerwennydd ei fod yn falch o'r anrhydedd, ac yn ddiolchgar iddynt am eu hymddiried ynddo, a'i bod wedi bod yn frwydyr lân a chyfeillgar, a bod yn ddrwg ganddo fod gwrthwynebydd

---

yn gwta: *curtly*
Tynnwch . . . : *Draw your own conclusions*
Gostyngodd E.V. ei olygon: *E.V. lowered his eyes,* (gostwng)
Brathodd H. (G.C.): *H. bit,* brathu/cnoi (D.C.)
cyfrifwyr: *tellers*
ust: tawelwch
Sgŵl: ysgolfeistr, *schoolmaster*
bonllef: *loud shout*

cynddeiriog: *furious*
brwdfrydedd: *enthusiasm*
yn gwbl fud: *absolutely mute*
pennod: *chapter*
ar ei union: *directly*
Pob rhwyddineb: h.y. Pob lwc
yn ddidwyll: *sincere*
anrhydedd: *honour*
ymddiried: *trust*
brwydyr/brwydr: *battle*
gwrthwynebydd: *opponent*

221

mor ddewr ac mor uchel ei barch â Mr. Vaughan wedi colli.
Wedi iddo dewi, aeth Edward Vaughan yn araf at ddesg y Sgŵl
a sefyll yno.

"Annwyl gyfeillion," meddai, a'i lais mor gryf ag erioed ond
yn crynu'r ychydig lleiaf. "Yr ydw i'n llongyfarch Mr.
Arwennydd Francis o waelod fy nghalon. Heno, y mae Dyffryn
Aerwen yn anfon aelod Llafur i'r Cyngor Sir am y tro cyntaf
erioed. Ac er mai Rhyddfrydwr ydw i, dydw i ddim yn Rhydd-
frydwr dall. Y mae Rhyddfrydwr wedi cynrychioli Dyffryn
Aerwen am y tro olaf. Yr ydw i'n dymuno i Mr. Francis bob
llwyddiant yn y cyfrifoldeb mawr yr yden ni wedi'i osod arno
heno o'n cynrychioli ni, bobol Dyffryn Aerwen, ar y Cyngor Sir.
Pob bendith arno."

Curodd ychydig eu dwylo. Safodd bois y bysus a Huw Siani
â'u pennau i lawr, yn troi'u capiau rhwng eu bysedd. Aeth y
ffermwyr allan fel cŵn-lladd-defaid.

Safodd Harri, yn bwriadu llongyfarch Aerwennydd a dweud
gair o gydymdeimlad wrth ei dad. Ond pan welodd ei dad yn dod
yn araf tua'r drws a'i ben gwyn bonheddig yn dal yn uchel,
trodd, a mynd o'r ystafell am ei fywyd.


## II


Pan gyrhaeddodd Edward Vaughan adref, yr oedd ei briod yn
gweu wrth dân y parlwr mawr. Er na fuasai neb arall yn gallu
gweld dim yn wahanol ar ei wyneb, fe welodd hi wahaniaeth yn
syth.

"Colli wnaethoch chi, Edward?"

"Colli, Margaret."

Eisteddodd ei gŵr gyferbyn â hi.

"Mae'n rhaid inni wynebu ffeithie, 'nghariad i. Nid y byd yr
oeddech chi a finne'n ifanc ynddo ydi'r byd yr yden ni'n byw
ynddo heddiw. Byd y plant ydi hwn, ac rwy'n dechre dod i weld
nad oes gennon ni ddim busnes ynddo. Nhw sy'n nabod eu hoes
ore, nid ni."

---

tewi: stopio siarad  
dall: *blind*  
cynrychioli: *to represent*

gair o gydymdeimlad: *a word of  
sympathy*  
bonheddig: *noble*

"Meddwl am Henri'r ydech chi, Edward."

"Ie. Rydw i wedi meddwl llawer am beth ddwedodd o yn y stafell yma flwyddyn yn ôl: Methu peidio â theimlo'r ydw i nad ydi'r pethe fu'n cyfri tan rwan—enw, safle, cyfoeth,—nad yden nhw ddim yn mynd i gyfri llawer byth eto."

Gwenodd Margaret Vaughan wên bruddglwyfus.

"Welsoch chi o heno, Edward?"

"Do."

"Roesoch chi fy neges i iddo?"

Saib.

"Do."

"Ofynnodd o amdana i?"

"Naddo." Aeth poen dros wyneb Margaret Vaughan.

"Roedd o'n rhy agos at ddagre." A diflannodd y boen. Aeth Margaret Vaughan ymlaen â'i gweu.

"Mae'r tŷ 'ma'n ddistaw, Edward."

"Ydi."

Ac yr oedd y tŷ'n ddistaw. Fe fu'n ddistaw'n hir, nes dywedodd Margaret Vaughan,

"Mae Greta'n cael swper yn y *Savoy* rwan, efo Paul."

Distawrwydd eto.

"Rwy'n siŵr nad ydi hi'n dweud yr un gair wrtho."

Distawrwydd dwysach. Yr oedd tipian y cloc bach ar y silff-ben-tân fel esgidiau hoelion mawr yn rhedeg drwy'u pennau.

"Roedd hi mor ofnadwy o ddistaw yn ei phriodas ddoe."

Yr oedd Edward Vaughan ar ei draed. Cerddodd yn drwm dros y carped ac edrych drwy'r ffenest agosaf i'r tywyllwch.

"Mae Henri am briodi hefyd," meddai.

Gollyngodd Margaret Vaughan ei gweu ar ei glin.

"Henri'n priodi?" meddai. "Pwy?"

"Merch i'r dyn ffordd 'na fu farw ychydig bach yn ôl."

"Ydi o wahaniaeth merch i bwy ydi hi, Edward, os ydi Henri'n ei dewis hi?"

"Rydech chi'n siarad yn union yr un fath â Henri rwan," ebe

---

safle: *status*

gwên: *a smile*

pruddglwyfus: trist

Saib: *a pause*

dwysach: *more intense*

tipian/tician: *to tick*

glin: *knee*

223

Edward Vaughan. "Does dim lles o ddyn yn priodi allan o'i ddosbarth."

"Nid y byd yr oeddech chi a finne'n ifanc ynddo ydi'r byd yr yden ni'n byw ynddo heddiw. Ydech chi'n cofio, Edward?"

Edrychodd ei gŵr arni'n hir. Yna, daeth yn araf tuag ati. Safodd o'i blaen a'i thynnu ar ei thraed. Rhoddodd ei freichiau'n dyner amdani.

"Tra byddwch chi genny, mi fydda i'n dal i fyw mewn cornel fechan o'r byd oedd yn bod pan oedden ni'n ifanc. Beth bynnag ddigwydd i'r hen Leifior yma, a fydd o ddim genny'n hir, yr unig beth o bwys ydi'ch bod chi a finne gyda'n gilydd."

Cusanodd ei briod ef ar ei foch a syllu i'w lygaid.

"Wnewch chi addo un peth imi, Edward?"

"Mae'n dibynnu beth."

"Fe wnaethon ni gamgymeriad yn ymyrryd â Greta. Rhaid inni beidio gwneud yr un camgymeriad efo priodas Henri."

"Fedrwn ni ddim. Mae o tu hwnt i ddim y gallwn ni'i wneud."

"Dydw i ddim yn hoffi sŵn hwnna, Edward. Gwnewch addo i mi y gwnewch chi bopeth yn iawn efo Henri."

"Alla i ddim addo," ebe Edward Vaughan. "Vaughan ydi f'enw i, a Vaughan ydi'i enw ynte. A dydi Vaughan byth yn rhoi i mewn."

---

lles: *good*
o bwys: *of importance*
addo: *to promise*

yn ymyrryd â: *to interfere with*
tu hwnt: *beyond*

# Y BENNOD OLAF

## I

Er pan benderfynodd werthu Lleifior, fe ddechreuodd pobol ddweud wrth ei gilydd fod Edward Vaughan yn 'torri'. Yr oedd wedi heneiddio yn gyflym yn ystod y flwyddyn a aeth heibio; yr oedd yn naturiol i ddyn ar fin gadael cartre'i hynafiaid edrych yn hŷn nag a ddylai (ac) yr oedd newydd fod yn swyddfa Coleman & Smith yn (Henberth yn) trefnu'n derfynol ar gyfer y gwerthu. Yr oedd dau can mlynedd yn amser hir. Cyhyd â hynny y bu Vaughaniaid yn Lleifior. Ac o'r pumed o Fehefin, ni byddai Vaughaniaid yn Lleifior mwy. Yr oedd meddwl mai ef fyddai'r un i dorri'r olyniaeth fel rhywun yn rhoi llafn ynddo. Yr oedd yn gollwng ei dad i lawr, a'i daid, yn gollwng i lawr y Vaughan hwnnw a brynodd Leifior ddau can mlynedd yn ôl. Ond nid oedd dim amdani ond gwerthu. Fyddai'r lle o ddim defnydd i Greta a Paul, dim ond baich. Ac yr oedd Harri wedi'i ddatod ei hun oddi wrtho. Nid syniad i lonni calon oedd gadael Dyffryn Aerwen a mynd â Margaret i Lerpwl i fyw. Ond doedd dim arall amdani. Yr oedd yn rhaid i Leifior fynd.

"Pnawn da, Mr. Vaughan."

Trodd Edward Vaughan, a syllu i wyneb Jac Bennett. Fe fyddai'n siarad â llawer yn Henberth, ond dyma'r tro cyntaf erioed iddo siarad â Jac Bennett. Er eu bod ill dau o Lanaerwen, yr oeddynt mor ddiarth i'w gilydd â dau o ddwy sir. Ond am ryw reswm, yr oedd Bennett wedi sefyll heddiw am sgwrs.

"Mae'n gynnes, Mr. Vaughan."

"Yn gynnes iawn, Bennett. Yn gynnes iawn."

---

heneiddio: mynd yn hen
ar fin: *on the point of*
hynafiaid: *ancestors*
yn hŷn na: yn henach na
yn derfynol: *finally*
Cyhŷd â: Cymaint o amser â
olyniaeth: *sequence*

llafn: *blade*
o ddim defnydd: *not of any use*
baich: *burden*
datod: *to undo*
llonni: *to cheer*
ill dau: h.y. y ddau ohonyn nhw
diarth: h.y. dieithr

"Clywed eich bod chi'n gadael yr ardal, Mr. Vaughan. Mi fydd 'na fwlch ar eich ôl chi acw."

"Diolch, Bennett. Diolch yn fawr."

Yr oedd hynyna'n beth ôd i Bennett ei ddweud, o achos fel is-gadeirydd y gangen Lafur yn Llanaerwen yr oedd bob amser wedi gwrthwynebu'i ymgeisiaeth ef am y Cyngor Sir nerth deng ewin. Yr oedd rhywbeth hynod wedi newid ei agwedd. Cofiodd Edward am y sylw a wnaed ym Mhwyllgor y Ffyrdd ychydig cyn yr etholiad.

"Cyn imi adael y Cyngor Sir, Bennett, mi glywais i ganmol mawr i'ch gang chi am eich gwaith rhagorol ar y ffyrdd."

"Fe wyddoch pwy sy'n gyfrifol?" meddai Bennett.

"Chi fel fforman, dybiwn i."

"Nage, wir. Y dyn yr ydech chi wedi'i roi inni."

"Y fi? Dydw i ddim yn eich deall chi, Bennett."

"Er pan ddaeth eich mab chi aton ni, mae awyrgylch y giang wedi newid yn hollol. Weles i 'rioed ddynion yn newid cymaint. Cyn iddo ddod, fe fydden yn sgwrsio am—wel, na, dydi o ddim ffit i'w adrodd wrth ddyn fel chi. Ond rwan, maen nhw'n sgwrsio am bolitics ac am lyfre ac am—wel, am grefydd. Dyden ni ddim yn ddynion duwiol, cofiwch. Ond erbyn hyn fe allech gyfri'r rhegfeydd glywch chi mewn diwrnod ar fysedd un llaw. Y gwir ydi fod y dynion yn rhy brysur i regi. Ac maen nhw wedi mynd yn browd o'u gwaith. Yn browd eu bod nhw'n ddynion ffordd! Wel, dyna fo. Mae acw newid. Diolch i Harri."

"Diolch, Bennett," meddai (Edward Vaughan yn) gryglyd. "Pnawn da."

Trodd ei gefn ar y fforman ac aeth yn ffwdanus tua Swyddfa Walter Gethin.

"Helô, Mr. Vaughan."

Trodd Edward Vaughan.

"O, helô Terence, chi sy 'ma? Ydi'r lorri ddim wedi dod eto?"

---

| | |
|---|---|
| gwrthwynebu: *to oppose* | rhagorol: ardderchog |
| ymgeisiaeth: *candidature* | crefydd: *religion* |
| nerth deg ewin: h.y. *with all his might* | duwiol: *religious* |
| hynod: *remarkable* | y rhegfeydd: *the swearwords* |
| agwedd: *attitude* | prowd: h.y. *proud* |
| a wnaed: *which was made*, (gwneud) | yn gryglyd: *hoarsely* |

226

"Rydw i'n ei disgwyl hi bob munud."

"Ie, dyna chi. Ewch gyda hi pan ddaw hi, dim ond gollwng y defaid ohoni i'r cae wrth y ffordd. Mi ddo i adre cyn gynted ag y medra i."

Syllodd (Terence) yn galed i lawr y stryd. Heibio i ddrws swyddfa Gethin yr oedd un yn dod y buasai wedi dianc o'i olwg pe medrai. Ond yr oedd yn rhy hwyr. Yr oedd wedi'i weld. Safodd nes daeth Wil James ato. Yr oedd yn amlwg fod Wil James wedi yfed.

"'Lo, Terence."

"Smai, Wil."

"Wyt tithe wedi cael y sac hefyd?"

"Sac? Naddo. Pam? Wyt ti?"

"Ydw." Anadlodd Wil yn drwm. "Y mochyn, Pugh. 'Y nhynnu i i'r Trawscoed, a wedyn 'y ngyrru i odd'yno."

"Pam, Wil?"

Gollyngodd Wil chwerthiniad cwta.

"Mae genno fo ferch."

"Lisabeth?"

"Mm-ie. Lisabeth. Merch handi gyn-ddeiriog . . ."

"Wel?"

"Mi ro's i 'nwylo arni un noson ar y ffordd i 'ngwely. Mi sgrechiodd y bitsh, ac mi ddoth Pugh yno."

"Ac rwyt ti ar y clwt."

"Rydw i ar y clwt. Hm! Ti'n gwbod lle sy tu cefn iti, Terri?"

"Y *Green Lion*."

"Reit. Tyrd i mewn am ddrinc."

"Na ddo i."

"Y?"

Syllodd Wil arno drwy'i lygaid hanner cau.

"Blwmin dirweswr?"

"Blwmin dirwestwr," ebe Terence.

"Sut hynny?"

"Jest—wedi penderfynu. Dyna'r cwbwl."

---

cyn gynted: mor gyflym
pe medrai: petai wedi gallu/medru
gyrru (G.C.): anfon
chwerthiniad: *a laugh*
cwta: byr

gyn-ddeiriog: h.y. cynddeiriog h.y. iawn
ar y clwt: allan o waith
dirwestwr: *abstainer*

227

"Pam?"

"Wel . . . os ydi'n rhaid iti wybod. Mae Harri Vaughan wedi gofyn imi fynd yn bartner efo fo."

"Ar-r-amod d'fod ti'n rhoi gore i'r biar, e?"

"Ie."

"Mi wyddwn. Mi synni glywed. Mi ofynnodd i minne hefyd."

Lledodd llygaid Terence.

"Sioc, e?" Siglodd Wil ar ei draed. "Mae'n wir. Ar-r-amod 'mod inne'n rhoi gore i'r joli biar. Ac mi fase fo'n mynd i siarad â Sali a thrïo pherswadio hi i ddod yn ôl ata i." Agorodd Wil ei lygaid yn sydyn. "Mi ofynnodd i mi, Terence! I hen syrffed fel fi!"

Gwelodd Terence fod gwefusau Wil James yn crynu'n ddireol, ac ymhen eiliad neu ddau powliodd dau ddeigryn mawr i lawr ei ruddiau cochlas. Sychodd ei wyneb â'i lawes ac yna dweud,

"Os oes 'na nefoedd, mi eith Harri Vaughan iddi. Ond mi fydd raid iddo fynd hebddo i. Mae Wil James wedi'i werthu i'r Cythrel."

A chan siglo'n beryglus, aeth heibio i Terence ac i mewn trwy ddrws y *Green Lion*. Fe'i cafodd Terence ei hun yn sefyll mewn cysgod mawr. Cododd ei ben a gweld bod y lorri anifeiliaid wedi sefyll rhyngddo a'r haul ac yn disgwyl amdano. Ymysgydwodd, a dringo i gefn y lorri at y defaid.


## II


Nid oedd gan Harri lyfr ar ei lin yn y trên y tro hwn. Nid am ei fod wedi rhoi'r gorau i lyfrau. Yr oedd am ddarllen mwy nag erioed wedi iddo ymsefydlu. Ond heno yr oedd ei feddwl yn rhy lawn i ddarllen.

Fe fu ym Mangor eto. Aros noson yn y llety gyda Gwdig.

"Bachan, smo'ti'n dod yn fyfyriwr yn ôl?"

---

Ar-r-amod: h.y. ar yr amod/*condition*
biar: h.y. *beer*
hen syrffed: h.y. *an old rascal*
yn ddireol: *without control*

powliodd . . .: . . . *rolled,* (powlio—*to roll*)
y Cythrel: *the Devil*
smo' ti (D.C.): dwyt ti ddim

"Nac ydw, Gwdig. Mae'r byd aflonydd wedi cael gafael yno i. Mae'r frwydyr ar gerdded."

"Eitha reit. Ac erbyn hyn, mae whant arna i ddod i'r frwydyr gyda ti."

"Wyt ti o ddifri, Gwdig?"

"Ydw i."

Buont ar eu traed yn cynllunio hyd yr oriau mân, ac wedi mynd i'r gwely ni chysgodd Harri am hir. Yr oedd y dyfodol yn rhy danbaid.

Pan aeth draw i'r coleg yn y bore, aeth i weld yr Athro Powell.

"Vaughan! Beth ddaeth â chi yma? Roeddwn i'n meddwl eich bod chi wedi digio â ni am byth."

"Rydw i wedi hanner madde ichi,"

"Mae'n dda iawn genny glywed. Eisteddwch. Beth alla i 'i wneud ichi?"

"Mi garwn i ddal i weithio ar fy ymchwil."

"Campus. Rydech chi am ddod yn ôl."

"Nac ydw. Gweithio gartre."

"Popeth yn iawn. Fe gewch bob help y galla 'i roi."

"Ond . . . mae genny eisie newid y pwnc."

"O? Beth sy ganddoch chi mewn golwg?"

"Dylanwad Marcsiaeth ar ardaloedd gwledig Cymru."

Gosododd yr Athro'i sbectol ar ei drwyn a rhythu drwyddi ar Harri.

"Ydech chi o ddifri, Vaughan?"

"Fûm i erioed fwy o ddifri."

"Felly'n wir. O, wel, gwnewch ryw grynodeb o'ch maes a'ch ffynonellau ac anfonwch o i mi, wnewch chi? Ac os gellwch chi f'argyhoeddi fod ganddoch chi ddigon o ddata i weithio arnyn nhw fe gewch fynd rhagoch. Bore da, Vaughan. A . . . phob rhwyddineb."

A gwasgodd yr Athro'i law yn dynn.

---

aflonydd: *restless*
brwydyr/brwydr: *battle*
whant (D.C.): h.y. chwant/awydd
tanbaid: *intense*
digio: *to offend*
madde/maddau: *to forgive*

crynodeb: *summary*
maes: *field (of study)*
ffynonellau: *sources*
argyhoeddi: *to convince*
mynd rhagoch: *proceed*
pob rhwyddineb: h.y. pob lwc

Wedi dod o'r ystafell, y rhai cyntaf a welodd Harri oedd Bill Kent a Gwylan, yn cerdded fraich-ym-mraich ar hyd y coridor. Gwridodd Gwylan wrth ei weld yntau, a phan oedd Harri ar fin mynd heibio iddynt heb ddim ond eu cyfarch, meddai hi wrth Kent,

"Excuse me a moment, Bill, would you? I'll join you in a few minutes."

Yr oedd y Sais melyn yn bur anfodlon ar ei olwg. Ond magodd beth ffydd a bodloni ac aeth yn ei flaen ac i lawr y grisiau o'r golwg.

"Wel, Harri?"

"Wel, Gwylan?"

Edrychodd Gwylan i lawr am eiliad, ac yna ar wyneb Harri drachefn.

"Harri . . . doedd y ffaith fod Bill a finna' fraich-ym-mraich jest rwan yn golygu dim."

"Nac oedd? Roeddwn i'n gobeithio'i fod."

"O, mae Bill yn selog, wrth gwrs. Ond . . . dydw i ddim. Fu dim ond un dyn yn 'y mywyd i erioed."

"Peidiwch â siarad fel'na, Gwylan."

"Mae'n wir," meddai hi, ymron yn taro'i throed yn y llawr gan mor bendant ydoedd. "Oes dim modd, Harri, dim modd o gwbwl, i chi a finne—?"

"Nac oes, Gwylan. Rwy'n priodi cyn bo hir."

"Priodi . . .?" Yr oedd llais Gwylan yn llais bychan bach. "Pwy?" meddai hi, pan gafodd ei gwynt ati.

"Merch o Lanaerwen acw."

"Yr un gyfoethog?"

"Nag e. Un arall. Un dlawd."

"Beth ydi'i gwaith hi?"

"Cadw tŷ i'w thad yr oedd hi, dyn ffordd. Fe fu'i thad farw ddiwedd y gaea."

"Merch dyn ffordd . . .? Ac rydach chi a hitha'n mynd i fyw ar eich arian chi?"

---

Gwridodd G.:: G. *blushed*, (gwrido)   golygu: *to mean*
cyfarch: *to greet*   yn selog: *yn ffyddlon*
ar ei olwg: *according to the way he*   ymron: *bron*
    *looked*

230

"Does genny ddim arian. A rwan, dyn ffordd ydw inne hefyd—diolch i chi."

Wedi saib, dywedodd Gwylan,

"Rydach chi'n gwneud camgymeriad, Harri."

"Hwyrach 'y mod i. Amser a ddengys. Ond mae arna i eisie diolch i chi, Gwylan, am ddangos y ffordd imi at y gaib a'r rhaw, ac at Marged. Rwy'n siŵr y bydd Kent a chithe'n hapus iawn. Da boch chi."

A cherddodd yn gyflym oddi wrthi ar hyd y coridor. Tybiodd glywed sŵn dagrau, ond nid edrychodd yn ôl.


## III

Dridiau cyn'yr arwerthiant aeth Edward Vaughan i fyny i droed y Ffridd i ymestyn ei goesau a chael awyr iach.

Wedi cael camfa'r Ffridd, eisteddodd Edward Vaughan arni. Yn araf ac yn lluddedig trodd ei ben a llusgo'i lygaid hyd ei dir. Ei hoff, hoff dir. Tridiau arall fel perchennog Lleifior. Deuddydd arall, diwrnod arall, a'r arwerthiant. Wedyn fe fyddai rhywun diarth yn byw yn Lleifior, a phobol yr ardal yn sôn am Mr. Thearle, Lleifior, neu Mr. Blenkinsop, Lleifior.

Yr oedd Robert Pugh wedi melysu drwyddo pan gynigiwyd Tyddyn (Argain) iddo. A rhyw olwg swil arno hefyd. Yr oedd sôn fod rhai o ffermwyr y Dyffryn wedi'i dweud hi'n o hallt wrtho un Dydd Mercher tua Henberth. Ond doedd gan Edward Vaughan bellach ddim diddordeb ym mhethau'r Dyffryn. Dim digon o ddiddordeb, hyd yn oed, i holi pam yr oedd ef yn wrthrych ffrae. Yr oedd Robert Pugh wedi dechrau ymddwyn unwaith eto fel y dylai cymydog. Ac yr oedd hynny'n ddigon. Er na wnâi hynny, chwaith, fawr o wahaniaeth bellach.

---

saib: *pause*
hwyrach (G.C.): efallai
Amser a ddengys: h.y. *Time will tell*
y gaib a'r rhaw: h.y. *the pick and the shovel*
dridiau: 3 diwrnod
arwerthiant: *auction*
wedi cael: h.y. wedi cyrracdd

camfa: *stile*
lluddedig: blinedig
pan gynigiwyd T.A.: *when he was offered T.A.*, (cynnig—*to offer*)
yn o hallt: h.y. *rather bluntly*
gwrthrych: *object*
er na wnâi hynny: *although that would hardly make any difference*

231

Lleifior . . . Yn ystod hanner awr aeth Edward Vaughan drwy'i blentyndod a'i lencyndod a thrwy droeon ei fywyd i gyd fel plentyn wedi ymgolli mewn stori.

Ti ydi'r olaf, Edward. Yr olaf un o Vaughaniaid Lleifior. Y cyfoethocaf, bid siŵr, a'r enwocaf, a'r olaf.

Clywodd Edward Vaughan sŵn troed y tu ôl iddo. Trodd ei ben, a syllu. Ddecllath oddi wrtho safai Harri, a merch y gwyddai'i fod wedi'i gweld yn rhywle, ond nad oedd ganddo syniad ymhle. Safodd yn ffwdanus ar ei draed, a daeth y ddau ato. Trodd Harri at y ferch yn ei ymyl a dweud,

"Dyma 'Nhad."

Ac wrth ei dad.

"Dyma Marged."

Edrychodd Edward Vaughan arni am ysbaid heb ddweud dim. Yna, estynnodd ei law iddi a dweud,

"Sut ydech chi, 'ngeneth i?"

Symudodd y tri at y gamfa ac edrych i lawr ar Leifior yn gorwedd yn gynnes yng nghôl ei dri chan cyfer. Buont yno am sbel heb neb yn torri gair, nes i Harri ddweud o'r diwedd,

"Ac rydech chi'n gwerthu Lleifior."

Dim ateb. Myfyriodd Harri am dipyn, yna dweud,

"Charwn i ddim gweld Sais yn byw yn Lleifior."

"Ond beth arall wna i ag o?" gofynnodd ei dad.

"Ei rentu o i mi," ebe Harri'n syml.

Syllodd Edward Vaughan yn hir ar y llanc.

"Wyt ti o ddifri, Harri?"

"Erioed fwy."

"Does gent ti ddim dynion."

"Oes, chwech."

"A bwrw fod gent ti gynifer, a dydw i ddim yn credu hynny, elli di byth dalu iddyn nhw."

Gwenodd Harri.

"Nhw fydd yn talu am gael gweithio, 'Nhad."

---

llencyndod: *youth*
troeon ei fywyd: *the ups and downs of his life*
bid siŵr: yn eithaf siŵr
y gwyddai: yr oedd yn gwybod
yn ffwdanus: *fidgety*

am ysbaid: *am ychydig o amser*
côl: *lap*
cyfer: *acre*
erioed fwy: *never more so*
a bwrw: *and accepting*
cynifer: *as many*

"A phwy," gofynnodd ei dad, "ydi'r dynion gwallgo yma?"

"Gwdig, a Terence, ac Ifan Roberts; llanc newydd orffen cwrs amaethyddol yn Aberystwyth yn oruchwyliwr, a finne. A hwyrach, os galla i berswadio—Karl."

"Chwech o feistradoedd," ebe'i dad. "Wyt ti'n meddwl y gweithith hi?"

"Ydech chi'n fodlon imi drio?" ebe Harri. "Os bydd y cynllun yn fethiant, flwyddyn i rwan, rydw i'n addo i chi y newidia i fy sustem, a newid 'y ngwleidyddiaeth. Flwyddyn i heno, os metha i, mi dro i i'n gyfalafwr. Ac fe gaiff Lleifior fod yn ffarm un mistar, a hwnnw y Tori glasaf a welodd Dyffryn Aerwen erioed."

Gwenodd Edward Vaughan, a dweud,

"Dowch, Marged, ichi gyfarfod 'y ngwraig."

Fe gyfarfu Harri a'i fam yn neuadd Lleifior fel dau gariad yn cyfarfod wedi rhyfel hir. Dim ond llythyrau fu rhyngddynt er pan aeth Harri o Leifior, a'r rheini'n brin fel aur. Pan ymwahanodd y ddau, yr oedd llapedi siaced Harri'n llaith. Aeth Margaret Vaughan i'r gegin i baratoi swper, ac aeth Harri drwy'r drws derw i'r parlwr mawr. Yno yr oedd ei dad, yn sgwrsio â Marged fel petai'r ddau'n hen gyfeillion. Yr oedd Edward Vaughan yn dweud,

"Welwch chi'r codiad tir acw, Marged, ym mhen pella Coed Argain? Dyna lle'r ydw i'n mynd i godi tŷ i Mrs. Vaughan a minne."

Pan drodd a gweld Harri yno'n gwrando, pesychodd yn swta, a chydio ym mhenelin Marged.

"Dowch, Marged," meddai, "ichi gael gweld drwy'r tŷ."

A thynnodd hi i'w ganlyn allan o'r parlwr mawr, lle gallai sgwrsio â hi o glyw Harri. Symudodd Harri'n araf drwy'r ystafell. Croesodd y carped tua'r lle tân. Yno, ar y silff-ben-tân, rhwng ci bach tsieni a'r cloc, yr oedd llun Greta. Cymerodd ef yn ei ddwylo a syllu i'r llygaid a dynnwyd pan oedd chwerthin

---

gwallgo: *mad*
goruchwyliwr: *supervisor*
meistradoedd: *masters*
cyfalafwr: *capitalist*
fe gaiff Lleifior: *Lleifior will be allowed*
   *to be*, (cael bod)

fe gyfarfu H.: *H. met*, (cyfarfod)
yn brin: *scarce*
derw: *oak*
codiad tir: h.y. bryn bach
i'w ganlyn: i'w ddilyn ef
o glyw: *out of earshot*

ynddynt, ac ar y wên a ddaliwyd ar y gwefusau llawn. Ni allai holl foeth ei pharlwr yn Rodney Street heno roi'r wên a'r chwerthin yn ôl. Cusanodd Harri'i hwyneb drwy wydr y ffrâm, a rhoi'r llun yn ôl yn dyner ar y silff rhwng y cloc a'r ci bach tsieni.

Yn araf, trodd ei lygad tua'r machlud. Yr oedd pelydryn o'r machlud hwnnw'n treiddio drwy'r ffenest ac yn ymdaflu ar y mur uwch y silff-ben-tân. Yng nghanol y pelydryn o'r machlud, yn falch ac yn ddigymrodedd ar y mur, safai arbais y Vaughaniaid.

---

moeth: *luxury*
pelydryn: *a ray*
treiddio: *to penetrate*

yn ddigymrodedd: *without compromise*
safai: roedd . . . yn sefyll
arfbais: *coat of arms*